La Finance quantitative
en 50 questions

Éditions d'Organisation
Groupe Eyrolles
61, bd Saint-Germain
75240 Paris Cedex 05
www.editions-organisation.com
www.editions-eyrolles.com

À propos de l'auteur

PAUL WILMOTT est une des personnes les plus connues lorsque l'on évoque les produits dérivés et le risk management. Consultant, éditeur du bimensuel *Quant Wilmott*, auteur d'ouvrages aux éditions Wiley (*Paul Wilmott introduces Qauntitative Finance* et *Paul Wilmott on Quantitative Finance*) et de plus d'une centaine d'articles de recherche, formateur, propriétaire du site wilmott.com et fondateur du certificat en finance quantitative (7city.com/cqf), associé d'un hedge fund, il est reconnu tant au niveau académique, qu'en tant que praticien.

Traducteur : Francis Mathieu
Avec la collaboration de Patrice Poncet

L'édition originale *Frequently asked question in Quantitative Finance*
a été publiée chez John Wiley & Sons Ltd, The Atrium, Southern Gate, Chichester,
West Sussex PO19 8SQ, England.
Copyright © 2007 Paul Wilmott.

© Groupe Eyrolles, 2008
ISBN : 978-2-212-53897-7

Paul Wilmott

La Finance quantitative
en 50 questions

EYROLLES
Éditions d'Organisation

Table des matières

Introduction

Ce livre est né des suggestions du forum de discussion du site wilmott.com où se trouvent les questions les plus fréquemment posées en finance quantitative. C'est en essayant d'y répondre que j'ai eu l'idée d'écrire cet ouvrage, *La Finance quantitative en 50 questions*.

Vous pouvez rejoindre ce forum à l'adresse suivante : www.wilmott.com/faq. Pour envoyer un message, n'oubliez pas de vous inscrire : c'est gratuit !

Le livre que vous tenez entre les mains comporte les questions les plus fréquemment posées en finance quantitative, leurs réponses et également des passages sur les modèles courants, leurs formules, différents moyens de dériver le modèle Black and Scholes, l'histoire de la finance quantitative, une sélection de petits tests pour réfléchir et un passage pour ceux qui apprécient les bibliographies (vous trouverez également une bibliographie et des articles de recherches sur le site wilmott.com).

Tout à la fin, vous trouverez un extrait du *Guide de Paul et Dominic* sur les jobs en finance quantitative : cela intéressera sûrement les lecteurs qui cherchent un premier travail comme *quant*.

La Finance quantitative en 50 questions n'est pas un raccourci permettant une compréhension rapide de tous les rouages de la finance quantitative. De tels raccourcis n'existent pas. Néanmoins, cet ouvrage vous donne des notions et astuces indispensables dans votre travail ou dans vos premiers entretiens professionnels. Il est également un guide précieux pour vous remémorer les concepts fondamentaux (et les écarts entre théorie et pratique), et vous fournir quelques notions fondamentales du modèle Black-Scholes ainsi que des grecques.

Le sujet est en évolution permanente et bien que les fondamentaux soient robustes et statiques, il y a toujours de nouveaux produits et de nouveaux modèles. Si vous avez des questions auxquelles vous souhaitez que je réponde, envoyez-moi un e-mail à l'adresse suivante : paul@wilmott.com.

Je voudrais remercier les membres du forum pour leur contribution et particulièrement :

Aaron, Adas, Alan, Bayes, Cuchulainn, Exotiq, HA, KR, MJ, Mrbadguy, N, Omar, Reza, Waagh-Bakri et Zerdna pour leur contributions proactives sur le site. Merci également à DCFC pour ces conseils sur ce livre.

J'exprime toute ma reconnaissance à Caitlin Cornish, Emily Pears, Graham Russel, Jenny McCall, Sarah Stevens, Steve Smith, Tom Clarck et Viv Wickham de John Wiley & Sons Ltd pour leur soutien continu.

Je suis particulièrement reconnaissant envers James Fahy pour l'animation du forum et la convivialité qu'il y met.

Mahalo et aloha pour ma femme Andrea, si encourageante.

P. Wilmott

Chapitre 1

Chronologie de la finance quantitative

Ce qui suit est un rapide tour d'horizon de l'histoire de la finance quantitative. Je donne, autant que possible, les dates, noms et références des sources originales.

1827-Brown. Le botaniste écossais Robert Brown a donné son nom au mouvement aléatoire de particules dans un liquide (« mouvement brownien »). Cette idée de marche aléatoire a inspiré de nombreux champs scientifiques, et est communément utilisée comme le mécanisme modèle sous-tendant une grande variété de processus continus aléatoires. Le processus aléatoire log-normal issu du mouvement brownien est le modèle classique des marchés actions. Voir Brown (1827).

1900-Bachelier. Louis Bachelier a été le premier à quantifier le concept du mouvement brownien. Il a développé une théorie mathématique pour les marches aléatoires qui sera redécouverte ultérieurement par Einstein. Il a proposé un modèle pour l'évolution des prix des actions, une distribution normale, duquel il a déduit un modèle pour évaluer les options, qui étaient quasi inconnues à l'époque. Son modèle novateur méritait d'être étendu mais est resté méconnu durant de nombreuses années. Voir Bachelier (1995).

1905-Einstein. Albert Einstein, outre d'autres travaux brillants, a proposé un fondement scientifique pour le mouvement brownien en 1905. Voir Stachel (1990).

1911-Richardson. La plupart des modèles d'options résultent d'« équations de diffusion ». Celles-ci doivent fréquemment être résolues numériquement. Pour y arriver, on utilise souvent des techniques de Monte-Carlo ou de différences finies (une version sophistiquée du modèle binomial). Mais le premier usage de la méthode des éléments finis, dans laquelle une équation différentielle est discrétisée en une équation de différences, a été mis en œuvre par Lewis Fry Richardson en 1911, et utilisé pour résoudre l'équation de diffusion associée à la prévision météorologique. Voir Richardson (1922). Richardson a travaillé plus tard sur des modèles mathématiques de prédictions de guerre.

1923-Wiener. Norbert Wiener a développé une théorie rigoureuse pour le mouvement brownien, dont les mathématiques allaient devenir un élément de modélisation indispensable pour la finance quantitative plusieurs dizaines d'années plus tard. Le point de départ de presque tous les modèles financiers, la première équation écrite dans la plupart des publications techniques incluent le processus de Wiener comme la représentation de l'aléa du prix des actifs. Voir Wiener (1923).

1950-Samuelson. Le lauréat du prix Nobel d'économie 1970, Paul Samuelson, a donné le ton aux générations ultérieures d'économistes. Samuelson a mathématisé, à la fois, la macro et la microéconomie. Il a redécouvert la thèse de Bachelier et posé les fondements des théories ultérieures de valorisation d'options. Son approche de la valorisation des dérivés se faisait *via* des espérances réelles, à l'opposé des espérances risque-neutre apparues bien plus tardivement. Voir Samuelson (1955).

1951-Itô. Où serions-nous sans le calcul stochastique d'Itô ? (Certaines personnes pensent même que la finance relève *uniquement* des calculs d'Itô). Kiyosi Itô a démontré la relation liant une équation différentielle stochastique pour une variable indépendante quelconque, et l'équation différentielle stochastique pour une fonction de cette variable. L'un des points de départ de la théorie classique des dérivés est l'équation différentielle stochastique log-normale pour l'évolution d'un actif. Le lemme d'Itô livre l'équation différentielle stochastique pour la valeur d'une option sur cet actif.

En termes mathématiques, si l'on a un processus de Wiener X avec des incréments dX qui sont distribués normalement avec une moyenne nulle et une variance dt, l'incrément d'une fonction $F(X)$ est donné par :

$$dF = \frac{dF}{dX}dX + \frac{1}{2}\frac{d^2 F}{dX^2}dt$$

C'est là une définition très simpliste du lemme d'Itô, mais elle suffit. Voir Itô (1951).

1952-Markowitz. Harry Markowitz a été le premier à proposer une méthodologie quantitative moderne pour la sélection de portefeuille. Celle-ci requiert la connaissance des volatilités des actifs et la corrélation entre les actifs. L'idée était extrêmement élégante, apportant des idées novatrices comme « efficience » et « portefeuille de marché ». Dans cette théorie moderne du portefeuille (TMP), Markowitz a montré que des combinaisons d'actifs pouvaient avoir de meilleures propriétés que chaque actif individuellement. Que signifie « meilleur » ? Markowitz a quantifié la performance future potentielle d'un portefeuille en termes de rendement espéré et de volatilité. Le dernier terme devait être interprété comme le risque du portefeuille. Il a montré comment optimiser un portefeuille pour lui donner le rendement maximal à un niveau de risque donné. Un tel portefeuille était dit « efficient ». Ce travail a valu plus tard à Markowitz le prix Nobel d'économie, mais est rarement utilisé en pratique à cause de la difficulté à mesurer la volatilité des paramètres, et surtout leur corrélation et leur instabilité. Voir Markowitz (1959).

1960-Sobol', Faure, Hammersley, Handscomb, Haselgrove, Halton,... De nombreuses personnes ont été associées à la définition et au développement de la théorie des nombres quasi aléatoires ou la théorie des suites à discrépance faible. Le sujet traite de la distribution de points dans un nombre arbitraire de dimensions, de façon à couvrir l'espace de manière aussi efficient que possible, avec le moins de points possible. La méthodologie est utilisée, notamment, dans les évaluations d'intégrales multiples. Ces idées trouveront un usage en finance presque trente ans plus tard. Voir Sobol' (1967), Faure (1969), Hammersley et Handscomb (1964), Haselgrove (1961) et Halton (1960).

1963-Sharpe, Lintner et Mossin. William Sharpe de Stamford, John Lintner d'Harvard et l'économiste norvégien Jan Mossin ont développé de façon indépendante un modèle simple pour évaluer les actifs risqués. Ce modèle d'évaluation des actifs financiers (MEDAF, Capital Asset Pricing Model) a aussi réduit le nombre de paramètres nécessaires pour la sélection de portefeuille, par rapport à ceux requis par la TMP de Markowitz, rendant la théorie de l'allocation plus pratique. Voir Sharpe (1985), Lintner (1965) et Mossin (1966).

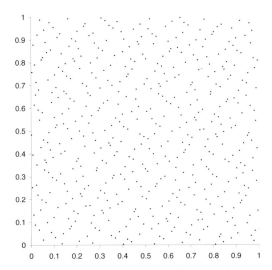

Figure 1-1 : Contrairement aux apparences, ces points sont distribués de façon déterministe pour obtenir des propriétés très utiles

1966-Fama. Eugène Fama a conclu que les prix des actions étaient imprévisibles et remettaient en cause l'expression « efficience de marché ». Bien qu'il existe des formes variées d'efficience de marché, l'idée en substance est que les prix de marché des actions reflètent toutes les informations accessibles publiquement, et qu'aucune personne ne peut prendre un avantage sur une autre par des moyens honnêtes. Voir Fama (1966).

1968-Thorp. Le premier coup d'éclat d'Ed. Thorp a été de démontrer comment gagner au black-jack, idées qui ont été mises en pratique par Thorp lui-même et consignées dans son best-seller *Beat the Dealer*, le « livre qui a conduit Las Vegas à changer ses règles ». Son deuxième coup d'éclat est d'avoir inventé et construit, avec Claude Shannon, le théoricien de l'information, le premier ordinateur portable. Son troisième coup d'éclat est d'avoir été le premier à utiliser les formules « correctes » de valorisation d'options, formules qui ont été redécouvertes et publiées plusieurs années plus tard par les trois personnes suivantes de notre liste. Thorp a utilisé ces formules pour gagner une fortune pour lui-même et ses clients dans le tout premier hedge fund basé sur la finance quantitative. Voir Thorp (2002) pour l'histoire de la découverte des formules de Black-Scholes.

1973-Black, Scholes et Merton. Fischer Black, Myron Scholes et Robert Merton ont dérivé l'équation de Black-Scholes pour les options au début des années 1970, en la publiant en deux fois en 1973 (Black & Scholes, 1973, et Merton, 1973). La date a presque coïncidé avec la négociation d'options d'achat sur le Chicago Board Options Exchange. Scholes et Merton ont remporté le prix Nobel d'économie en 1997. Black était mort depuis deux ans.

Le modèle de Black-Scholes est fondé sur un mouvement brownien géométrique du prix de l'actif S :

$$dS = \mu S \, dt + \sigma S \, dX.$$

L'équation différentielle partielle pour la valeur V d'une option est donc :

$$\frac{\partial V}{\partial t} + \frac{1}{2}\sigma^2 S^2 \frac{\partial^2 V}{\partial S^2} + rS \frac{\partial V}{\partial S} - rV = 0.$$

1974–Merton, encore. En 1974, Robert Merton (Merton, 1974) introduit l'idée de modéliser la valeur d'une entreprise comme une option d'achat sur ses actifs, en reliant la dette de l'entreprise au prix d'exercice et la maturité de la dette à la date d'expiration de l'option. Par conséquent, l'approche structurelle de la modélisation du risque de défaut venait de naître, selon laquelle si l'option expirait hors de la monnaie (c'est-à-dire que les actifs avaient moins de valeur que la dette à la maturité), alors l'entreprise devrait faire faillite.

Le risque de crédit a pris des proportions importantes, voire gigantesques dans les années 1990. La théorie et la pratique ont progressé rapidement pendant cette période, pressées par quelques événements significatifs relatifs au crédit, comme la crise due à la débâcle de Long Term Capital Management, LTCM. Un des associés de LTCM était Merton, qui avait travaillé sur le risque de crédit vingt ans plus tôt. Aujourd'hui, ce domaine de recherche a pris une ampleur très importante regroupant des théories issues de la théorie de Merton, mais aussi sur des modèles utilisant des processus de Poisson pour l'événement de défaut (ou faillite). Pour des références clés en ce domaine, voir Schönbucher (2003).

1977–Boyle. Phelim Boyle a relié la valorisation des options à la simulation de scénarios d'actifs aléatoires. Il a montré comment trouver la « fair value » (valeur équitable) d'une option en générant de nombreux scénarios futurs possibles de l'actif sous-jacent, puis en regardant ce que rapportait l'option en moyenne. L'avenir, au sein de la finance, des simulations de Monte Carlo était assuré. Voir Boyle (1977).

1977–Vasicek. Jusque-là, la finance quantitative ne s'était pas beaucoup étendue sur la valorisation des produits de taux d'intérêt. Certaines personnes utilisaient des formules d'options sur actions pour évaluer les options de taux, mais on n'avait pas encore développé une théorie cohérente pour les taux. Vasicek s'en est chargé. Il a commencé par modéliser le taux d'intérêt à court terme par une marche aléatoire, puis a conclu que les dérivés de taux pouvaient être évalués par des équations similaires à l'équation aux dérivés partielles de Black-Scholes.

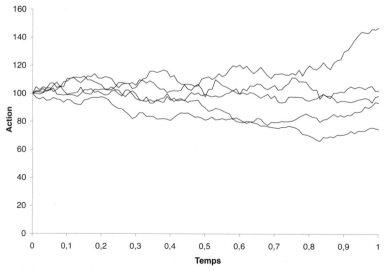

Figure 1-2 : De telles simulations peuvent être aisément utilisées pour évaluer des dérivés

Oldrich Vasicek a représenté le taux d'intérêt à court terme par une équation différentielle stochastique de la forme :

$$dr = \mu(r, t) \, dt + \sigma(r, t) \, dX.$$

L'équation de valorisation des obligations est une équation différentielle partielle parabolique, similaire à l'équation de Black-Scholes. Voir Vasicek (1977).

1979-Cox, Ross, Rubinstein. Boyle avait montré comment évaluer des options par simulations, ce qui était une idée importante et intuitivement raisonnable, mais ce sont ces trois personnes, John Cox, Stephen Ross et Mark Rubinstein, qui ont permis l'expansion en masse des modèles de valorisation d'options.

L'équation de Black-Scholes avait été dérivée en utilisant le calcul stochastique et fournissait une équation aux dérivées partielles. Cela n'était pas de nature à séduire les milliers d'étudiants intéressés par une carrière dans la finance. À cette époque, il s'agissait typiquement d'étudiants en MBA, et non des mathématiciens et physiciens que l'on trouve aujourd'hui à Wall Street. Comment les MBA pouvaient-ils résister ? Un MBA était un prérequis nécessaire pour une carrière prestigieuse en finance, mais la capacité à compter des haricots n'est pas la même que la capacité à comprendre les mathématiques. Heureusement Cox, Ross et Rubinstein ont été capables de distiller les concepts fondamentaux de la valorisation d'options dans un algorithme simple faisant seulement appel aux opérations d'addition, de soustraction, de multiplication et de division. Même les MBA pouvaient maintenant faire partie de la fête. Voir Cox, Ross et Rubinstein (1979).

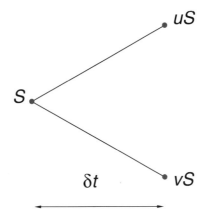

Figure 1-3 : La structure en branches du modèle binomial

1979-1981-Harrison, Kreps, Pliska. Avant qu'ils n'arrivent tous les trois sur le devant de la scène, la finance quantitative était le domaine soit des économistes, soit des mathématiciens appliqués. Mike Harrison et David Kreps, en 1979, ont montré la relation entre le prix des options et des théories de probabilités pointues, à l'origine en temps discret. Harrison et Stan Pliska ont utilisé la même idée en 1981, mais en temps continu. À partir de ce moment, et jusqu'au milieu des années 1990, les mathématiciens appliqués n'ont plus eu voix au chapitre (théorème et recherche de preuves systématiques). Voir Harrison et Kreps (1979) et Harrison et Pliska (1981).

1986-Ho et Lee. Un des problèmes du modèle de Vasicek sur les produits dérivés de taux d'intérêt était qu'il ne donnait pas de très bons prix pour les obligations, les produits de taux les plus simples. Si le modèle n'était pas même capable d'obtenir de bons prix pour les obligations, comment pouvait-il espérer valoriser correctement des options sur obligations ? Thomas Ho et Sang-Bin Lee ont trouvé une solution satisfaisante en introduisant l'idée d'adaptation à la courbe de taux, ou calibrage. Voir Ho et Lee (1986).

1990-Cheyette, Barrett, Moore, Wilmott. Lorsqu'il y a plusieurs actifs sous-jacents, suivant tous des chemins aléatoires log-normaux, on peut écrire la valeur de toute option européenne ne dépendant pas du chemin parcouru comme une inté-grale multiple, avec une dimension par actif. Valoriser de telles options revient donc à calculer une intégrale. Les techniques habituelles de quadrature ne sont pas efficaces pour les dimensions élevées, mais les simulations peuvent se révéler assez efficaces. L'évaluation d'intégrales par Monte Carlo est fondée sur l'idée qu'une intégrale est juste une moyenne multipliée par un « volume ». Et comme une manière d'évaluer une moyenne est de prendre des nombres au hasard, on peut évaluer une intégrale multiple en prenant au hasard des valeurs de la fonction inté-grée et en sommant. Avec N évaluations de la fonction, en prenant un temps $O(N)$ on peut s'attendre à une précision $O(1/N^{1/2})$, indépendamment du nombre de dimensions. Comme mentionné précédemment, les avancées des années 1960 sur les suites à discrépance faible ont montré comment des distributions non aléatoires judicieuses pouvaient être utilisées pour obtenir une précision de l'ordre de $1/N$ (il y a une faible dépendance au nombre de dimensions).

Au début des années 1990 plusieurs groupes travaillaient simultanément sur la valo-risation d'options à sous-jacents multiples. Leur travail était moins une avancée qu'un transfert de technologie.

Ils ont utilisé des idées provenant de la théorie des nombres et les ont appliquées à la finance. Actuellement, ces suites à discrépance faible sont communément utilisées pour la valorisation d'options à chaque fois qu'elle requiert des nombres aléatoires. Quelques années après que ces chercheurs ont rendu publics leurs travaux, un groupe complètement distinct les a repris et breveté avec succès à Columbia University. Voir Cheyette (1990) et Barrett, Moore et Wilmott (1992).

1992-Heath, Jarrow et Morton. Bien que Ho et Lee aient montré comment marier le prix théorique et le prix de marché des obligations simples, la méthodo-logie était assez peu élégante et peu généralisable. David Heath, Robert Jarrow et Andrew Morton ont adopté une approche différente. Au lieu de modéliser juste un taux court et d'en déduire la courbe de taux entière, ils ont modélisé l'évolution aléatoire de l'ensemble de la courbe. La courbe de taux initiale, et donc la valeur des produits de taux simples, était un *input* du modèle. Le modèle ne peut pas facilement être exprimé en termes d'équation différentielle, et donc se fonder soit sur des simu-lations de Monte Carlo, soit sur un arbre binomial. Ce travail est devenu célèbre grâce au *working paper*, mais il fut finalement publié, contribuant à la notoriété de Heath, Jarrow et Morton (1992).

1994-Dupire, Rubinstein, Derman et Kani. Une autre découverte a eu lieu indépendamment et simultanément par trois groupes de chercheurs sur le sujet de la valorisation d'option avec probabilité déterministe. Un des reproches fait au modèle de valorisation d'option classique est l'hypothèse d'une volatilité constante, qui est incohérente avec les prix de marché des instruments négociés sur les places boursières. On a donc besoin d'un modèle qui peut évaluer correctement des contrats vanille et évaluer des contrats exotiques de façon cohérente. La nouvelle méthodologie, qui est rapidement devenue la pratique de référence du marché, consistait à trouver la volatilité comme une fonction du sous-jacent et du temps qui, une fois placée dans l'équation de Black-Scholes et résolue, souvent numériquement, donnait des prix d'options en accord avec les prix de marché. C'est ce que l'on appelle un problème inversé, à savoir utiliser la réponse pour trouver les coefficients dans l'équation maîtresse. Le côté positif, c'est que ce n'est pas trop difficile à faire en théorie. En revanche, c'est beaucoup plus difficile en pratique, la fonction de volatilité recherchée dépendant de façon très sensible des données initiales. D'un point de vue scientifique, on peut émettre beaucoup d'objections contre cette méthodologie. La structure de volatilité résultante ne correspond jamais à la volatilité effective, et même si les options exotiques sont évaluées de façon cohérente, la manière de couvrir au mieux les exotiques avec des vanilles pour minimiser toute erreur de modèle n'est pas claire. De telles inquiétudes semblent avoir peu d'impact, la méthode étant tellement répandue. Comme il arrive souvent en finance, une fois qu'une technique devient populaire, il est dur d'aller contre la majorité. On prend le risque de perdre son emploi. Voir Derman et Kani (1994), Dupire (1994) et Rubinstein (1994).

1996-Avellaneda et Parás. Marco Avellaneda et Antonio Parás étaient, avec Arnon Levy et Terry Lyons, les créateurs du modèle à volatilité incertaine pour la valorisation d'options. C'était une avancée importante en termes de rigueur et séduisante scientifiquement, mais le meilleur était à venir. Ce modèle, comme beaucoup de ceux qui lui ont succédé, n'était pas linéaire. La non-linéarité d'un modèle de valorisation d'options signifie que la valeur d'un portefeuille de contrats n'est pas nécessairement égale à la somme des valeurs des contrats qui le constituent. Une option aura une valeur différente en fonction des autres constituants du portefeuille, et la valeur d'une option exotique dépendra de ce qui est utilisé pour la couvrir. Avellaneda et Parás ont défini la valeur d'une option exotique comme la plus haute valeur marginale possible pour le contrat, lorsqu'il est couvert par un ou par tous les contrats disponibles sur le marché. Par conséquent, cette méthode de valorisation d'option contient sa propre technique de couverture statique par d'autres options. Avant ces travaux, les seuls résultats d'un modèle de valorisation d'option étaient sa valeur et son delta, seule la couverture dynamique était nécessaire théoriquement. Avec ce nouveau concept, la théorie a fait un grand pas vers la pratique. Un autre résultat de cette technique était que le prix théorique d'une option cotée correspondait exactement à son prix de marché. Le calibrage complexe des modèles de surface de volatilité était devenu superflu. Voir Avellaneda et Parás (1996).

1997-Brace, Gatarek et Musiela. Alors que le modèle de taux d'intérêt HJM avait réglé le problème principal des modèles stochastiques de taux « spot », et d'autres du même acabit, il lui restait encore deux inconvénients majeurs : il requérait l'existence d'un taux « spot », et il supposait une distribution continue des taux à terme. Brace, Gatarek et Musiela (1997) ont contourné ces deux difficultés en introduisant un modèle qui reposait seulement sur un ensemble discret de taux, ceux qui sont effectivement négociés. Comme avec le modèle HJM, les données initiales sont les taux à terme, de telle sorte que les prix des obligations sont calibrés automatiquement. On spécifie un certain nombre de facteurs aléatoires, leurs volatilités et leurs corrélations entre eux, et le prérequis de non-arbitrage détermine alors les paramètres risque-neutre. Bien que B., G. et M. aient leur nom associé à cette idée, de nombreux autres chercheurs y ont travaillé au même moment.

2000-Li. Comme nous l'avons déjà mentionné, les années 1990 ont vu l'explosion du nombre d'instruments de crédit disponibles, et également de la croissance des dérivés à sous-jacents multiples. Il n'y avait qu'un pas pour imaginer des contrats dépendant du défaut de nombreux sous-jacents, comme par exemple les omniprésents Collateralized Debt Obligations (CDO). Mais la valorisation d'instruments si compliqués demande un modèle pour décrire l'interaction de nombreuses entreprises durant le processus de défaut. Une approche probabiliste fondée sur des copules a été proposée par Li (2000). L'approche par les copules permet de regrouper (d'où le mot « copule ») des modèles de défaut individuels pour les entreprises prises séparément, afin de fabriquer un modèle pour les probabilités jointes de leur défaut. L'idée a été adoptée à l'unanimité comme une solution pratique à un problème compliqué.

2002-Hagan, Kumar, Lesniewski, Woodward. On a toujours eu besoin de modèles à la fois rapides et qui correspondent bien aux prix de marché. Celui de taux d'intérêt de Hagan, Kumar, Lesniewski et Woodward (2002), qui a fini par s'appeler le modèle SABR (stochastique, alpha, bêta, rhô), est un modèle pour un taux à terme et sa volatilité, tous deux étant stochastiques. Ce modèle est rendu malléable en exploitant une approximation asymptotique de l'équation maîtresse, qui est extrêmement précise en pratique. L'analyse asymptotique simplifie un problème qui devrait autrement être résolu numériquement. Bien que l'analyse asymptotique ait été utilisée dans des problèmes financiers antérieurs, par exemple pour modéliser les coûts de transaction, c'était la première fois qu'elle entrait réellement dans le cœur de la finance quantitative.

Références et approfondissement

Avellaneda, M., Levy, A. & Parás, A., 1995, « Pricing and hedging derivative securities in markets with uncertain volatilities », *Applied Mathematical Finance* 2, p. 73–88.

Avellaneda, M. & Parás, A., 1994. « Dynamic hedging portfolios for derivative securities in the presence of large transaction costs », *Applied Mathematical Finance* 1, p. 165–194.

Avellaneda, M. & Parás, A., 1996, « Managing the volatility risk of derivative securities : the Lagrangian volatility model », *Applied Mathematical Finance* 3, p. 21–53.

Avellaneda, M. & Buff, R., 1997, « Combinatorial implications of nonlinear uncertain volatility models : the case of barrier options », Courant Institute, NYU.

Bachelier, L., 1995, *Théorie de la Spéculation*, Jacques Gabay.

Barrett, J.W., Moore, G. & Wilmott, P., 1992, « Inelegant efficiency », *Risk magazine* 5, (9), p. 82–84.

Black, F. & Scholes, M., 1973, « The pricing of options and corporate liabilities », *Journal of Political Economy* 81, p. 637–59.

Boyle, P., 1977, « Options : a Monte Carlo approach », *Journal of Financial Economics* 4, p. 323–338.

Brace, A., Gatarek, D. & Musiela, M., 1997, « The market model of interest rate dynamics », *Mathematical Finance* 7, p. 127–154.

Brown, R., 1827, *A Brief Account of Microscopical Observations*, London.

Cheyette, O., 1990. « Pricing options on multiple assets », *Adv. Fut. Opt. Res.* 4, p. 68–91.

Cox, J.C., Ross, S. & Rubinstein, M., 1979, « Option pricing : a simplified approach », *Journal of Financial Economics* 7, p. 229–263.

Derman, E., Ergener, D. & Kani, I., 1997, « Static options replication », in *Frontiers in Derivatives*, (Ed. Konishi, A. & Dattatreya, R.E.), Irwin.

Derman, E. & Kani, I., 1994, « Riding on a smile », *Risk magazine* 7 (2), p. 32–39.

Dupire, B., 1993, « Pricing and hedging with smiles », Proc AFFI Conf, La Baule June 1993.

Dupire, B., 1994, « Pricing with a smile », *Risk magazine* 7 (1), p.18–20.

Fama, E., 1965, « The behaviour of stock prices », *Journal of Business* 38, p. 34–105.

Faure, H., 1969, « Résultat voisin d'un théorème de Landau sur le nombre de points d'un réseau dans une hypersphère », *C. R. Acad. Sci. Paris Sér. A* 269, p. 383–386.

Hagan, P., Kumar, D., Lesniewski, A. & Woodward, D., 2002, « Managing smile risk », *Wilmott magazine*.

Halton, J.H., 1960, « On the efficiency of certain quasi-random sequences of points in evaluating multi-dimensional integrals », *Num. Maths.* 2, p. 84–90.

Hammersley, J.M. & Handscomb, D.C., 1964, *Monte Carlo Methods*. Methuen, London.

Harrison, J.M. & Kreps, D., 1979, « Martingales and arbitrage in multiperiod securities markets », *Journal of Economic Theory* 20, p. 381–408.

Harrison, J.M. & Pliska, S.R., 1981, « Martingales and stochastic integrals in the theory of continuous trading », *Stochastic Processes and their Applications* 11, p. 215–260.

Haselgrove, C.B., 1961, « A method for numerical integration », *Mathematics of Computation* 15, p. 323–337.

Heath, D., Jarrow, R. & Morton, A., 1992, « Bond pricing and the term structure of interest rates : a new methodology », *Econometrica* 60, p. 77–105.

Ho, T. & Lee, S., 1986, « Term structure movements and pricing interest rate contingent claims », *Journal of Finance* 42, p. 1129–1142.

Itô, K., 1951, « On stochastic differential equations », *Memoirs of the Am. Math. Soc.* 4, p. 1–51.

Li, D., 2000, « On default correlation : a copula function approach », Risk Metrics Group.

Lintner, J., 1965, « Security prices, risk, and maximal gains from diversification », *Journal of Finance* 20, p. 587–615.

Markowitz, H., 1959, *Portfolio Selection : efficient diversification of investment*, John Wiley www.wiley.com.

Merton, R.C., 1973, « Theory of rational option pricing », *Bell Journal of Economics and Management Science* 4, p. 141–183.

Merton, R.C., 1974, « On the pricing of corporate debt : the risk structure of interest rates », *Journal of Finance* 29, p. 449–470.

Merton, R.C., 1992, *Continuous-time Finance*, Blackwell.

Mossin, J., 1966, « Equilibrium in a capital asset market », *Econometrica* 34, p. 768–783.

Niederreiter, H., 1992, *Random Number Generation and Quasi-Monte Carlo Methods*, SIAM.

Ninomiya, S. & Tezuka, S., 1996, « Toward real-time pricing of complex financial derivatives », *Applied Mathematical Finance* 3, p. 1–20.

Paskov, S.H., 1996, « New methodologies for valuing derivatives », in *Mathematics of Derivative Securities* (Eds Pliska, S.R. and Dempster, M.).

Paskov, S.H. & Traub, J.F., 1995, « Faster valuation of financial derivatives », *Journal of Portfolio Management Fall*, p. 113–120.

Richardson, L.F., 1922, *Weather Prediction by Numerical Process*, Cambridge University Press.

Rubinstein, M., 1994, « Implied binomial trees », *Journal of Finance* 69, p. 771–818.

Samuelson, P., 1955, Brownian motion in the stock market, Unpublished.

Schönbucher, P.J., 2003, *Credit Derivatives Pricing Models*, John Wiley & Sons.

Sharpe, W.F., 1985, *Investments*, Prentice–Hall.

Sloan, I.H. & Walsh, L., 1990, « A computer search of rank two lattice rules for multidimensional quadrature », *Mathematics of Computation 54*, p. 281–302.

Sobol', I.M., 1967, « On the distribution of points in cube and the approximate evaluation of integrals », *USSR Comp. Maths and Math. Phys. 7*, p. 86–112.

Stachel, J. (ed.), 1990, *The Collected Papers of Albert Einstein*, Princeton University Press.

Thorp, E.O., 1962, *Beat the Dealer*, Vintage.

Thorp, E.O. & Kassouf, S., 1967, *Beat the Market*, Random House.

Thorp, E.O., 2002, *Wilmott magazine*, various papers.

Traub, J.F. & Wozniakowski, H., 1994, « Breaking intractability », *Scientific American*, p. 102–107.

Vasicek, O.A., 1977, « An equilibrium characterization of the term structure », *Journal of Financial Economics 5*, p. 177–188.

Wiener, N., 1923, « Differential space », *J. Math. and Phys. 58*, p. 131–74.

Chapitre 2

Questions fréquentes en finance quantitative

Quels types de mathématiques trouve-t-on en finance quantitative ?

Réponse courte

En finance quantitative, les domaines mathématiques les plus utilisés sont la **théorie des probabilités** et les **équations différentielles**. Bien entendu, des méthodes numériques sont couramment utilisées pour produire des résultats chiffrés.

> **Exemple**
>
> Le modèle classique d'évaluation des options peut être écrit comme une équation différentielle partielle. Mais le même modèle a aussi une interprétation probabiliste.

Réponse détaillée

En réalité, la finance quantitative utilise des outils issus de divers champs des mathématiques. La modélisation financière peut être approchée de bien des manières. Pour d'étranges raisons, les défenseurs des différentes branches des mathématiques s'émeuvent lorsque l'on discute des avantages et inconvénients de leur méthodologie et ceux de leurs « opposants ». Est-ce une lutte de pouvoir, quels sont les avantages et inconvénients des martingales et des équations différentielles, de quoi s'agitil exactement et y a-t-il une issue au débat ?

Voici une liste d'approches variées de la modélisation et une sélection d'outils utiles. La distinction entre une « approche de modélisation » et un « outil » commencera à s'éclaircir.

Approches de modélisation :
- Probabiliste.
- Déterministe.
- Discrète : équations différences.
- Continue : équations différentielles.

Outils utilisés :
- Simulations.
- Méthodes de discrétisation.
- Approximations.
- Analyse asymptotique.
- Fonctions de Green.

Ces listes n'ont pas été faites au hasard, mais elles sont sûrement sujettes à discussion. Commençons par les approches de modélisation.

Probabiliste

Une des hypothèses les plus importantes des marchés financiers, au moins dans la limite du champ d'action de la finance quantitative, est le caractère aléatoire des prix des actifs. On tend à penser à décrire les variables financières comme suivant un comportement aléatoire, avec des paramètres décrivant la croissance de l'actif et son degré d'aléa. On modélise effectivement le comportement d'un actif *via* un taux de croissance spécifié, sa moyenne et sa déviation par rapport à la moyenne. Cette approche de modélisation est celle qui a eu l'impact le plus important durant les trente dernières années, conduisant à l'explosion de la croissance des marchés dérivés.

Déterministe

L'idée qui sous-tend cette approche est que notre modèle nous dira tout sur le futur. Avec assez de données, et une tête suffisamment bien faite, on peut écrire des équations ou un algorithme prédisant le futur. Il est intéressant de noter que les systèmes dynamiques et la théorie du chaos rentrent dans cette catégorie. Et, comme vous le savez, les systèmes chaotiques montrent une sensibilité aux conditions initiales rendant toute prédiction impossible en pratique. C'est « l'effet papillon », selon lequel un papillon volant au Brésil peut « causer » une pluie sur Manchester. Un sujet populaire au début des années 1990, qui n'a pas trouvé l'écho escompté dans le monde financier.

Discret/continu

Que votre modèle soit probabiliste ou déterministe, il peut être discret ou continu. «Discret» signifie que les prix des actifs et/ou le temps peuvent seulement être incrémentés d'une quantité finie, que ce soit un dollar ou un cent, une année ou un jour. «Continu» signifie qu'aucune unité d'incrémentation n'existe, si infinitésimale soit-elle. Les mathématiques des processus continus sont souvent plus faciles que celles des processus discrets. Mais lorsqu'il s'agit d'exploiter des chiffres, on doit toujours passer d'un modèle continu à un modèle discret.

Dans les modèles discrets, on arrive à des équations différences. Le modèle binomial pour le pricing d'options en est un exemple. Le temps progresse de manière discrète suivant un « pas » prédéterminé. Dans les modèles continus, on parvient à la solution grâce à des équations différentielles. L'équivalent discret du modèle binomial est le modèle de Black-Scholes, qui considère la continuité du prix des actifs et du temps. Ces modèles proviennent tous deux de la conception probabiliste du monde financier.

Concentrons-nous maintenant sur quelques-uns des outils disponibles.

Simulations

Si le monde financier est aléatoire, on peut tester le futur en lançant des simulations. Par exemple, le prix d'un actif peut être représenté par son taux de croissance moyen et son risque, donc on peut simuler le comportement futur de cet actif aléatoire. Une telle approche nécessiterait de lancer de très nombreuses simulations. Il n'y aurait pas d'intérêt à en lancer une seule, puisque l'on cherche à voir un panel de scénarios potentiels.

Les simulations peuvent aussi être utilisées pour les problèmes non probabilistes. Un modèle dérivé dans un contexte déterministe peut avoir une interprétation probabiliste, simplement du fait des similarités entre les équations mathématiques.

Méthodes de discrétisation

Il existe de nombreux types de ces méthodes, complément naturel des méthodes de simulation. Les plus connues d'entre elles sont les méthodes des différences finies, qui sont des discrétisations de modèles continus comme celui de Black-Scholes.

En fonction du problème que vous souhaitez résoudre, et à moins qu'il ne soit très simple, vous ferez probablement vos calculs à partir de simulations ou d'une méthode de différences finies.

Approximations

En modélisation, on cherche à obtenir une solution ayant une signification et une utilité, comme la valeur d'une option. À moins que le modèle soit vraiment simple, on n'est pas capable de le résoudre facilement. C'est là que les approximations interviennent. Un modèle compliqué peut avoir des solutions approchées. Et celles-ci peuvent être assez bonnes pour l'objectif recherché.

Analyse asymptotique

C'est une technique incroyablement utile, à laquelle ont recours la plupart des branches des mathématiques appliquées, mais jusqu'à récemment quasi inconnue en finance. L'idée est simple, trouver des solutions approchées à un problème compliqué en exploitant des paramètres ou des variables qui sont soit grandes, soit petites, soit spéciales par une de leurs caractéristiques. Par exemple, il existe des approximations simples de la valeur des options vanille proches de la maturité.

Fonctions de Green

C'est une technique très spéciale qui ne fonctionne que dans certaines situations. L'idée est que les solutions de certains problèmes peuvent être construites à partir des solutions d'un cas particulier d'un problème similaire.

Références et approfondissement
Joshi, M., 2003, *The Concepts and Practice of Mathematical Finance*, CUP.
Wilmott, P., 2001, *Paul Wilmott Introduces Quantitative Finance*, second edition, John Wiley & Sons.
Wilmott, P., 2006, *Paul Wilmott On Quantitative Finance*, second edition, John Wiley & Sons.

Qu'est-ce que l'arbitrage ?

Réponse courte

L'arbitrage est une activité qui consiste à **dégager un profit certain supérieur au taux de rendement sans risque**. En finance quantitative on peut dire qu'une opportunité d'arbitrage est un portefeuille de valeur nulle aujourd'hui, qui a dans le futur une valeur positive avec une probabilité positive, et une valeur négative avec une probabilité nulle.

L'hypothèse qu'il n'y a pas d'opportunité d'arbitrage sur le marché est fondamentale pour la théorie financière classique. Cette idée est répandue sous l'adage populaire « There's no such thing as a free lunch » (Il n'y a pas de repas gratuit).

Exemple

Une option d'achat (« call ») européenne dans la monnaie avec un cours d'exercice (« strike ») à 100 $ et un délai d'expiration de 6 mois, vaut 8 $. Une option de vente (« put ») de mêmes caractéristiques vaut 6 $. Il n'y a pas de dividende attaché à l'action sous-jacente, et une obligation zéro coupon à 6 mois de principal 100 $ vaut 97 $ aujourd'hui.

En achetant le call et l'obligation, en vendant le put et l'action sous-jacente, l'opération rapporte en $ - 8 - 97 + 6 + 100 = 1 $. À l'expiration, ce portefeuille aura une valeur nulle, quel que soit le prix final de l'action. Cela reviendra à faire un profit de 1 $ sans risque. L'arbitrage, c'est cela. C'est un exemple de violation de la parité call-put.

Réponse détaillée

Le principe de l'absence d'arbitrage sur le marché est une des bases de la théorie financière classique. Dans la théorie des dérivés, c'est une hypothèse utilisée dans la dérivation de l'algorithme de pricing d'option du modèle binomial et du modèle de Black-Scholes. Ces cas sont beaucoup plus complexes que l'exemple simple mentionné plus haut. Dans ce dernier, nous avons établi un portefeuille qui nous a donné un profit immédiat, et ce portefeuille n'a pas eu besoin d'être modifié jusqu'à l'expiration. C'est un cas d'arbitrage statique. Cet exemple a une autre caractéristique spéciale, celle de ne pas dépendre d'hypothèses quelconques sur le comportement du prix de l'action. C'est donc un exemple d'arbitrage indépendant du modèle. Toutefois, en dérivant les fameux modèles de pricing d'options, on se fonde sur une stratégie dynamique, dite de couverture de delta (delta-hedging), dans laquelle un portefeuille constitué d'une option et de l'action sous-jacente est constamment ajusté en achetant ou vendant une certaine quantité de cette action.

Nous voyons donc qu'il existe différents types d'arbitrage ; voici une liste descriptive des plus importants :

- **un arbitrage statique** est un arbitrage qui ne requiert pas d'ajustement (« rebalancement ») de positions ;
- **un arbitrage dynamique** nécessite de négocier des instruments dans le futur, généralement dépendants des conditions de marché ;
- **un arbitrage statistique** n'est pas un arbitrage mais simplement un profit probable, d'après les statistiques passées, en excès du taux sans risque (pouvant aussi être ajusté du risque pris) ;
- **un arbitrage « indépendant du modèle »** est un arbitrage qui fonctionne indépendamment de tout modèle mathématique d'instrument financier. Par exemple, une violation de la parité call-put exploitable, ou une violation de la relation entre les prix spot et forward, ou entre les obligations et les swaps ;
- **un arbitrage « dépendant du modèle »** requiert l'existence d'un modèle. Par exemple, des options ont été mal évaluées à cause d'une estimation incorrecte de la volatilité. Pour profiter de l'arbitrage, il faut se couvrir en delta, et cela suppose un modèle.

En pratique, toutes les opportunités d'arbitrage ne peuvent pas être exploitées. Si vous apercevez une telle opportunité sur des prix cotés sur l'écran devant vous, vous allez probablement trouver que lorsque vous essayez d'en tirer parti, ils s'évaporent littéralement. Voici quelques raisons à cela :

– les prix cotés sont faux ou non négociables ;

– les prix de l'option et de l'action sous-jacente n'étaient pas cotés simultanément ;

– il y a une fourchette offre-demande que vous n'avez pas perçue ;

– votre modèle est faux, ou vous avez omis un facteur de risque.

Références et approfondissement

Merton, R.C., 1973, « Theory of rational option pricing », *Bell Journal of Economics and Management Science* 4, p. 141–83.

Wilmott, P., 2001, *Paul Wilmott Introduces Quantitative Finance*, John Wiley & Sons.

Qu'est-ce que la parité call-put ?

Réponse courte

La parité call-put est **la relation entre les prix d'une option d'achat (call) européenne et d'une option de vente (put) européenne**, pour autant qu'elles aient même prix d'exercice (strike) et même date d'expiration :

Prix du call – prix du put = prix de l'action – strike (actualisé depuis la date d'expiration)

Exemple

L'action est à 98 $, un call européen de strike 100 $ expirant dans neuf mois vaut 9,07 $. Le taux d'intérêt composé à neuf mois est de 4,5 %. Quelle est la valeur du put de mêmes strike et maturité ?

En utilisant la formule ci-dessus on trouve :
$$\text{Prix du put} = 9,07 - 98 + 100e^{-0,045 \times 0,75} = 7,75$$
Le put doit donc valoir 7,75 $.

Réponse détaillée

La relation

$$C - P = S - K\,e^{-r(T-t)}$$

entre un call (valeur C) et un put (valeur P) européens sur la même action (valeur S), de mêmes strike (K) et date d'expiration (T) évalués à la date t est un simple **résultat d'arbitrage**.

Si vous achetez un call (« long call ») et en même temps, vous vendez un put (« short put ») et vendez une action à découvert, quel sera votre profit à l'expiration ? Si le prix de l'action est au-dessus du strike à l'expiration vous aurez $S - K$ par le call, 0 par le put et $-S$ par la vente de l'action. Un total de $-K$. Si l'action est au-dessous du strike à l'expiration, vous aurez 0 par le call, $-S$ par la vente de l'action et $-(K-S)$ par la vente du put. Encore un total de $-K$. Donc, quel que soit le prix de l'action à l'expiration, ce portefeuille aura toujours une valeur de $-K$, un montant garanti. Comme ce montant est garanti, nous pouvons l'actualiser. Nous obtenons :

$$C - P - S = -K\,e^{-r(T-t)}$$

C'est la parité call-put.

On peut également interpréter la parité call-put en termes de **volatilité implicite**. Les calls et puts de mêmes strike et maturité doivent avoir la même volatilité implicite.

La beauté de la parité call-put est d'être une relation indépendante de tout modèle. Pour évaluer un call seul, on a besoin d'un modèle pour le prix de l'action sous-jacente, et en particulier sa volatilité. De même pour un put. Mais pour évaluer un portefeuille contenant un « long » call et un « short » put (ou *vice versa*), aucun modèle n'est nécessaire. En finance, il existe peu de relations indépendantes d'un modèle comme celles-ci, et elles sont très cloisonnées. La relation entre les prix spot et forward en est une, et les relations entre les obligations et les swaps en sont d'autres.

En pratique, les options n'ont pas un seul prix, mais deux, les prix de l'offre (« **bid** ») et de la demande (« **ask** »). Cela signifie que lorsque vous cherchez à exploiter un déséquilibre de la parité call-put vous devez utiliser le bid (resp. ask) si vous vendez (resp. achetez) les options. Cela rend les calculs un peu plus confus. Si vous raisonnez en termes de volatilité implicite, il est plus facile de repérer des violations de parité call-put instantanées. Il faut rechercher des fourchettes de volatilité implicites qui ne se chevauchent pas. Par exemple, supposez que le bid/ask sur un call est 22%/25% en termes de volatilité implicite, et que celui d'un put de mêmes strike/maturité est 21%/23%, il y a un chevauchement de ces deux fourchettes (22%/23%) et donc aucune opportunité d'arbitrage. Cependant, si les prix du put étaient 19%/21%, il y aurait une violation de la parité call-put et donc une opportunité d'arbitrage. Toutefois, ne vous attendez pas à trouver beaucoup d'opportunités aussi simples dans la pratique, ni même à en trouver une seule. Si vous trouvez une telle opportunité d'arbitrage, elle disparaît habituellement avant d'avoir pu être exécutée. Veuillez vous référer à Kamara et Miller (1995) pour plus de détails sur les statistiques de violation d'arbitrage.

Lorsqu'il y a des dividendes sur l'action sous-jacente pendant la vie des options, nous devons ajuster l'équation comme suit :

$$C - P = S - \text{dividendes actualisés} - E\,e^{-r(T-t)}$$

Bien entendu, cela suppose que nous connaissions la valeur des futurs dividendes.

Si les **taux d'intérêt** ne sont pas constants, il suffit d'actualiser le strike (E) en utilisant la valeur d'une obligation zéro coupon dont la maturité égale l'expiration de l'option. Les dividendes devraient être actualisés de la même manière.

Pour des **options américaines**, la parité call-put ne s'applique pas. C'est parce que la position short (vendeuse) peut être exercée contre vous, vous laissant une certaine exposition au prix de l'action. Par conséquent, vous ne connaissez pas la valeur de votre portefeuille à l'expiration. En l'absence de dividende, il n'est théoriquement jamais optimal d'exercer un call américain avant la date d'expiration, bien qu'un put américain puisse être exercé si l'action chute suffisamment.

Référence et approfondissement

Kamara, A. & Miller, T., 1995, « Daily and Intradaily Tests of European Put-Call Parity », *Journal of Financial and Quantitative Analysis*, p. 519–539.

Qu'est-ce que le théorème de la limite centrale et quelles sont ses implications en finance ?

Réponse courte

La distribution de la moyenne d'une grande quantité de nombres aléatoires sera une distribution normale (ou Gaussienne) même si les nombres ne suivent pas individuellement une distribution normale.

> **Exemple**
>
> Jouez à un jeu de dés où vous gagnez 10 $ si vous tirez un six, mais perdez 1 $ si vous tirez un autre chiffre. La distribution de vos profits après un tirage n'est clairement pas normale, mais bimodale et asymétrique ; mais si vous jouez des milliers de fois, vos profits suivront une loi approximativement normale.

Réponse détaillée

Soit X_1, X_2,... X_n une séquence de variables aléatoires indépendantes et identiquement distribuées (i.i.d.), avec une moyenne finie m et un écart-type s. La somme :

$$S_n = \sum_{i=1}^{n} X_i$$

a une moyenne mn et un écart-type $s\sqrt{n}$. Le théorème de la limite centrale dit que lorsque n grandit, la distribution de la somme S_n tend vers une distribution normale. Plus précisément, si nous travaillons avec la quantité normée :

$$\overline{S}_n = \frac{S_n - mn}{s\sqrt{n}}$$

la distribution de $\overline{S}_n$ converge vers la distribution normale centrée réduite (moyenne 0, écart-type 1) lorsque n tend vers l'infini. La distribution cumulée de $\overline{S}_n$ approche celle de la distribution normale standard.

La figure suivante montre la distribution des profits pour l'exemple ci-dessus, avec un seul tirage.

La figure d'après est celle du profit total après un millier de tirages.

Le profit espéré après un tirage est :

$$\frac{1}{6} \times 10 + \frac{5}{6} \times (-1) = \frac{5}{6} \approx 0{,}833.$$

La variance est donc :

$$\frac{1}{6} \times \left(10 - \frac{5}{6}\right)^2 + \frac{5}{6} \times \left(-1 - \frac{5}{6}\right)^2 = \frac{605}{54},$$

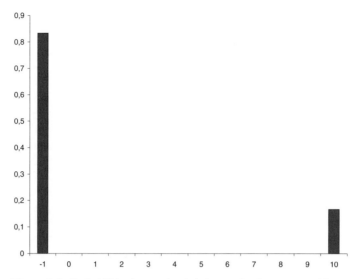

Figure 2-1 : Probabilités dans un jeu à événement unique : un seul tirage

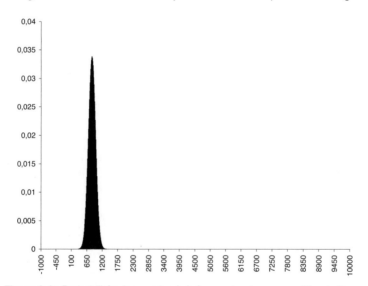

Figure 2-2 : Probabilités dans un jeu à événement unique : un millier de tirages

Donc l'écart-type est de :

$$\sqrt{605/54} \approx 1{,}097.$$

Après mille tirages, le profit espéré est de :

$$1000 \times \frac{5}{6} \approx 833{,}3$$

et l'écart-type est :

$$\sqrt{1000 \times \frac{605}{54}} \approx 34{,}7$$

On constate que l'écart-type a bien moins augmenté qu'attendu. C'est à cause de la racine carrée.

En finance, on suppose souvent que les rendements des actions sont distribués normalement. On pourrait soutenir que c'est effectivement le cas en disant que les rendements sur une période finie, un jour par exemple, sont faits de très nombreux échanges sur des périodes plus courtes, donc d'après le théorème de la limite centrale, les rendements sur une période finie ont une distribution normale. Le même argument pourrait être appliqué aux échanges quotidiens sur les taux de change, les taux d'intérêt, le risque de défaut, etc. Nous trouvons que l'usage de la distribution normale est assez naturel pour de nombreux processus financiers.

Comme souvent avec les «lois» mathématiques, il y a la discrète note de bas de page, à savoir les conditions nécessaires à l'application du **théorème de la limite centrale**. Les voici :

– les nombres aléatoires doivent tous être tirés de la même distribution ;
– les tirages doivent tous être indépendants ;
– la distribution doit avoir une moyenne et un écart-type finis.

Évidemment, les données financières respectent rarement toutes ces conditions, parfois même aucune. En particulier, il apparaît que si vous essayez d'appréhender des données de rendements d'actions avec des distributions non normales, vous trouvez souvent que la meilleure distribution est celle avec une variance infinie. Non seulement cela complique les mathématiques sympathiques des distributions normales et du théorème de la limite centrale, mais encore cela engendre une volatilité infinie. C'est attrayant pour ceux qui cherchent à produire les meilleurs modèles de réalité financière, mais cela va à l'encontre de dizaines d'années de théorie financière et de pratiques fondées, par exemple, sur la volatilité comme mesure du risque.

Cependant, on peut, dans une certaine mesure, élargir ces trois restrictions et continuer à utiliser le théorème de la limite centrale, ou quelque chose d'approchant. Par exemple, ce n'est pas nécessaire d'avoir des distributions complètement identiques. Dans la mesure où aucune des variables aléatoires n'a beaucoup plus d'impact sur la moyenne que les autres, cela fonctionne. On peut même se permettre une dépendance faible entre les variables.

Une généralisation importante en finance concerne les distributions à variance infinie. Si la queue des distributions individuelles décroît comme la fonction puissance $|x|^{-1-\alpha}$ où $0 < \alpha < 2$, la moyenne tendra vers une distribution de Levy stable.

Si l'on somme des nombres aléatoires et que l'on obtient une distribution normale, que se passe-t-il quand on les multiplie ? Pour répondre à cette question, il faut réfléchir en termes de logarithmes des nombres aléatoires.

Les logarithmes des nombres aléatoires sont eux-mêmes aléatoires (concentrons-nous sur des logarithmes de nombres strictement positifs). Donc, si on ajoute de très nombreux logarithmes de nombres aléatoires, on obtient une distribution normale. Mais bien sûr, une somme de logarithmes n'est que le logarithme d'un produit, donc le logarithme du produit doit suivre une distribution normale, et c'est la définition de la loi log-normale : le produit de nombres aléatoires positifs converge vers une distribution log-normale.

Ce point est important en finance, car le cours d'une action après une longue période, peut être considéré comme sa valeur à un jour initial donné, qui serait multipliée par de nombreux nombres aléatoires, chacun représentant un rendement aléatoire. Donc, quelle que soit la distribution des rendements, le logarithme du cours de l'action suivra une distribution normale. On arrive ainsi à supposer que les rendements d'une action sont distribués normalement et, de façon équivalente, que les cours d'une action suivent une distribution log-normale.

Référence

Feller, W., 1968, *An Introduction to Probability Theory and Its Applications*, 3rd ed., New York, John Wiley & Sons.

Comment définir le risque en termes mathématiques ?

Réponse courte

Pour le profane, le risque est la possibilité de survenance d'un accident ou d'une perte.

En finance, cela désigne la **possibilité d'une perte monétaire associée à un investissement**.

> ### Exemple
> La mesure la plus commune du risque est simplement l'écart-type des rendements du portefeuille. Plus il est élevé, plus les rendements du portefeuille sont aléatoires, et cela est très mal ressenti.

Réponse détaillée

Le risque financier se présente sous plusieurs formes :

- **Risque de marché :** possibilité de perte suite à des mouvements du marché, sur l'ensemble des investissements ou sur un investissement spécifique.
- **Risque de crédit :** possibilité de perte due au défaut fait par une contrepartie sur ses obligations financières.
- **Risque de modèle :** possibilité de perte due à des erreurs dans des modèles mathématiques, souvent des modèles de dérivés. Comme ces modèles contiennent des paramètres comme la volatilité, on peut aussi parler de risque de paramètre, risque de volatilité, etc.
- **Risque opérationnel :** possibilité de perte due à la défaillance d'hommes, de procédures ou de systèmes. Cela inclut l'erreur humaine et la fraude.
- **Risque juridique :** possibilité de perte suite à une action juridique ou à la signification de contrats juridiques.

Avant de traiter des mathématiques du risque, il est souhaitable de comprendre les différences entre trois notions importantes, le risque, l'aléa et l'incertitude.

Pour la mesure du risque, on utilise souvent des concepts probabilistes. Mais cela suppose une distribution pour l'aléa des investissements, par exemple une fonction de densité de probabilité. Avec un nombre suffisant de données ou un modèle assez décent, on pourrait avoir une bonne idée de la distribution des rendements. Cependant, en l'absence de données, ou lorsque l'on s'engage en *terra incognita*, on risque de n'avoir aucune visibilité sur les probabilités. Cela est spécialement vrai quand on considère des scénarios incroyablement rares, ou qui ne sont jamais arrivés auparavant. Par exemple, nous avons peut-être une bonne idée des résultats d'une invasion d'extraterrestres, après tout, de nombreux scénarios ont été explorés au cinéma, mais quelle est leur probabilité d'existence ? Quand on ne connaît pas effectivement les probabilités, alors on a ce que Knight (1921) a appelé « incertitude ».

Dans la lignée de Knight, on peut catégoriser ces problèmes comme suit :

1. Pour le risque, les probabilités pour que des événements spécifiques arrivent dans le futur sont mesurables et connues, c'est-à-dire qu'il y a de l'aléa, mais avec une distribution de probabilité connue. On distingue à nouveau deux cas :

  a. le risque *a priori*, comme le résultat du lancement d'un dé classique ;

  b. le risque estimable, où les probabilités peuvent être estimées à travers l'analyse statistique du passé, comme par exemple la probabilité d'une chute de 10 % en une journée sur l'indice S & P.

2. En présence d'incertitude, les probabilités d'événements futurs ne peuvent pas être estimées ou calculées.

En finance, on apprécie souvent le risque par l'estimation de probabilité, donc on dispose de tous les outils statistiques et probabilistes pour quantifier les différents aspects de ce risque. Dans certains modèles, on tente d'appréhender l'incertain, comme par exemple avec le travail d'Avellaneda et consorts (1995) sur la volatilité incertaine. Ici, la volatilité est incertaine, elle est autorisée à varier à l'intérieur d'une fourchette spécifiée, mais la probabilité d'une volatilité prenant n'importe quelle valeur n'est pas donnée. Au lieu de travailler sur les probabilités, on travaille maintenant sur les scénarios les pires (worst-case). L'incertitude est, ici, davantage associée à l'idée de tester les portefeuilles sous des conditions difficiles (stress-test). CrashMetrics est un autre exemple de scénarios worst-case et d'incertitude.

Pour donner une définition mathématique du risque, on peut simplement considérer l'écart-type. Cette approche a du sens grâce aux résultats du théorème de la limite centrale (TLC), selon lesquels si l'on ajoute un grand nombre d'investissements, ce qui importe pour les propriétés statistiques du portefeuille est juste le rendement espéré et l'écart-type des investissements individuels, et les rendements du portefeuille résultant sont distribués normalement. La distribution normale étant symétrique autour de la moyenne, la perte potentielle peut être mesurée en termes d'écart-type.

Toutefois, ceci a du sens seulement si les conditions du TLC sont satisfaites. Par exemple, si on a seulement un petit nombre d'investissements, si les investissements sont corrélés, s'ils n'ont pas une variance finie,… alors l'écart-type n'est pas forcément pertinent.

Une autre définition mathématique du risque est la semi-variance, dans laquelle seuls les rendements négatifs sont utilisés dans le calcul. Cette définition est utilisée dans la mesure de performance de **Sortino**.

Artzner et consorts (1997) ont proposé un ensemble de propriétés auquel une mesure de risque devrait répondre pour être satisfaisante. De telles mesures de risque sont appelées **cohérentes**.

Références et approfondissement

Artzner, P., Delbaen, F., Eber, J.M. & Heath, D., 1997, « Thinking coherently », *Risk magazine* 10 (11), p. 68–72.

Avellaneda, M., Levy, A. & Parás, A., 1995, « Pricing and hedging derivative securities in markets with uncertain volatilities », *Applied Mathematical Finance* 2, p. 73–88.

Avellaneda, M. & Parás, A., 1996, « Managing the volatility risk of derivative securities : the Lagrangian volatility model », *Applied Mathematical Finance* 3, p. 21–53.

Knight, F.H., 1921, *Risk, Uncertainty, and Profit.* Hart, Schaffner, and Marx Prize Essays, n° 31, Houghton Mifflin.

Wilmott, P., 2006, *Paul Wilmott On Quantitative Finance*, second edition, John Wiley & Sons.

Qu'est-ce que la VaR (Value at Risk), et comment est-elle utilisée ?

Réponse courte

La Value at Risk (VaR) est une mesure du montant qui pourrait être perdu sur une position, un portefeuille, une table de négociation, une banque, etc. La VaR est généralement comprise comme la perte maximum moyenne qu'un investissement peut entraîner à un niveau de confiance donné sur un horizon de temps donné. En pratique, il existe d'autres mesures de risque, mais celle-ci est la plus simple et la plus commune.

Exemple

Un hedge fund de dérivés d'actions estime que sa VaR sur une journée, à un intervalle de confiance de 95 %, est de 500 000 $. Cela est interprété comme le fait qu'un jour sur vingt, le fonds s'attend à perdre plus d'un demi-million de dollars.

Réponse détaillée

Le calcul de la VaR suppose souvent que les rendements suivent une distribution normale sur l'horizon temporel défini. Les données d'entrée du calcul de VaR incluent la composition du portefeuille, l'horizon de temps, et les paramètres gouvernant la distribution des sous-jacents. L'ensemble des paramètres inclut les taux de rentabilité moyens, les écarts-types (volatilités) et les corrélations. Si l'horizon de temps est court, on peut ignorer le taux de rentabilité car il aura seulement un léger effet sur le calcul final.

Dans l'hypothèse de normalité, la VaR est calculée par une simple formule pour un portefeuille simple, ou par simulations pour un portefeuille plus compliqué. La différence entre « simple » et « compliqué » est essentiellement la différence entre des portefeuilles contenant des dérivés et d'autres sans. Si votre portefeuille contient seulement des instruments linéaires, les calculs impliquant des distributions normales, des écarts-types, etc. peuvent tous être menés analytiquement. C'est aussi le cas si l'horizon de temps est court, de sorte que les dérivés puissent être approchés par une position de delta sur le sous-jacent.

Les simulations peuvent être assez concluantes, quoique assez consommatrices de temps. Simulez de nombreuses réalisations de tous les sous-jacents sur tout l'horizon de temps en utilisant les méthodes traditionnelles de Monte Carlo. Pour chaque réalisation, calculez la valeur du portefeuille à l'horizon de temps. Cela vous donnera une distribution de valeurs du portefeuille à l'horizon de temps. Maintenant, regardez où la queue de distribution commence, la queue couvrant 5 % de la distribution à gauche si vous voulez un intervalle de confiance de 95 %, ou la queue couvrant 1 % de la distribution à gauche si vous travaillez avec un intervalle de confiance de 99 %, etc.

Si vous travaillez entièrement avec des distributions normales, le passage d'un intervalle de confiance à un autre revient juste à considérer une table de valeurs pour la distribution normale standard (voir le tableau situé ci-dessous). Tant que l'horizon de temps est suffisamment court pour pouvoir négliger le taux de rentabilité, vous pouvez utiliser la règle de la racine carrée pour passer d'un horizon de temps à un autre. (La VaR est proportionnelle à la racine carrée de l'horizon de temps, ce qui suppose que la rentabilité du portefeuille est aussi distribuée normalement).

Tableau 2-1 : Degré de confiance et relation avec la déviation par rapport à la moyenne

Degré de confiance	Nombres d'écarts-types centrés
99 %	2,326342
98 %	2,053748
97 %	1,88079
96 %	1,750686
95 %	1,644853
90 %	1,281551

Il existe une alternative à l'utilisation d'un modèle paramétré pour les sous-jacents, la simulation directe à partir de données historiques, en passant outre l'hypothèse de distribution normale.

La VaR est un concept très utile en pratique pour les raisons suivantes :

- la VaR est facilement calculée pour les instruments individuels, les portefeuilles entiers, ou à tout niveau d'agrégation, jusqu'à une banque entière ou un fonds ;
- vous pouvez ajuster l'horizon de temps en fonction de votre style de trading. Si vous couvrez vos positions tous les jours, vous voudrez plutôt un horizon de temps d'une journée. Si vous achetez et gardez pendant plusieurs mois, un horizon de temps plus long sera pertinent ;
- la VaR peut être scindée en différentes composantes, ce qui permet d'examiner différentes classes de risque, ou de considérer le risque marginal lié à l'addition de nouvelles positions dans le portefeuille ;
- elle peut être utilisée pour contraindre les positions de traders individuels, ou de hedge funds entiers ;
- elle est facile à comprendre par le management, les investisseurs, les gens qui n'ont pas de connaissance technique sophistiquée.

Bien entendu, la VaR est aussi l'objet de critiques pertinentes :

- elle ne donne pas le montant de la perte au-delà de sa valeur ;
- elle est pertinente dans des conditions de marché typiques, et non dans le cas d'événements extrêmes ;
- elle utilise des données historiques, « like driving a car by looking in the rear-view mirror only » (comme conduire une voiture en regardant seulement dans le rétroviseur) ;
- durant l'horizon de temps les positions peuvent changer du tout au tout (à cause de l'activité de trading normale, d'opérations de couverture ou du fait de l'expiration de dérivés).

Une critique commune de la VaR consiste à dire qu'elle ne satisfait pas tous les critères de cohérence. Artzner et consorts (1997) ont spécifié des critères selon lesquels une mesure de risque est cohérente. Et la VaR, telle que décrite plus haut, n'est pas cohérente.

La prudence suggèrerait d'utiliser d'autres méthodes de mesure du risque en conjonction avec la VaR, incluant, sans s'y limiter, le stress-test sous différents scénarios réels et hypothétiques, dont le stress-test de volatilité surtout pour les portefeuilles contenant des dérivés.

Référence et approfondissement

Artzner, P., Delbaen, F., Eber, J.M. & Heath, D., 1997, « Thinking coherently », *Risk magazine* 10 (11), p. 68–72.

Qu'est-ce que CrashMetrics ?

Réponse courte

CrashMetrics est une méthode de stress-test pour évaluer la performance d'un portefeuille dans le cas de mouvements extrêmes sur les marchés financiers. Comme le **CAPM**, il relie les mouvements des actions individuelles aux mouvements d'un ou plusieurs indices, mais seulement pour des mouvements importants. Il s'applique aux portefeuilles d'actions et de dérivés d'actions.

> ### Exemple
> Votre portefeuille contient de nombreuses actions individuelles et beaucoup de dérivés de différents types. Il est construit parfaitement pour profiter de votre point de vue sur le marché et sa volatilité. Mais qu'en est-il si le marché subit une chute importante, peut-être 5 %, quel sera l'effet sur votre P & L (Profit & Loss) ? Et que dire si la chute est de 10 %, 20 % ?

Réponse détaillée

CrashMetrics est un outil de gestion du risque très simple destiné à examiner les effets de mouvements d'ampleur sur le marché dans son ensemble. Il est donc utilisé pour étudier les cas où la diversification ne fonctionne pas.

Si votre portefeuille est composé d'une seule action sous-jacente et de ses dérivés, la variation de sa valeur pendant un crash $\delta\Pi$ peut être écrite :

$$\delta\Pi = F(\delta S),$$

où $F(.)$ est la « formule » d'évaluation du portefeuille, reprenant les formules de pricing d'options pour tous les dérivés et le sous-jacent du portefeuille, et δS est la variation du sous-jacent.

Dans CrashMetrics, le risque du portefeuille est mesuré comme le cas le pire (worst-case) parmi plusieurs fourchettes de variation de l'action :

$$\text{worst-case loss} = \min_{-\delta S^- \leq \delta S \leq \delta S^+} F(\delta S).$$

C'est la quantité qui serait retenue comme le repli potentiel lors d'un mouvement extrême du marché.

Ce repli peut être réduit en ajoutant des dérivés au portefeuille dans une quantité optimale. C'est le **Platinum Hedging**. Par exemple, si vous voulez utiliser des puts hors de la monnaie comme contrat de couverture pour améliorer ce « worst-case », vous pouvez optimiser en choisissant λ tel que le worst-case de :

$$F(\delta S) + \lambda F^*(\delta S) - |\lambda| C$$

représente un niveau acceptable de risque de repli. Dans cette expression, $F^*(.)$ est la « formule » pour la variation de valeur du contrat de couverture, C est le « coût » associé à chaque contrat de couverture et λ est la quantité de ce contrat qui doit être déterminée. En pratique, il peut y avoir de nombreux contrats de couverture, et pas nécessairement juste un put hors de la monnaie, donc il convient de les sommer tous et de les optimiser.

CrashMetrics peut traiter n'importe quel nombre de sous-jacent en exploitant le haut degré de corrélation entre les actions lors de conditions de marché extrêmes. On peut relier le rendement de l'i-ième action à la rentabilité d'un indice représentatif, x, pendant un crash, par :

$$\frac{\delta S_i}{S_i} = \kappa_i x,$$

où kappa$_I$ est une constante nommée **crash coefficient**. Par exemple, si le K_{XYZ} de l'action XYZ vaut 1,2 cela signifie que, quand l'indice chute de 10 %, l'action XYZ chute de 12 %. Le crash coefficient permet donc d'interpréter, pendant un crash, un portefeuille avec plusieurs sous-jacents comme un portefeuille contenant un seul sous-jacent, l'indice. Par conséquent, on considère le worst-case de :

$$\delta\Pi = F(\delta S_1, \ldots, \delta S_N) = F(\kappa_1 x S_1, \ldots, \kappa_N x S_N)$$

comme la mesure du risque de repli.

À nouveau le Platinum Hedging peut être appliqué quand on a plusieurs sous-jacents. On doit considérer le worst-case de :

$$\delta\Pi = F(\kappa_1 x S_1, \ldots, \kappa_N x S_N) + \sum_{k=1}^{M} \lambda_k F_k(\kappa_1 x S_1, \ldots, \kappa_N x S_N) - \sum_{k=1}^{M} |\lambda_k| C_k,$$

où F est la formule du portefeuille original et les F_k sont celles des contrats de couverture disponibles.

CrashMetrics est très robuste car :

– il n'utilise pas de paramètres instables comme des volatilités ou des corrélations ;

– il ne se fonde pas sur des probabilités mais, à la place, considère des worst-cases.
CrashMetrics est un bon outil de mesure de risque car :

- il est très simple et rapide à implémenter ;
- il peut être utilisé pour optimiser l'assurance d'un portefeuille contre des crashs du marché.

CrashMetrics est utilisé pour :

- analyser les portefeuilles de dérivés sous la menace d'un crash ;
- optimiser l'assurance d'un portefeuille ;
- rendre compte du risque ;
- fournir des limites de trading pour éviter une performance intolérable durant un crash.

Références et approfondissement

Hua, P. & Wilmott, P., 1997, « Crash courses », *Risk magazine* 10 (6), p. 64–67.
Wilmott, P., 2006, *Paul Wilmott On Quantitative Finance*, second edition, John Wiley & Sons.

Qu'est-ce qu'une mesure de risque cohérente et quelles sont ses propriétés ?

Réponse courte

Une mesure de risque est cohérente si elle satisfait certaines propriétés mathématiques simples. L'une de ces propriétés, que certaines mesures populaires ne possèdent pas, est la sous-additivité, selon laquelle l'addition de deux portefeuilles risqués ne peut pas accroître la mesure de risque.

Exemple

Artzner et consorts (1997) donnent un exemple simple de VaR traditionnelle qui ne respecte pas ce principe, et qui illustre parfaitement le problème des mesures non cohérentes. Le portefeuille X est constitué seulement d'un put vendu très en dehors de la monnaie avec une date d'expiration d'un jour. Le portefeuille Y est constitué seulement d'un call vendu très en dehors de la monnaie avec une date d'expiration d'un jour. Supposons que chaque option a une probabilité de 4 % de finir dans la monnaie. Pour chaque option prise individuellement, à un intervalle de confiance de 95 % la VaR à un jour traditionnelle vaut effectivement zéro. Maintenant regroupons les deux portefeuilles, on obtient une probabilité de 92 % de ne rien perdre, 100 % auquel on soustrait deux fois 4 %. Donc dans l'intervalle de confiance de 95 %, il y aura une VaR significative. Le fait de rassembler les deux portefeuilles a, dans cet exemple, augmenté le risque. « Une fusion ne crée pas de risque supplémentaire » (Artzner et consorts, 1997).

Réponse détaillée

Une critique répandue de la VaR a été de dire qu'elle ne satisfait pas certains critères de bon sens.

Artzner et consorts (1997) ont défini la panoplie suivante de critères sensés qu'une mesure de risque $\rho(X)$, où X est un ensemble d'événements, devrait satisfaire. Les voici :

1. Sous-additivité : $\rho(X + Y) \leq \rho(X) + \rho(Y)$. Cela signifie simplement que si l'on fusionne deux portefeuilles, le risque total ne peut pas être pire que la somme des risques des deux portefeuilles pris séparément. En effet, il peut y avoir des effets de compensation ou des économies d'échelle qui réduisent le risque.

2. Monotonie : si $X \leq Y$ pour chaque scénario, $\rho(X) \leq \rho(Y)$. Si un portefeuille a de meilleures valeurs qu'un autre dans tous les scénarios, alors son risque sera moindre.

3. Homogénéité positive : pour tout $\lambda > 0$, $\rho(\lambda X) = \lambda\rho(X)$. Le risque double quand le portefeuille double.

4. Invariance dans la translation : pour toute constante c, $\rho(X + c) = \rho(X) - c$. Le fait d'ajouter du cash dans un portefeuille réduit son risque.

Une mesure de risque qui satisfait tous ces critères est **cohérente**. La VaR, mesure simple et traditionnelle, n'est pas cohérente puisqu'elle ne respecte pas la condition de sous-additivité. La sous-additivité est un critère obligatoire pour une mesure de risque, sans quoi il n'y aurait aucun avantage à ajouter de nouvelles positions non corrélées dans un portefeuille. Si l'on considère deux portefeuilles X et Y, ce bénéfice peut être défini comme :

$$\rho(X) + \rho(Y) - \rho(X + Y)$$

D'après la sous-additivité, cette quantité ne peut être que positive ou nulle.

Le manque de sous-additivité est une mesure de risque et peut être exploité dans une sorte d'arbitrage réglementaire. En appliquant le raisonnement inverse de l'exemple mentionné ci-dessus, une banque n'a qu'à créer des filiales pour diminuer son capital réglementaire.

Avec une mesure de risque cohérente, tout particulièrement grâce à sa sous-additivité, on peut simplement additionner les risques de plusieurs portefeuilles individuels pour avoir une estimation prudente du risque total.

Mesures cohérentes

L'écart-type, mesure directe et de bon sens, est cohérent. Ce n'est pas une mesure entièrement satisfaisante puisqu'il n'est pas sensible aux événements extrêmes affectant particulièrement la queue de distribution. L'Expected Shortfall est une autre mesure cohérente. Elle est calculée comme la moyenne de tous les P & L composant le centile de la queue de distribution qui nous intéresse. Supposons que l'on travaille avec le centile à 5 %, plutôt que d'estimer ce nombre (ce qui serait la VaR), on calcule la moyenne de tous les P & L obtenus à l'intérieur de cette partie de la distribution.

Attribution

Lorsque l'on a calculé une mesure cohérente du risque, on a souvent envie de l'attribuer à des unités plus petites. Par exemple, une table de négociation a calculé son risque et souhaite connaître la contribution de chaque trader à ce risque. De la même manière, on souhaite parfois répartir le risque d'un portefeuille de dérivés entre les contributions de chaque grecque (delta, gamma, thêta, …). Par exemple, quelle est la part de risque associée à la direction du marché (delta), et quelle est la part associée à l'exposition à la volatilité (véga) ?

Références et approfondissement

Acerbi, C. & Tasche, D., On the coherence of expected shortfall. www-m1.mathematik.tu-muenchen.de/m4/Papers/Tasche/shortfall.pdf.

Artzner, P., Delbaen, F., Eber, J.M. & Heath, D., 1997, « Thinking coherently », *Risk magazine* 10 (11), p. 68–72.

Qu'est-ce que la théorie moderne du portefeuille ?

Réponse courte

La théorie moderne du portefeuille (TMP) de Harry Markowitz (1952) présentait l'analyse de portefeuilles d'investissement en considérant le rendement attendu et le risque des actifs individuels et, de manière plus importante, leurs interdépendances mesurées par la corrélation. Auparavant, les investisseurs examinaient les investissements individuellement, construisaient des portefeuilles avec leurs actifs favoris, et ne considéraient pas leurs interdépendances. Dans la TMP, la diversification joue un rôle important.

Exemple

Mettriez-vous tout votre argent dans une action qui a un risque faible mais également un faible rendement attendu ? Ou dans une action avec un fort rendement attendu mais qui est bien plus risquée ? Ou peut-être diviseriez-vous votre argent entre les deux ? La TMP traite cette question et fournit un cadre pour quantifier et comprendre le risque et la rentabilité.

Réponse détaillée

Dans la TMP, les rendements[1] d'actifs individuels sont représentés par des distributions normales avec une moyenne et un écart-type sur une période spécifique. Donc, un actif pourrait avoir un taux de rendement annualisé de 5 % et un écart-type (volatilité) annualisé de 15 %. Un autre pourrait avoir un rendement attendu de -2 % et une volatilité de 10 %. Avant Markowitz, on aurait investi seulement sur la première valeur, ou peut-être vendu la seconde à découvert (« short »). Markowitz a montré comment il était possible d'optimiser ces deux portefeuilles simplissimes en prenant en compte la corrélation entre les rendements de ces actions.

Dans un univers de N actifs, il a $2N + N(N - 1)/2$ paramètres à estimer selon la TMP : le rendement attendu, un par action ; l'écart-type, un par action ; les corrélations, pour chaque couple d'actions prises deux à deux (tirage de deux actions parmi N sans remise en jeu, dans un ordre aléatoire). Selon Markowitz. tous les investissements et tous les portefeuilles devraient être comparés et distingués *via* un graphe du rendement attendu en fonction du risque mesuré par l'écart-type. Si l'on appelle μ_A le retour sur investissement du portefeuille A (et ainsi de suite pour les portefeuilles B, C, etc.) et σ_B son écart-type, alors l'investissement sur le portefeuille A est au moins aussi bon que celui sur B si :

---

1. N.D.C. : les termes « rendement » et « rentabilité » sont utilisés dans ce livre de façon interchangeable, bien qu'il s'agisse, en fait, de la « rentabilité » qui comprend le « rendement » au sens strict (le dividende) plus le gain (ou perte) en capital.

$$\mu_A \geq \mu_B \text{ et } \sigma_A \leq \sigma_B$$

Les mathématiques des risques et des rendements sont très simples. Considérons un portefeuille Π composé de N actifs, où W_t est la fraction de richesse investie dans le i-ième actif. Le rendement attendu est :

$$\mu_\Pi = \sum_{i=1}^{N} W_i \mu_i$$

et l'écart-type du rendement, le risque, est donné par :

$$\sigma_\Pi = \sqrt{\sum_{i=1}^{N} \sum_{j=1}^{N} W_i W_j \rho_{ij} \sigma_i \sigma_j},$$

où ρ_{ij} est la corrélation entre les i-ièmes et j-ièmes investissements, avec $\rho_{ii} = 1$.

Markowitz a montré comment optimiser un portefeuille en trouvant les W_s donnant au portefeuille le rendement maximal à un niveau de risque prédéfini. La courbe tracée dans le repère risque/rendement, qui correspond au meilleur rendement attendu pour chaque niveau de risque est appelée la **frontière efficiente**.

Selon la théorie, personne ne devrait posséder de portefeuilles qui ne seraient pas sur la frontière efficiente. De plus, si l'on introduit un investissement sans risque dans l'univers d'actifs, la frontière efficiente devient la ligne tangente tracée ci-dessous. Cette ligne est appelée **droite du marché des capitaux** et le portefeuille situé au point de tangence est appelé **portefeuille de marché**.

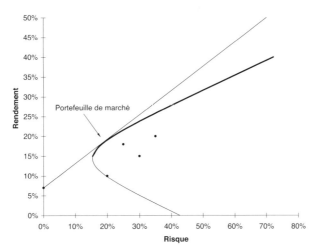

Figure 2-3 : Rentabilité et risque, une sélection d'actifs risqués et la frontière efficiente (en gras)

Dès lors, encore d'après la théorie, personne ne devrait détenir un portefeuille d'actifs différent de l'actif sans risque et du portefeuille de marché.

Harry Markowitz a été récompensé, avec Merton Miller et William Sharpe, du prix Nobel d'économie en 1990.

Références et approfondissement

Markowitz, H.M., 1952, « Portfolio selection », *Journal of Finance* 7(1), p. 77–91.

Ingersoll, J.E. Jr., 1987, *Theory of Financial Decision Making*, Rowman & Littlefield.

Qu'est-ce que le modèle d'évaluation des actifs financiers (MEDAF) ?

Réponse courte

Le modèle d'évaluation des actifs financiers (MEDAF), ou Capital Asset Pricing Model (CAPM), relie les rendements d'actifs individuels ou de portefeuilles complets au rendement de l'ensemble du marché. Il introduit les concepts de risque spécifique et systématique. Le risque spécifique est propre à chaque actif, le risque systématique est celui associé au marché. Dans le MEDAF, les investisseurs sont récompensés s'ils prennent du risque systématique, mais pas s'ils prennent du risque spécifique, car le risque spécifique peut être diversifié en détenant beaucoup d'actifs différents.

Exemple

Une action a un rendement espéré de 15 % et une volatilité de 20 %. Mais dans quelle mesure le risque et le rendement sont-ils liés au marché dans son ensemble ? En effet, moins ils sont liés au comportement du marché, et plus cette action sera utile pour diversifier un portefeuille.

Réponse détaillée

Le MEDAF a simplifié simultanément la théorie moderne du portefeuille (TMP) de Markowitz, l'a rendue plus pragmatique et a introduit l'idée de risque spécifique et systématique. Alors que la TMP considère une corrélation arbitraire entre tous les investissements, le MEDAF, dans sa forme de base, relie seulement les investissements *via* le marché pris dans son ensemble.

Le MEDAF est un exemple d'un modèle d'équilibre, par opposition à un modèle de non-arbitrage comme celui de Black-Scholes.

Les mathématiques du MEDAF sont très simples. On relie le rendement aléatoire du i-ième actif, R_i, au rendement aléatoire du marché dans son ensemble (ou à un indice représentatif), R_M, par :

$$R_i = \alpha_i + \beta_i R_M + \varepsilon_i .$$

La variable ε_i est aléatoire, avec une moyenne nulle et un écart-type e_i, et décorrélée du rendement de marché R_M et des autres ε_j. Il y a trois paramètres associés à chaque actif, α_i, β_i et e_i. Dans ce contexte, on constate que le rendement d'un actif peut être décomposé en trois parties : un rendement constant ; un rendement aléatoire proportionnel au rendement de l'indice ; un rendement aléatoire décorrélé de l'indice, ε_i. Cette partie aléatoire est propre au i-ième actif. On remarque que tous les actifs sont ainsi corrélés à l'indice, mais autrement complètement décorrélés.

Appelons le rendement espéré de l'indice μ_M et son écart-type σ_M. Le rendement attendu du i-ème actif est donc :

$$\mu_i = \alpha_i + \beta_i \mu_M$$

et son écart-type :

$$\sigma_i = \sqrt{\beta_i^2 \sigma_M^2 + e_i^2}$$

Si l'on a un portefeuille composé de tels actifs (les W_i sont les pondérations dans le portefeuille), le rendement est donné par :

$$\frac{\delta\Pi}{\Pi} = \sum_{i=1}^{N} W_i R_i = \left(\sum_{i=1}^{N} W_i \alpha_i\right) + R_M \left(\sum_{i=1}^{N} W_i \beta_i\right) + \sum_{i=1}^{N} W_i \epsilon_i.$$

De là, il devient :

$$\mu_\Pi = \left(\sum_{i=1}^{N} W_i \alpha_i\right) + E[R_M] \left(\sum_{i=1}^{N} W_i \beta_i\right).$$

En écrivant :

$$\alpha_\Pi = \sum_{i=1}^{N} W_i \alpha_i \quad \text{et} \quad \beta_\Pi = \sum_{i=1}^{N} W_i \beta_i,$$

on obtient :

$$\mu_\Pi = \alpha_\Pi + \beta_\Pi E[R_M] = \alpha_\Pi + \beta_\Pi \mu_M.$$

De la même façon le risque du portefeuille Π est mesuré par :

$$\sigma_\Pi = \sqrt{\sum_{i=1}^{N}\sum_{j=1}^{N} W_i W_j \beta_i \beta_j \sigma_M^2 + \sum_{i=1}^{N} W_i^2 e_i^2}.$$

On remarque que si les pondérations ont la même valeur, N^{-1}, alors la dernière somme sous la racine carrée est négligeable devant N^{-1}. Donc, quand N tend vers l'infini, l'expression devient :

$$\sigma_\Pi = \left|\sum_{i=1}^{N} W_i \beta_i\right| \sigma_M = |\beta_\Pi| \sigma_M.$$

On observe que la contribution des variables décorrélées εs au portefeuille diminue quand le nombre d'actifs augmente dans le portefeuille ; ce risque est associé au risque diversifiable. Le risque restant, corrélé à l'indice, est le risque systématique non diversifiable.

On peut construire des versions multi-indices du MEDAF, chaque indice étant représentatif de variables financières ou économiques importantes.

Les paramètres alpha et bêta sont aussi couramment associés au monde des hedge funds. Les rapports de performance des stratégies de trading font souvent référence à l'apha et au bêta de la stratégie. Une bonne stratégie aura un alpha positif élevé avec un bêta proche de zéro. Avec un petit bêta, on s'attend à une performance décorrélée de l'ensemble du marché, et avec un alpha positif élevé, on s'attend à de bons rendements quelle que soit la tendance du marché. Un petit bêta signifie également qu'une stratégie peut ajouter de la valeur à un portefeuille, grâce à l'effet bénéfique de sa diversification.

Sharpe a partagé en 1990 le prix Nobel d'économie avec Harry Markowitz et Merton Miller.

Références et approfondissement

Lintner, J. 1965, « The valuation of risk assets and the selection of risky investments in stock portfolios and capital budgets », *Rev. of Econ. and Stats* 47.

Mossin, J., 1966, « Equilibrium in a Capital Asset Market », *Econometrica* 34, p. 768–783.

Sharpe, W.F., 1964, « Capital asset prices : A theory of market equilibrium under conditions of risk », *J. of Finance* 19 (3), p. 425–442.

Tobin, J., 1958, « Liquidity preference as behavior towards risk », *Rev. of Economic Studies* 25.

Qu'est-ce que la théorie d'évaluation par arbitrage ?

Réponse courte

La théorie d'évaluation par arbitrage (Arbitrage Pricing Theory, APT) de Ross (1976) représente les rendements d'actifs individuels comme une combinaison linéaire de nombreux facteurs aléatoires. Ces facteurs peuvent être fondamentaux ou statistiques. Pour qu'il n'y ait pas d'opportunité d'arbitrage, il doit y avoir des restrictions dans les processus de rendements.

Exemple

Supposons qu'il y ait cinq causes d'aléa parmi les investissements. Ces cinq facteurs peuvent être l'ensemble du marché, l'inflation, le prix du pétrole, etc. Si l'on doit investir dans six portefeuilles différents et très diversifiés, alors, soit l'un de ces portefeuilles aura approximativement le même risque et le même rendement qu'une combinaison appropriée des cinq autres, ou bien il y aura une opportunité d'arbitrage.

Réponse détaillée

La théorie moderne du portefeuille représente chaque actif par son propre rendement aléatoire et ensuite relie les rendements de différents actifs *via* une matrice de corrélation. Dans le modèle d'évaluation des actifs financiers (MEDAF), les rendements des actifs individuels sont reliés, à la fois, au rendement de l'ensemble du marché et à une composante aléatoire décorrélée propre à chaque actif. Dans l'APT, les rendements des investissements sont représentés par une combinaison linéaire de plusieurs facteurs aléatoires, avec des pondérations appropriées des facteurs. Les portefeuilles d'actifs peuvent aussi être décomposés de cette manière. Si le portefeuille contient un nombre suffisamment important d'actifs, la composante spécifique à chaque actif peut être négligée. La clé de l'APT réside dans la capacité à ignorer le risque spécifique des actifs considérés.

Le rendement aléatoire du i-ème actif peut être écrit :

$$R_i = \alpha_i + \sum_{j=1}^{n} \beta_{ji}\overline{R}_j + \epsilon_i,$$

où les $\overline{R}_j$ sont les facteurs, les αs et βs sont constants et ε_i est le risque spécifique de chaque action. Un portefeuille constitué de ces actifs a le rendement :

$$\sum_{i=1}^{N} a_i R_i = \sum_{i=1}^{N} a_i\alpha_i + \sum_{j=1}^{n}\left(\sum_{i=1}^{N} a_i\beta_{ji}\right)\overline{R}_j + \dots ,$$

où les … peuvent être ignorés si le portefeuille est bien diversifié.

Supposons que l'on estime que cinq facteurs suffisent à représenter l'économie. On peut donc décomposer le portefeuille en une combinaison linéaire de ces cinq facteurs, plus des risques spécifiques supposés négligeables. Si l'on considère six porte-feuilles diversifiés, on peut décomposer chacun sur les cinq facteurs aléatoires. Comme il y a plus de portefeuilles que de facteurs, on peut trouver une relation entre (certains de) ces portefeuilles qui, de fait, relie leurs valeurs, sans quoi il y aurait une opportunité d'arbitrage. On note que l'argument d'arbitrage est approximatif, établis-sant des relations entre des portefeuilles diversifiés, sur l'hypothèse que les risques spécifiques aux actifs sont négligeables par rapport aux risques des facteurs.

En pratique, on peut choisir des facteurs économiques ou statistiques. Voici plusieurs variables macroéconomiques possibles :

- un niveau d'indice ;
- la croissance du PIB ;
- un taux d'intérêt (ou deux) ;
- un spread de défaut sur des obligations privées ;
- un taux de change.

Les variables statistiques proviennent d'une analyse de la covariance des rendements d'actifs. De là, on extrait les facteurs par une décomposition appropriée.

La principale différence entre le MEDAF et l'APT est que le MEDAF est fondé sur des arguments d'équilibre pour obtenir le concept de portefeuille de marché, tandis que l'APT est fondée sur un simple argument d'arbitrage approximatif. Bien que l'APT traite d'arbitrage, cela contraste avec les arguments d'arbitrage que l'on voit en théorie des options ou pour évaluer un instrument forward à partir de son cours spot. Ces arguments sont des arbitrages au sens exact du terme (bien qu'ils soient dépendants du modèle). Dans l'APT, l'arbitrage est seulement approximatif.

Référence et approfondissement

Ross, S., 1976, « The Arbitrage Theory of Capital Asset Pricing », *Journal of Economic Theory* 13, p. 341–360.

Qu'est-ce que l'estimation par le maximum de vraisemblance ?

Réponse courte

L'estimation par le maximum de vraisemblance (Maximum Likelihood Estimation, MLE) est une technique statistique pour estimer les paramètres d'une distribution de probabilités. On choisit les paramètres qui maximisent la probabilité d'occurrence *a priori* du résultat final.

Exemple

Vous avez trois chapeaux contenant des nombres aléatoires distribués normalement. Les nom-bres d'un chapeau ont une moyenne de zéro et un écart-type de 0,1. C'est le chapeau A. Les nombres d'un autre chapeau ont une moyenne de zéro et un écart-type de 1. C'est le chapeau B. Les nombres du dernier chapeau ont une moyenne de zéro et un écart-type de 10. C'est le chapeau C. Vous ne savez pas distinguer les chapeaux.

Vous tirez un nombre d'un des chapeaux, c'est -2,6. De quel chapeau pensez-vous qu'il provient ? La MLE peut vous aider à répondre à cette question.

Réponse détaillée

Une grande part de la modélisation statistique consiste à trouver les paramètres d'un modèle. La MLE est une manière connue pour y parvenir.

La méthode s'explique facilement par un exemple très simple. Vous assistez à une conférence de mathématiques. Vous arrivez en train dans la ville qui héberge l'événement. Vous prenez un taxi de la gare au lieu de conférence. Le numéro du taxi est 20 922. Combien de taxis y a-t-il dans la ville ?

Ceci est un problème d'estimation de paramètres. Entrer dans un taxi précis est un événement probabiliste. Estimer le nombre de taxis dans la ville à partir de cet événement est une question d'hypothèses et de méthodologie statistique.

Pour ce problème, les hypothèses évidentes à poser sont :

– les numéros de taxi sont des entiers strictement positifs ;
– les numéros commencent à 1 ;
– aucun nombre ne se répète ;
– aucun nombre n'est escamoté.

Nous allons considérer la probabilité d'entrer dans le taxi numéro 20 922 lorsqu'il y a N taxis dans la ville. Cela ne pourrait pas être plus simple, la probabilité d'entrer dans n'importe quel taxi étant :

$$\frac{1}{N}.$$

Quel N maximise la probabilité d'entrer dans le taxi numéro 20 922 ? La réponse est :

$$N = 20, 922 .$$

Cet exemple explique le concept de la MLE : choisir les paramètres qui maximisent la probabilité d'occurrence du résultat effectif.

Un autre exemple, plus proche des problèmes de finance quantitative, est celui des chapeaux mentionné ci-dessus.

Vous avez trois chapeaux contenant des nombres aléatoires distribués normalement. Les nombres d'un chapeau ont une moyenne de zéro et un écart-type de 0,1. C'est le chapeau A. Les nombres d'un autre chapeau ont une moyenne de zéro et un écart-type de 1. C'est le chapeau B. Les nombres du dernier chapeau ont une moyenne de zéro et un écart-type de 10. C'est le chapeau C. Vous ne savez pas distinguer les chapeaux.

Vous tirez un nombre d'un des chapeaux, c'est −2,6. De quel chapeau pensez-vous qu'il provient ?

La « probabilité » de tirer le nombre −2,6 du chapeau A (ayant une moyenne nulle et un écart-type de 0,1) est :

$$\frac{1}{\sqrt{2\pi}\,0,1} \exp\left(-\frac{2,6^2}{2 \times 0,1^2}\right) = 6\ 10^{-147}.$$

Très peu probable !

(N.B. : le mot « probabilité » est entre guillemets pour souligner le fait que c'est la valeur de la fonction de densité de probabilité, non la probabilité réelle. La probabilité de tirer exactement −2,6 est, bien sûr, zéro.)

La « probabilité » de tirer le nombre −2,6 du chapeau B (ayant une moyenne nulle et un écart-type de 1) est :

$$\frac{1}{\sqrt{2\pi}\ 1} \exp\left(-\frac{2{,}6^2}{2 \times 1^2}\right) = 0{,}014$$

et du chapeau C (ayant une moyenne nulle et un écart-type de 10) :

$$\frac{1}{\sqrt{2\pi}\ 10} \exp\left(-\frac{2{,}6^2}{2 \times 10^2}\right) = 0{,}039$$

Nous pourrions conclure que le chapeau C est le plus probable, puisqu'il a la probabilité la plus élevée d'en tirer le nombre −2,6.

Nous tirons maintenant un second nombre du même chapeau, c'est 0,37. Il semble plus probable que ce nombre vienne du chapeau B. Nous avons la table de probabilités suivante :

Chapeau	−2,6	0,37	Joint
A	$6\ 10^{-147}$	0,372	$2\ 10^{-149}$
B	0,014	0,372	0,005
C	0,039	0,040	0,002

Tableau 2.2.

La deuxième colonne représente la probabilité de tirer le nombre -2,6 de chacun des chapeaux, la troisième colonne la probabilité de tirer 0,37 de chacun des chapeaux, et la dernière colonne est la probabilité jointe, c'est-à-dire la probabilité de tirer les deux nombres du même chapeau pour chacun des chapeaux.

En utilisant les informations relatives aux *deux* tirages, on peut voir que le chapeau le plus probable est maintenant le B.

À présent, traitons le problème précisément comme un problème de finance quantitative.

Trouver la volatilité

On a un chapeau contenant des nombres aléatoires distribués normalement, avec une moyenne de zéro et un écart-type σ qui est inconnu. On tire N nombres ϕ_i de ce chapeau. On veut estimer σ.

Question. Quelle est la « probabilité » de tirer ϕ_i d'une distribution normale de moyenne zéro et d'écart-type σ ?

Réponse. C'est :

$$\frac{1}{\sqrt{2\pi}\sigma} e^{-\frac{\phi_i^2}{2\sigma^2}}.$$

Q. Quelle est la probabilité de tirer tous les nombres ϕ_1, ϕ_2,..., ϕ_N de distributions normales indépendantes de moyenne zéro et d'écart-type σ?

R. C'est :

$$\prod_{i=1}^{N} \frac{1}{\sqrt{2\pi}\sigma} e^{-\frac{\phi_i^2}{2\sigma^2}}.$$

Maintenant on choisit le σ qui maximise cette quantité. C'est facile. On prend d'abord le logarithme de cette expression, puis la dérivée par rapport à σ et on recherche la valeur telle que :

$$\frac{d}{d\sigma}\left(-N\ln(\sigma) - \frac{1}{2\sigma^2}\sum_{i=1}^{N}\phi_i^2\right) = 0.$$

(Un facteur multiplicatif a été ignoré ici) c'est-à-dire :

$$-\frac{N}{\sigma} + \frac{1}{\sigma^3}\sum_{i=1}^{N}\phi_i^2 = 0.$$

Donc, notre meilleure estimation pour σ est donnée par :

$$\sigma^2 = \frac{1}{N}\sum_{i=1}^{N}\phi_i^2.$$

Vous reconnaissez dans cette expression une mesure de la variance.

Salaires des « quants »

La figure montre les résultats d'une étude réalisée en 2004 sur www.wilmott.com concernant les salaires des quants utilisant le forum (ou plutôt, ceux qui ont répondu à la question !).

La distribution semblant peu ou prou log-normale, on peut écrire :

$$\frac{1}{\sqrt{2\pi}\sigma E} \exp\left(-\frac{(\ln E - \ln E_0)^2}{2\sigma^2}\right),$$

où E est le revenu annuel, σ est l'écart-type et E_o la moyenne. On peut utiliser la MLE pour déterminer σ et E_o.

On trouve alors une moyenne $E_o = 133\,284\,\$$ avec $\sigma = 0,833$

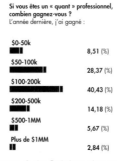

Figure 2-4 : Salaires des quants

Référence et approfondissement

Eliason, S.R., 1993, *Maximum Likelihood Estimation : Logic and Practice*, S

Qu'est-ce que la co-intégration ?

Réponse courte

Deux séries temporelles sont co-intégrées si une combinaison linéaire a
moyenne et un écart-type constants. En d'autres termes, les deux séries évoluent de
manière proche l'une de l'autre. La co-intégration est une technique très utile pour
étudier les relations entre séries temporelles variées, et fournit une méthodologie
saine pour modéliser à la fois les dynamiques long terme et court terme dans un
système financier.

> **Exemple**
>
> Supposons que l'on ait deux actions S1 et S2 et que l'on trouve que S1-3S2 soit stationnaire, de sorte que cette combinaison ne s'éloigne jamais trop loin de sa moyenne. Si un jour cet écart est particulièrement grand, alors on aura de bonnes raisons statistiques de penser que l'écart pourrait se réduire très vite, donnant une possibilité d'un profit issu d'un arbitrage statistique. Cela peut être la base de « pairs trading ».

Réponse détaillée

Les corrélations entre les quantités financières sont notoirement instables. Néanmoins, les corrélations sont régulièrement utilisées dans presque tous les problèmes
financiers à plusieurs variables. Une mesure statistique alternative à la corrélation est
la co-intégration. C'est probablement une mesure plus robuste du lien entre deux
quantités financières mais, jusqu'à présent, la théorie des produits dérivés se fonde
peu sur ce concept.

Deux actions peuvent être parfaitement corrélées sur de courtes échelles de temps
mais diverger sur le long terme, l'une croissant et l'autre décroissant. À l'inverse,
deux actions peuvent se suivre, en n'étant jamais éloignées de plus d'une certaine
distance, mais sans aucune corrélation, positive, négative ou variable. Si on se
couvre en delta, alors peut-être que la corrélation de court terme joue un rôle, mais
ce n'est pas le cas si l'on détient les actions sur une longue période dans un portefeuille non couvert. Pour voir si deux actions restent proches l'une de l'autre, on a
besoin d'une définition de la **stationnarité**. Une série temporelle est stationnaire si
elle a une moyenne, un écart-type et une fonction d'autocorrélation finis et constants. Les actions, qui ont tendance à croître, ne sont pas stationnaires. Dans un sens,
les séries stationnaires ne s'écartent pas trop de leur moyenne.

Tester la stationnarité d'une série temporelle X_t inclut une régression linéaire pour
trouver les coefficients a, b et c tels que :

$$X_t = aX_{t-i} + b + ct.$$

Si l'on trouve que $|a| > 1$, alors la série est instable. Si If$-1 \leq a < 1$ alors la série est
stationnaire. Si $a = 1$ alors la série est non stationnaire. Comme pour tout en statistiques,
on peut seulement dire que notre valeur pour a est précise avec un certain degré de

confiance. Pour décider si l'on a une série stationnaire ou non stationnaire, on a besoin de regarder la statistique de Dickey-Fuller pour estimer le degré de confiance de notre résultat. C'est justement ici que le sujet de la co-intégration devient compliqué.

Comment cela peut-il être utile en finance ? Même si les prix individuels des actions sont non stationnaires, il est possible de trouver une combinaison linéaire (c'est-à-dire un portefeuille) qui soit stationnaire. Peut-on trouver λ_i avec $\sum_{i=1}^{N} \lambda_i = 1$ tel que :

$$\sum_{i=1}^{N} \lambda_i S_i$$

est stationnaire ? Si oui, alors on peut considérer que les actions sont co-intégrées.

Par exemple, supposons que l'on trouve que le S & P 500 est co-intégré avec un portefeuille de quinze actions. On peut utiliser ces quinze actions pour dupliquer la performance (*tracking*), l'indice. L'erreur dans ce portefeuille aura une moyenne et un écart-type constant, donc ne devrait pas s'écarter trop de sa moyenne.

Ceci est clairement plus facile que d'utiliser les cinq cents actions pour le tracking (où, bien sûr, l'erreur de tracking serait nulle).

On ne peut pas dupliquer seulement un indice, on pourrait dupliquer tout ce que l'on veut, comme $e^{0,2t}$ pour choisir un portefeuille qui aurait un rendement de 20 %. On peut analyser les propriétés de co-intégration entre deux actions liées, Nike et Reebok, par exemple, pour chercher des relations. Cela serait du « pairs trading ». Il y a clairement des similitudes entre la TMP et le CPAM (MEDAF en français) dans la manière de concevoir moyennes et écarts-types. La différence essentielle est que la co-intégration suppose bien moins de propriétés sur les séries temporelles indivi-duelles. Plus important encore, la volatilité et la corrélation n'apparaissent pas expli-citement.

Une autre caractéristique de la co-intégration est la **causalité de Granger** utilisée quand une variable mène et une autre suit. C'est une aide certaine pour expliquer pourquoi il existe une relation dynamique entre plusieurs quantités financières.

Références et approfondissement
Alexander, C.O., 2001, *Market Models*, John Wiley & Sons.
Engle, R. & Granger, C., 1987, « Cointegration and error correction : representation, estimation and testing », *Econometrica 55*, p. 251–276.

Qu'est-ce que le critère de Kelly ?

Réponse courte

Le critère de Kelly est une technique pour maximiser la croissance espérée des actifs en investissant de façon optimale une fraction fixe de sa richesse dans une série d'investissements. L'idée est utilisée depuis fort longtemps dans le monde du jeu.

> **Exemple**
>
> Vous possédez une pièce biaisée qui atterrit côté face avec une probabilité $p > \frac{1}{2}$. Vous trouvez quelqu'un qui accepte de parier contre vous un montant donné à un contre un. Il accepte de parier autant de fois que vous voulez. Vous pouvez clairement gagner beaucoup d'argent avec cette pièce spéciale. Vous commencez avec 1 000 $. Combien devriez-vous parier à chaque fois ?

Réponse détaillée

Considérons l'exemple ci-dessus. La première observation est que vous devriez parier un montant proportionnel à vos avoirs. Quand vous gagnez et que votre patrimoine grossit, vous parierez un montant plus élevé. Mais vous ne devriez pas parier trop. Si vous pariez vos 1 000 $ d'un coup, vous finirez par obtenir « pile », perdrez tout et serez incapable de continuer. Si vous pariez trop peu, il vous faudra énormément de temps avant d'obtenir une somme confortable.

Le **critère de Kelly** consiste à parier une certaine fraction de votre richesse pour maximiser son taux de croissance attendu.

On utilise ϕ pour dénommer la variable aléatoire prenant la valeur 1 avec une probabilité p et –1 avec une probabilité $1-p$ et f pour nommer la fraction de notre richesse que nous parions. La croissance de la richesse après chaque lancer de pièce est donc le montant aléatoire :

$$\mathrm{In}(1 + f\phi).$$

Le taux de croissance attendu est :

$$p\mathrm{In}(1 + f) + (1 - p)\mathrm{In}(1 - f).$$

Cette fonction est tracée ci-dessous pour $p = 0{,}55$.

Le taux de croissance attendu est maximisé en choisissant :

$$f = 2p - 1.$$

C'est la fraction de Kelly.

Parier une fraction inférieure serait une stratégie conservative. En prenant une fraction supérieure (vers la droite du graphe), on ajoute de la volatilité aux gains, et on diminue les rendements attendus. Une fraction trop élevée conduit à un rendement attendu négatif.

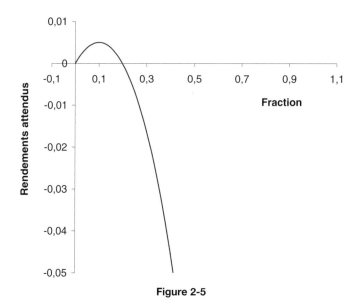

Figure 2-5

Ce principe de gestion peut être appliqué à tout pari ou investissement, pas seulement au lancer de pièce. Plus généralement, si l'investissement a un rendement attendu μ et un écart-type $\sigma \gg \mu$ alors la croissance attendue pour une fraction f de l'investissement est :

$$E[\ln(1 + f\phi)]$$

qui peut être approchée par la série de Taylor :

$$f\phi - \tfrac{1}{2}f^2\phi^2 + \cdots .$$

La fraction de Kelly, qui maximise cette expression, est donc :

$$f = \frac{\mu}{\sigma^2}.$$

En pratique, comme on connaît rarement la moyenne et l'écart-type avec précision, on choisira la prudence et on pariera une fraction inférieure. Le choix classique, « **half Kelly** », est celui de la moitié de la fraction de Kelly déterminée.

D'autres stratégies d'investissement sont bien sûr possibles, impliquant le niveau de richesse cible, la probabilité de ruine, etc.

Références et approfondissement

Kelly, J.L., 1956, « A new interpretation of information rate », *Bell Systems Tech. J.* 35, p. 917–926.

Poundstone, W., 2005, *Fortune's Formula*, Hill & Wang.

Pourquoi se couvrir ?

Réponse courte

La « couverture » dans son sens le plus large signifie la réduction du risque en exploitant des relations ou corrélations (ou manque de corrélation) entre des investissements risqués variés. L'intérêt de la couverture est qu'elle peut conduire à un rapport risque/rendement amélioré. Dans le cadre classique de la théorie moderne du portefeuille (TMP), par exemple, il est habituellement possible de construire de nombreux portefeuilles ayant le même rendement attendu mais des variances de rendement différentes (« risque »). Clairement, si l'on a deux portefeuilles avec le même rendement attendu, celui qui a le risque le plus faible est le meilleur investissement.

> **Exemple**
>
> Vous achetez une option d'achat, dont la valeur peut monter ou baisser selon que le sous-jacent monte ou descend. Maintenant, vendez quelques actions sous-jacentes à découvert. Si vous vendez le bon montant d'actions, alors les mouvements sur la position actions équilibreront les mouvements sur l'option, réduisant le risque.

Réponse détaillée

Afin de mieux saisir l'utilité de la couverture, considérons les différents types de couverture.

Les deux principales classifications

La distinction probablement la plus importante entre les types de couverture est celle des stratégies dépendantes et indépendantes du modèle.

Couverture indépendante du modèle : un exemple de ce type de couverture est la parité call-put. Il existe une relation simple entre les calls et les puts sur un actif (lorsqu'ils sont européens, avec les mêmes prix d'exercice et date d'expiration), l'action sous-jacente et une obligation zéro-coupon de même maturité. Cette relation est complètement indépendante de l'évolution de la valeur du sous-jacent. Un autre exemple est la parité spot-forward. En aucun cas, on ne doit spécifier la dynamique de l'actif ni sa volatilité pour trouver une couverture possible. De telles couvertures indépendantes du modèle sont peu nombreuses.

Couverture dépendante du modèle : la plupart des stratégies financières de couverture sophistiquées dépendent d'un modèle pour l'actif sous-jacent. L'exemple le plus évident est la couverture utilisée dans l'analyse de Black-Scholes qui mène à une théorie de valorisation des dérivés. Pour évaluer des dérivés, on a typiquement besoin de connaître au moins la volatilité de l'actif sous-jacent. Si le modèle est faux, la valeur de l'option et toute stratégie de trading peuvent aussi être fausses.

Delta hedging (couverture en delta)

C'est l'une des pierres angulaires de la théorie des dérivés. C'est l'élimination théoriquement parfaite de tout risque en utilisant une couverture très judicieuse entre l'option et son sous-jacent. Le delta hedging exploite la corrélation parfaite entre les changements de la valeur de l'option et les changements du prix de l'action. Voici un exemple de couverture « dynamique » ; la couverture doit être continuellement gérée et fréquemment ajustée en vendant ou en achetant de l'actif sous-jacent. À cause de la fréquence des ajustements de couverture (rebalancements), toute stratégie de couverture dynamique est vouée à générer des pertes dues aux coûts de transactions. Sur certains marchés, cela peut être très important.

Le « sous-jacent » dans un portefeuille couvert en delta peut être un actif coté, une action par exemple, ou une autre quantité aléatoire qui détermine un prix, comme un risque de défaut. Si l'on a deux instruments dépendant du même risque de défaut, on peut calculer les sensibilités, les deltas, de leurs prix par rapport à cette quantité, et donc acheter les deux instruments en montants inversement proportionnels à ces deltas (un « long », un « short »). C'est aussi du delta hedging.

Si deux sous-jacents sont très fortement corrélés, on peut utiliser le premier comme un « proxy » du second dans une optique de couverture. On sera alors seulement exposé au risque de base. Il faut être vigilant car, parfois, la relation entre actifs peut se rompre.

Si l'on a de nombreux instruments financiers qui sont décorrélés les uns des autres, on peut construire un portefeuille beaucoup moins risqué que chaque investissement pris séparément. Avec un tel portefeuille, on peut, théoriquement, réduire le risque à un niveau négligeable. Bien que ce ne soit pas de la couverture au sens strict, cela répond au même besoin.

Gamma hedging

Pour réduire la taille de chaque ajustement de couverture (« rehedge ») et/ou pour allonger le temps entre les rebalancements, et donc réduire les coûts, la technique du gamma hedging est souvent employée. Un portefeuille couvert en delta est insensible aux mouvements sur le sous-jacent tant que ces mouvements sont petits. Il y a une petite erreur due à la convexité du portefeuille par rapport au sous-jacent. Le gamma hedging est une forme de couverture plus précise qui, théoriquement, élimine ces effets de second ordre. Typiquement, on couvre, disons, un contrat exotique avec un contrat vanille et le sous-jacent. Les quantités de vanille et de sous-jacent sont choisies de façon à annuler simultanément le delta et le gamma du portefeuille.

Vega hedging

Les prix et les stratégies de couvertures sont seulement aussi bons que le modèle utilisé pour le sous-jacent. Le paramètre clé qui détermine la valeur d'un contrat est la volatilité de l'actif sous-jacent. Malheureusement, c'est un paramètre très difficile à mesurer ; et ce n'est pas non plus une constante, comme dans les hypothèses des théories simples. Évidemment, la valeur d'un contrat dépend de ce paramètre, et donc, pour s'assurer que la valeur d'un portefeuille est insensible à ce paramètre, on peut se couvrir en véga. Cela signifie que l'on peut couvrir une option avec, à la fois, le sous-jacent et une autre option, d'une manière telle que le delta et le véga, la sensibilité de la valeur du portefeuille à la volatilité, soient nuls. C'est souvent assez satisfaisant en pratique, mais habituellement incohérent en théorie ; on ne devrait pas utiliser un modèle à volatilité constante (Black-Scholes basique) pour calculer des sensibilités à des paramètres qui sont supposés ne pas varier. La distinction entre les variables (prix de l'actif sous-jacent, temps) et les paramètres (volatilité, rendement du dividende, taux d'intérêt) est extrêmement importante ici. On peut justifier de se fonder sur la sensibilité des prix aux variables, mais difficilement sur la sensibilité aux paramètres. Pour contourner ces problèmes, il est possible de modéliser indépendamment la volatilité, etc., comme des variables elles-mêmes. De cette façon, il est possible de construire une théorie cohérente.

Couverture statique (static hedging)

Il y a quelques petits problèmes avec le delta hedging, tant du côté pratique que théorique. En pratique, la couverture doit être réalisée de façon discrète, et est coûteuse. Parfois, on doit acheter un nombre de sous-jacents prohibitif pour suivre la théorie. Cela constitue un problème pour les options à barrière et les options à payoff (paiement à maturité) discontinu. Du côté théorique, le modèle pour le sous-jacent n'est pas parfait et, tout au moins, on ne connaît jamais précisément la valeur des paramètres. Un delta hedging seul nous laisse très exposés au modèle, c'est un risque de modèle. Beaucoup de ces problèmes peuvent être réduits ou éliminés si l'on combine une stratégie de couverture statique avec du delta hedging : acheter ou vendre des contrats cotés plus liquides pour réduire les cash-flows sur le contrat original. La couverture statique est mise en place à un instant donné, puis laissée jusqu'à l'expiration. Dans le cas extrême où les cash-flows d'un contrat exotique sont identiques aux cash-flows d'un panier d'options cotées, sa valeur est donnée par le coût de mise en place de la couverture statique ; cela ne requiert aucun modèle (l'option n'était finalement pas exotique…).

Superhedging

Sur des marchés incomplets, on ne peut éliminer tout le risque par un delta hedging dynamique classique. Mais parfois, on peut « se supercouvrir », en construisant un portefeuille qui a un payoff positif, quoi qu'il arrive sur le marché. Un exemple simple serait de supercouvrir une position « call short » en achetant une position sur l'action, et en ne rebalançant jamais. Malheureusement, comme on peut l'imaginer, et c'est certainement le cas dans cet exemple, la supercouverture peut donner des prix qui diffèrent largement de ceux du marché.

Couverture de marge (margin hedging)

Souvent, ce qui fait souffrir les banques et autres institutions en période de marchés volatils, ce n'est pas la valeur de leurs actifs mais l'obligation de fournir, soudainement, un énorme montant de cash pour couvrir un appel de marge inattendu. L'appel de marge a causé des dégâts significatifs, par exemple, pour Metallgesellschaft et Long Term Capital Management. Émettre des options est très risqué. Le downside (potentiel de perte) dans l'achat d'une option est juste la prime initiale, l'upside (potentiel de gain) pouvant être illimité. L'upside issu de l'émission d'une option est limité, mais les pertes peuvent être immenses. Pour cette raison, afin de couvrir le risque de défaut dans le cas d'un résultat défavorable, les compensateurs qui enregistrent et livrent les options exigent le dépôt d'une marge par les vendeurs d'options. La marge se présente sous deux aspects : la marge initiale et la marge de couverture. La marge initiale est le montant déposé à l'initialisation du contrat. Le montant total de la marge détenue doit rester supérieur à une marge de couverture prédéterminée. S'il tombe en dessous du niveau de cette marge de maintenance, de l'argent supplémentaire (ou son équivalent en obligations, actions, etc.) doit être déposé. Le montant de marge qui doit être déposé dépend de chaque contrat particulier. Un mouvement de marché spectaculaire peut induire un appel de marge très important qui peut être difficile à honorer. Afin d'éviter cette situation, on peut se couvrir en marge. Il s'agit de construire un portefeuille tel que les appels de marge sur une partie du portefeuille soient équilibrés par des reversements de marge sur d'autres positions. Habituellement, les contrats de gré à gré n'ont pas d'appels de marge associés et donc, n'apparaissent pas dans le calcul.

Crash (platinum) hedging

La dernière sorte de couverture est propre aux marchés extrêmes. Les crashs de marché ont au moins deux effets évidents sur la couverture. En premier lieu, les mouvements sont si larges et rapides qu'ils ne peuvent être couverts en delta de façon traditionnelle. L'effet de la convexité n'est pas négligeable. En second lieu, les corrélations de marché normales perdent leur signification. Typiquement, tous les coefficients de corrélation tendent vers 1 (ou –1). Le crash ou platinum hedging exploite le dernier effet, de façon à minimiser le pire résultat possible du portefeuille. La méthode, appelée **CrashMetrics**, ne repose pas sur des paramètres comme les volatilités et constitue donc une couverture très robuste. Le platinum hedging se présente sous deux formes : la couverture de la valeur des actifs du portefeuille et la couverture des appels de marge.

Références et approfondissement

Taleb, N.N., 1997, *Dynamic Hedging*, John Wiley & Sons.
Wilmott, P., 2006, *Paul Wilmott On Quantitative Finance*, second edition, John Wiley & Sons.

Qu'est-ce que le Marking to Market (évaluation au prix du marché), et comment affecte-t-il la gestion des risques dans le trading des dérivés ?

Réponse courte

Le « Marking to Market » revient à évaluer un instrument au prix auquel il est couramment négocié sur le marché. Si vous achetez une option parce que vous croyez qu'elle est sous-évaluée, vous ne ferez pas un profit immédiatement, mais vous devrez attendre que la valeur de marché atteigne la valeur correspondant à votre propre estimation. Avec une option, cela peut ne pas arriver avant l'expiration. Quand vous couvrez des options, vous devez choisir d'utiliser un delta fondé sur la volatilité implicite ou votre propre estimation de la volatilité. Si vous voulez éviter des fluctuations sur votre P & L « mark-to-market », vous vous couvrirez en utilisant la volatilité implicite, même si vous pouvez penser que cette volatilité est incorrecte.

Exemple

Une action est cotée à 47 $, mais vous pensez qu'elle est sérieusement sous-évaluée. Vous pensez qu'elle devrait coter 60 $. Vous achetez l'action. Quelle valeur allez-vous communiquer aux gens pour votre petit « portefeuille » ? 47 $ ou 60 $? Si vous dites 47 $, vous évaluez au prix du marché ; si vous dites 60 $, vous évaluez le prix de votre modèle. Évidemment, cela peut entraîner de sérieux abus et il est donc habituel, et c'est souvent une contrainte réglementaire, de publier la valeur mark-to-market. Si vous avez raison sur la valeur de l'action, la plus-value sera réalisée quand le prix de l'action augmentera. Patience, mon fils.

Réponse détaillée

Si les instruments sont liquides et cotés, l'évaluation au prix du marché est directe. Vous avez juste besoin de connaître la cotation la plus récente. Bien sûr, cela ne vous empêche pas de dire aussi la valeur à laquelle vous croyez, ou le profit que vous vous attendez à faire. Après tout, vous êtes présumé avoir accepté la transaction parce que vous étiez convaincu de faire un gain.

Les hedge funds communiquent à leurs investisseurs leur valeur nette d'actifs reposant sur les valeurs mark-to-market des instruments liquides de leur portefeuille. Ils peuvent estimer leurs profits futurs, bien que ce soit assez aléatoire.

Dans le cas des futures et des options «short», des appels de marge doivent être payés, habituellement de façon quotidienne, à une chambre de compensation agissant comme garde-fou contre le risque de crédit. Donc, si les prix évoluent contre vous, vous devrez payer une marge de couverture. Celle-ci sera évaluée à partir des valeurs de marché dominantes des futures et des options short. (Il n'y a pas de marge sur les positions longues d'options car elles sont payées à l'achat et après quoi, elles ne peuvent que rapporter de l'argent.)

Clairement, l'évaluation au prix du marché d'instruments cotés est sans ambiguïté. Mais qu'en est-il des contrats exotiques ou de gré à gré ? Ils ne sont pas négociés activement, ils peuvent être uniques à vous et votre contrepartie. Ces instruments doivent être évalués au prix du modèle (**marked to model**). Ceci soulève, naturellement, la question du choix du modèle à utiliser. Habituellement, dans ce contexte, le «modèle» signifie la volatilité, aussi bien sur les marchés actions que taux et change. Donc, la question du choix du modèle devient celle du choix de la volatilité.

Voici quelques manières possibles d'évaluer des contrats de gré à gré :

– Le négociateur utilise sa propre volatilité. Peut-être sa meilleure prévision à terme. Mais il est très facile de commettre des abus, d'imaginer faire un profit de cette manière. Quelle que soit la volatilité utilisée, elle ne peut être trop éloignée des volatilités implicites du marché sur les options liquides de même sous-jacent.

– Utiliser des prix obtenus auprès des brokers (courtiers). Ils ont l'avantage d'être des prix réels, négociables, et impartiaux. Le principal inconvénient est de ne pas pouvoir éternellement demander des prix aux brokers sans intention de transaction. Ils vont en être très agacés. Et ils ne vous donneront plus jamais de billets pour Roland-Garros.

– Utiliser un modèle de volatilité calibré sur les vanilles. Cela a l'avantage de donner des prix cohérents avec l'information de marché, et qui sont donc exempts de tout arbitrage. Bien qu'il reste toujours la question du choix du modèle de volatilité à utiliser, déterministe, stochastique, etc. de sorte que l'exemption d'arbitrage est l'affaire du modélisateur. Cela peut aussi demander beaucoup de temps de devoir calculer fréquemment des prix.

Il existe une subtilité dans la méthode d'évaluation et la couverture des dérivés. Prenons le cas simple d'une option vanille sur une action achetée, parce qu'on la considère bon marché. Il y a potentiellement trois volatilités différentes ici : la volatilité implicite, la volatilité prédite, la volatilité de couverture. Dans cette situation, l'option étant cotée, elle serait probablement évaluée au prix du marché en utilisant la volatilité implicite, mais le profit ultime dépendra de la volatilité réalisée (soyons optimistes et supposons que c'est celle qui est prédite) et aussi de la manière dont l'option est couverte. La couverture, qui utilise la volatilité implicite dans la formule du delta, élimine théoriquement les autres fluctuations aléatoires de la valeur mark-to-market du portefeuille d'option couvert, au prix de rendre le profit final « path dependent », relié directement au gamma réalisé suivant la trajectoire de l'action.

En évaluant au prix du marché, ou en utilisant une évaluation fondée sur un modèle aussi proche du mark-to-market que possible, vos pertes seront visibles. Si votre transaction théoriquement profitable évolue mal, vous verrez vos pertes augmenter. Vous serez peut-être forcé de fermer votre position si vos pertes deviennent trop importantes. Bien sûr, vous auriez pu avoir raison à la fin, juste un peu hors du timing. La perte aurait pu se résorber, mais si vous avez déjà fermé votre position, pas de chance… Ceci étant dit, la nature humaine est telle que les gens ont tendance à tenir trop longtemps des positions déficitaires en supposant qu'elles vont remonter, et à fermer des positions gagnantes trop tôt. Le marking to market introduira donc un peu de rationalité dans vos transactions.

Référence et approfondissement
Wilmott, P., 2006, *Paul Wilmott On Quantitative Finance*, second edition, John Wiley & Sons.

En quoi consiste l'hypothèse de l'efficience des marchés ?

Réponse courte
Un marché efficient est tel qu'il est impossible de battre le marché, car toutes les informations sur les titres sont déjà reflétées dans leurs prix.

Exemple
Ou plutôt un contre-exemple, « Je serais un clochard dans la rue avec une tasse en fer-blanc si les marchés étaient efficients », Warren Buffet.

Réponse détaillée
Le concept d'efficience du marché a été proposé par Eugène Fama dans les années 1960. Auparavant, on avait supposé que des rendements en excès pouvaient être

réalisés grâce à un choix soigné d'investissements. Ici, comme par la suite, les références à des « rendements en excès » font référence à des profits au-dessus du taux sans risque qui ne sont pas dus à la prime de risque, c'est-à-dire la récompense lorsque l'on prend un risque. Fama prétendait que, puisqu'il y a de si nombreux acteurs de marché actifs, bien informés et intelligents, les titres seront cotés pour refléter toute l'information disponible. L'idée d'un marché efficient était née, un marché qu'il est impossible de battre.

Il y a trois formes classiques d'efficience des marchés (**Efficient Markets Hypothesis, EMH**). Ce sont les formes faible, semi-forte et forte.

Efficience de forme faible

Avec l'efficience de forme faible, on ne peut pas réaliser de rendements en excès en utilisant des stratégies fondées sur des prix historiques ou d'autres données financières historiques. Si cette forme d'efficience est vraie, alors il ne sera pas possible d'obtenir des rendements en excès en utilisant des méthodes comme l'analyse technique. Une stratégie de trading incorporant des données historiques, comme des informations de prix et de volume, ne surperformera pas systématiquement une stratégie « buy-and-hold » (achat et garde de l'action). On dit souvent que les prix actuels incorporent précisément toute l'information historique, et que les prix actuels sont la meilleure estimation de la valeur du titre. Les prix réagiront aux informations, mais si les nouvelles sont aléatoires, les changements de prix aussi seront aléatoires. L'analyse technique ne sera pas profitable.

Efficience de forme semi-forte

Dans la forme semi-forte de l'EMH, une stratégie de trading incorporant l'information actuelle disponible publiquement (comme les états financiers) et l'information sur les prix historiques, ne surperformera pas systématiquement une stratégie « buy-and-hold ». Le prix des actions s'ajuste systématiquement aux nouvelles informations disponibles publiquement, et aucun rendement en excès ne peut être gagné en utilisant cette information. L'analyse fondamentale ne sera pas profitable.

Efficience de forme forte

Dans une efficience de forme forte, les prix des actions reflètent la totalité de l'information, publique et privée, fondamentale et historique, et personne ne peut gagner de rendements en excès. Les informations privilégiées ne seront pas profitables.

Bien entendu, les tests de l'EMH devraient toujours prendre en compte les coûts de transaction associés à la transaction et à l'efficience interne de l'exécution.

Un cousin éloigné de l'EMH est l'hypothèse du marché adaptatif (**Adaptive Market Hypothesis**) d'Andrew Lo. L'idée est liée à la finance comportementale et propose que les participants de marché s'adaptent à l'évolution des marchés, de l'information, des modèles, etc. de façon à obtenir l'efficience du marché, tout en réservant des opportunités exploitables de rendements en excès. C'est ce que l'on constate souvent quand de nouveaux contrats de dérivés exotiques sont créés pour la première fois, conduisant à une courte période de rendements en excès avant que la connaissance ne se diffuse et que les marges de profit diminuent. On observe la même chose avec les sources de convexité, et donc de valeur, préalablement négligées. Une stratégie profitable peut exister pendant un moment, mais à force de l'exploiter, ou peut-être parce que d'autres la trouveront, l'inefficience disparaîtra[1].

Le paradoxe de Grossman-Stiglitz dit que si un marché était efficient, reflétant toutes les informations disponibles, il n'y aurait aucune motivation pour se procurer les informations sur lesquelles se fondent les prix. En substance, le boulot a été fait pour chacun. C'est ce que l'on pense quand on calibre un modèle sur les prix de marché des dérivés, sans jamais étudier les caractéristiques du processus sous-jacent.

La validité de l'EMH, quelle que soit sa forme, est d'une grande importance car elle détermine si quelqu'un peut surperformer le marché, ou si un investissement réussi n'est dû qu'à la chance. L'EMH ne requiert pas que les investisseurs agissent rationnellement, mais seulement qu'en réponse à des nouvelles ou des données, il y ait une réaction aléatoire suffisamment étendue pour qu'on ne puisse pas réaliser un profit en excès. Les bulles de marché, par exemple, n'invalident pas l'EMH puisqu'elles ne peuvent être exploitées.

Il y a eu de nombreuses études sur l'EMH, et sur la validité de ses différentes formes. Au début, beaucoup d'études ont conclu en faveur de la forme faible. Les marchés des obligations et des actions à grande capitalisation sont supposés être très efficients, celui des actions plus petites l'être moins. À cause de la diversité de la qualité des informations parmi les investisseurs, et d'une composante émotionnelle, l'immobilier est supposé être assez inefficient.

Références et approfondissement

Fama, E.F., 1965, Random Walks in Stock Market Prices, *Financial Analysts Journal* September-October.

Lo, A., 2004, « The Adaptive Markets Hypothesis : Market Efficiency from an evolutionary perspective », *J. of Portfolio Management* 30, p. 15–29.

Quelles sont les mesures de performance les plus utilisées ?

Réponse courte

Les mesures de performance sont utilisées pour quantifier les résultats d'une stratégie d'investissement. Elles sont habituellement ajustées du risque. La plus populaire est le ratio de Sharpe.

> **Exemple**
> Une action a une croissance moyenne de 10 % par an, une autre de 30 %. Vous préféreriez investir dans la seconde, n'est-ce pas ? Et si je vous dis que la première a une volatilité de seulement 5 %, alors que la seconde en a une de 20 %, cela fait-il une différence ?

Réponse détaillée

Les mesures de performance sont utilisées pour déterminer le degré de performance d'une stratégie d'investissement. Quand un hedge fund, ou un trader, demande des informations sur la performance passée, la première question est souvent « Quel a été

---

1. N.D.C. : la version originale comporte un contresens.

ton rendement ? ». Plus tard, peut-être « Quel a été ton mois le pire ? ». Les deux sont des mesures de performance. Les mesures les plus sensées tiennent compte du risque qui a été pris, puisqu'un haut rendement avec un risque faible est meilleur qu'un haut rendement avec beaucoup de risque.

Ratio de Sharpe

Le ratio de Sharpe est, probablement, la mesure de performance non triviale et ajustée du risque la plus importante. Il est calculé comme suit :

$$\text{ratio de Sharpe} = \frac{\mu - r}{\sigma}$$

où μ est le rendement de la stratégie sur une période spécifiée, r est le taux sans risque sur cette période et σ est l'écart-type des rendements. Le ratio de Sharpe est calculé avec des données annualisées. Un ratio de Sharpe élevé est interprété comme le signe d'une bonne stratégie.

Si les rendements sont distribués normalement, le ratio de Sharpe est relié à la probabilité d'obtenir un rendement en excès du taux sans risque. Dans le diagramme des rendements espérés en fonction du risque de la **théorie moderne du portefeuille**, le ratio de Sharpe est la pente de la droite qui rejoint chaque investissement à l'investissement sans risque. Le choix du portefeuille qui maximise le ratio de Sharpe vous donnera le **portefeuille de marché**. On sait aussi d'après le théorème de la limite centrale (TLC) que si vous avez de nombreux investissements différents, les seules choses qui comptent sont la moyenne et l'écart-type. Ainsi, tant que le TLC est valide, le ratio de Sharpe a du sens.

Le ratio de Sharpe a été critiqué parce qu'il attache un poids équivalent au risque d'upside et au risque de downside, puisque le calcul de l'écart-type incorpore rendements positifs et négatifs. Cette critique prend toute son importance si les rendements ont une distribution très asymétrique.

Mesure de Modigliani-Modigliani

La mesure de Modigliani-Modigliani, ou M2, est une simple transformation linéaire du ratio de Sharpe :

$$M2 = r + \nu \times \text{Sharpe}$$

où ν est l'écart-type des rendements du benchmark approprié. Cela s'interprète aisément comme le rendement que vous pourriez espérer de votre portefeuille s'il était (dé)-leveragé de façon à avoir la même volatilité que celle du benchmark (en le diluant avec cash).

Ratio de Sortino

Le ratio de Sortino est calculé de la même manière que celui de Sharpe, sauf qu'il utilise la racine carrée de la semi-variance comme dénominateur mesurant le risque. La semi-variance est mesurée de la même façon que la variance, sauf que tous les points avec un rendement positif sont remplacés par zéro, ou par n'importe quelle valeur cible.

Cette mesure ignore complètement le risque « upside ». Cependant, si les rendements sont supposés être distribués normalement, la semi-variance aura statistiquement plus de « bruit » que la variance, parce que son calcul utilise moins de points.

Ratio de Treynor

Le ratio de Treynor, ou reward-to-variability ratio, est une autre mesure proche du ratio de Sharpe, mais avec maintenant au dénominateur le risque systématique, mesuré par le bêta du portefeuille (voir le modèle d'évaluation des actifs financiers), au lieu du risque total :

$$\text{Treynor ratio} = \frac{\mu - r}{\beta}.$$

Dans un portefeuille très diversifié, les ratios de Sharpe et Treynor sont similaires, mais celui de Treynor est plus adapté aux portefeuilles moins diversifiés ou aux actions individuelles.

Ratio d'information

Le ratio d'information relève d'un autre type de mesure de performance, dans le sens où il introduit l'idée de **tracking error**. Le numérateur est encore le rendement en excès d'un benchmark, mais le dénominateur est l'écart-type des différences entre les rendements du portefeuille et ceux du benchmark, la tracking error.

$$\text{Information ratio} = \frac{\mu - r}{\text{Tracking error}}.$$

Ce ratio donne une mesure de la valeur ajoutée du gérant par rapport au benchmark.

Références et approfondissement

Modigliani, F. & Modigliani, L., 1997, « Risk-adjusted performance », *J. Portfolio Manag.* 23 (2), p. 45–54.

Sharpe, W.F., 1966, « Mutual Fund Performance », *Journal of Business* January, p. 119–138.

Sortino F.A. & Van der Meer, R., 1991, « Downside risk », *J. Portfolio Manag.*, p. 27–31.

Treynor, J.L., 1966, « How to rate management investment funds », *Harvard Business Review* 43, p. 63–75

Qu'est-ce qu'une fonction d'utilité et comment l'utilise-t-on ?

Réponse courte

Une fonction d'utilité représente la « valeur », le bonheur ou la satisfaction associés à des biens, des services, des événements, des résultats, des niveaux de richesse, etc. Elle peut être utilisée pour classer des résultats, pour agréger le « bonheur » entre des individus, et valoriser des jeux de hasard.

> **Exemple**
>
> Vous possédez une œuvre d'art de valeur, vous vous apprêtez à la vendre aux enchères. Vous ne savez pas combien vous en tirerez, mais le commissaire-priseur a estimé vos chances d'atteindre certains montants. Quelqu'un vous offre ensuite un montant garanti si vous retirez le tableau de la vente aux enchères. Que choisiriez-vous entre les enchères et cette offre ? La théorie de l'utilité peut vous aider à prendre cette décision.

Réponse détaillée

En pratique, l'idée n'est pas souvent utilisée en finance, mais est elle est commune dans la littérature, surtout la littérature économique. La **fonction d'utilité** permet de classer des choses qui ne sont pas comparables autrement, et est utilisée pour expliquer les actions des gens ; les personnes rationnelles sont supposées agir de manière à augmenter leur utilité.

Quand une valeur numérique qui a du sens est utilisée pour représenter l'utilité, on l'appelle **utilité cardinale**. On peut alors parler d'une chose qui a une utilité trois fois supérieure à l'utilité d'une autre, et on peut comparer l'utilité de personne à personne ; si l'ordre de l'utilité est la seule chose qui compte (de sorte que quelqu'un n'est concerné que par son rang de préférence, non par la valeur numérique), alors on l'appelle **utilité ordinale**.

Si l'on note une fonction d'utilité $U(W)$ où W est la « richesse », alors on peut s'attendre à ce que les fonctions d'utilité aient certaines propriétés communes. Dans ce qui suit, « ' » (prime) désigne la dérivation par rapport à W.

- La fonction $U(W)$ peut varier parmi les investisseurs, chacun ayant une attitude différente par rapport au risque par exemple.
- $U'(W) \geq 0$: on en veut toujours plus. Dans le cas d'une inégalité stricte, la satiété n'est pas possible, car l'investisseur préférera toujours avoir plus que ce qu'il a. Cette pente mesure l'amélioration marginale de l'utilité quand la richesse grandit.
- Habituellement $U''(W) = 0$: la fonction d'utilité est strictement concave. Puisque c'est le taux de changement du « bonheur » marginal, il devient de plus en plus dur d'accroître le bonheur quand la richesse augmente. Un investisseur avec une fonction d'utilité concave est dit **averse au risque**. Cette propriété est souvent citée comme étant la loi des rendements décroissants.

Le dernier point mentionné ci-dessus conduit à des définitions de mesure de l'aversion au risque. La **fonction d'aversion absolue au risque** est définie par :

$$A(W) = -\frac{U''(W)}{U'(W)}.$$

La **fonction d'aversion relative au risque** est définie par :

$$R(W) = -\frac{WU''(W)}{U'(W)} = WA(W).$$

Les fonctions d'utilité sont souvent utilisées pour analyser les événements aléatoires. Supposons qu'un certain montant soit associé au nombre de points sur un dé. Vous pourriez calculer les gains attendus comme la moyenne des six montants. Mais que faire si les montants étaient 1 $, 2 $, 3 $, 4 $, 5 $ et 6 000 000 $? Est-ce que la moyenne 1 000 002,50 $ aurait du sens ? Accepteriez-vous de payer un million de dollars pour faire ce pari ? Après tout, vous espérez faire un profit. Une façon plus sensée de valoriser ce jeu serait de regarder l'utilité de chacun des six résultats, puis de moyenner l'utilité. Cela conduit à l'idée d'équivalent-certain de la richesse.

Quand la richesse est aléatoire, et que tous les résultats peuvent être associés à une probabilité, on peut se demander quel montant de richesse certaine a la même utilité que l'utilité attendue des résultats incertains. Il suffit de résoudre :

$$U(W_C) = E[U(W)].$$

La quantité de richesse Wc qui résout cette équation est appelée **équivalent–certain de la richesse**. On ne voit alors pas de différence entre la moyenne des utilités des résultats aléatoires et le montant garanti Wc. Comme exemple, considérons le lancer de dé mentionné plus haut, en supposant que notre fonction d'utilité est :

$$U(W) = -\frac{1}{\eta}e^{-\eta W}.$$

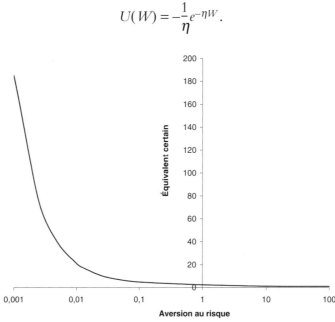

Figure 2-6 : Équivalent certain comme fonction du paramètre d'aversion au risque pour l'exemple du texte

Avec $\eta = 1$ on trouve que l'équivalent-certain vaut 2,34 $. Donc, nous paierons ce montant, ou moins, pour jouer à ce jeu. Ci-dessus, on voit un graphe de l'équivalent-certain pour cet exemple, comme une fonction du paramètre d'aversion au risque η. Voyez comme l'équivalent-certain diminue quand l'aversion au risque augmente.

Référence et approfondissement

Ingersoll, J.E. Jr., 1987, *Theory of Financial Decision Making*, Rowman & Littlefield.

Qu'est-ce que le mouvement brownien et quelle est son utilisation en finance ?

Réponse courte

Le mouvement brownien est un processus stochastique avec des incréments stationnaires, indépendants, normalement distribués, et qui a aussi des trajectoires continues. C'est la brique élémentaire stochastique la plus commune pour les marches aléatoires en finance.

> **Exemple**
>
> Le pollen dans l'eau, la fumée dans une pièce, la pollution dans une rivière sont tous des exemples de mouvement brownien. Et c'est aussi le modèle commun pour les taux de rendement des actions[1].

Réponse détaillée

Le mouvement brownien (BM, Brownian Motion) tire sa dénomination du botaniste écossais (Robert Brown) qui a décrit pour la première fois les mouvements aléatoires des grains de pollen suspendus dans l'eau. Les mathématiques de ce processus ont été formalisées par Bachelier, dans le contexte de l'évaluation des options, et par Einstein. Les mathématiques du BM sont aussi celles de la conduction et de la diffusion de la chaleur.

Mathématiquement, le BM est un processus stochastique continu, stationnaire avec des incréments indépendants et normalement distribués. Si Wt est le BM à l'instant t, alors pour tout t, pour tout $\tau \geqslant 0$, $W_{t+\tau} - W_t$ est indépendant de $\{W_u : 0 \leqslant u \leqslant t\}$ et a une distribution normale de moyenne nulle et de variance τ.

Les propriétés importantes du BM sont les suivantes :

- Finitude : la proportionnalité de la variance avec le pas de temps est cruciale pour que le BM reste fini.
- Continuité : les chemins sont continus, il n'y a pas de discontinuités. Cependant, le chemin est fractal, et dérivable nulle part.
- Markov : la distribution conditionnelle de Wt en fonction de l'information reçue jusqu'à $\tau < t$ dépend seulement de W_τ.
- Martingale : sachant l'information jusqu'à $\tau < t$, l'espérance conditionnelle de Wt est W_τ.
- Variation quadratique : si l'on divise la période de l'instant 0 à t en une partition avec $n + 1$ points $t_i = i / n$ alors :

$$\sum_{j=1}^{n} \left(W_{t_j} - W_{t_{j-1}} \right)^2 \to t.$$

---

1. N.D.C. : et non les prix des actions, comme indiqué par erreur dans le texte original.

– Normalité : sur les incréments finis de t_{i-1} à t_i, $W_{t_i} - W_{t_{i-1}}$ est distribué norma-lement avec une moyenne nulle et une variance $t_i - t_{i-1}$.

Le BM est un processus très simple mais très riche, extrêmement utile pour repré-senter de nombreux processus aléatoires, et particulièrement ceux de la finance. Sa simplicité permet des calculs et des analyses qui seraient impossibles avec d'autre processus. En évaluation d'options par exemple, il donne des formules simples de formes fermées pour les prix des options vanille. Il peut être utilisé comme une brique élémentaire pour des processus aléatoires ayant des caractéristiques allant au-delà de celles du BM lui-même. Par exemple, il est utilisé dans la modélisation des taux d'intérêt *via* des processus aléatoires de retour à la moyenne (mean reversion). Des versions hautement multidimensionnelles du BM peuvent être utilisées pour représenter des processus aléatoires multifacteurs, comme des prix d'actions sous une volatilité stochastique.

Une des caractéristiques malheureuses du BM est qu'il donne des distributions de rendements avec des queues qui sont si peu épaisses qu'elles en sont irréalistes. En pratique, les rendements d'actifs ont des queues de distribution qui sont plus épaisses que celles données par la distribution normale du BM. Il y a même des éléments qui prouvent que la distribution des rendements a un second moment infini. Malgré cela et l'existence de théories financières qui incorporent de telles queues épaisses, le BM est, de loin, le modèle le plus commun pour représenter les processus aléatoires en finance.

Références et approfondissement

Bachelier, L., 1995, *Théorie de la spéculation*, Jacques Gabay.

Brown, R., 1827, *A Brief Account of Microscopical Observations*, London.

Stachel, J. (ed.), 1990, *The Collected Papers of Albert Einstein*, Princeton University Press.

Wiener, N., 1923, « Differential space », *J. Math. and Phys.* 58, p. 131–174.

Qu'est-ce que l'inégalité de Jensen et quel est son rôle en finance ?

Réponse courte

L'inégalité de Jensen établit que si $f(.)$ est une fonction convexe et x est une variable aléatoire alors :

$$E[f(x)] \geq f(E[x]).$$

Cela justifie pourquoi les instruments non linéaires, les options, ont une valeur inhé-rente.

> ### Exemple
> Vous lancez un dé, et vous gagnez autant de dollars que le carré du nombre de points que vous obtenez. Pour cet exercice $f(x)$ est x^2, une fonction convexe. Donc $E[f(x)]$ est 1+4+9+16+25+36 = 91 divisé par 6, donc 15,16. Mais $E[x]$ = 3,5 donc $f(E[x])$ = 12,25.

Réponse détaillée

Une fonction $f(.)$ est **convexe** sur un intervalle si pour tout x et tout y dans cet intervalle :

$$f(\lambda x + (1 - \lambda)y) \geq \lambda f(x) + (1 - \lambda)f(y)$$

pour tout $0 \leq \lambda \leq 1$. Graphiquement, cela signifie que la ligne joignant les points $(x, f(x))$ et $(y, f(y))$ n'est, nulle part, plus basse que la courbe. (Concave est l'opposé, $-f$ est tout simplement convexe.)

L'inégalité de Jensen et la convexité peuvent être utilisées pour expliquer la relation entre l'aléa des prix des actions et la valeur inhérente des options, cette dernière ayant typiquement une certaine convexité.

Supposons que le prix d'une action S soit aléatoire et que l'on veuille considérer la valeur d'une option de payoff $P(S)$. On pourrait calculer le prix espéré de l'action à l'expiration $E[S_T]$, puis le payoff au prix espéré, $P(E[S_T])$. Sinon, on pourrait regarder les différents payoffs de l'option et ensuite calculer le payoff attendu $E(P[S_T])$. Ce dernier a plus de sens et constitue, en fait, la bonne solution pour évaluer les options, à condition que l'espérance soit calculée à partir du prix risque-neutre de l'action. Si le payoff est convexe alors :

$$E[P(S_T)] \geq P(E[S_T]).$$

On peut avoir une idée de la proportion dans laquelle le côté gauche de l'équation est supérieur au côté droit en utilisant une approximation en série de Taylor autour de la moyenne de S. On écrit :

$$S = \bar{S} + \epsilon,$$

où $\bar{S} = E[S]$, donc $E[\epsilon] = 0$. Puis :

$$
\begin{aligned}
E[f(S)] &= E\left[f(\bar{S} + \epsilon)\right] = E\left[f(\bar{S}) + \epsilon f'(\bar{S}) + \tfrac{1}{2}\epsilon^2 f''(\bar{S}) + \ldots\right] \\
&\approx f(\bar{S}) + \tfrac{1}{2}f''(\bar{S})E\left[\epsilon^2\right] \\
&= f(E[S]) + \tfrac{1}{2}f''(E[S])\,E\left[\epsilon^2\right].
\end{aligned}
$$

Ainsi, le côté gauche est plus grand que le côté droit d'approximativement :

$$\tfrac{1}{2}f''(E[S])\ E\left[\epsilon^2\right].$$

Cela montre l'importance de deux concepts :

- $f''(E[S])$: la **convexité** d'une option. Cela ajoute généralement de la valeur à une option. Cela signifie aussi que quelque intuition que l'on ait sur des contrats linéaires (forwards et futures), elle ne sera pas forcément utile pour des instruments non linéaires comme les options.
- $E[\epsilon^2]$: l'aléa du sous-jacent, et sa **variance**. La modélisation de l'aléa est la clé de la modélisation des options.

La leçon à tirer de tout ceci est que dès qu'un contrat est convexe par rapport à une variable ou un paramètre, et que cette variable ou ce paramètre est aléatoire, alors l'évaluation doit en tenir compte. Il faut connaître le montant de convexité et le montant d'aléa pour faire cela correctement.

Référence et approfondissement

Wilmott, P., 2006, *Paul Wilmott On Quantitative Finance*, second edition, John Wiley & Sons.

Qu'est-ce que le lemme d'Itô ?

Réponse courte

Le lemme d'Itô est un théorème de calcul stochastique. Il indique que si l'on a un processus aléatoire suivi par y, et une fonction de cette variable aléatoire, que l'on nomme $f(y,t)$, alors on peut facilement écrire une expression du processus aléatoire suivi par f. Une fonction d'une variable aléatoire est en général elle-même aléatoire.

> **Exemple**
>
> Un exemple évident concerne le processus aléatoire :
>
> $$dS = \mu S\,dt + \sigma S\,dX$$
>
> utilisé communément pour modéliser le prix d'une action ou un taux de change, S. Quelle est l'équation différentielle stochastique pour le logarithme de S, ln S ?
> La réponse est :
>
> $$d(\ln S) = \left(\mu - \tfrac{1}{2}\sigma^2\right)dt + \sigma\,dX.$$

Réponse détaillée

Commençons par établir le théorème. Étant donné une variable aléatoire y satisfaisant l'équation différentielle stochastique :

$$dy = a(y,t)\,dt + b(y,t)\,dX,$$

où dX est un processus de Wiener, et une fonction $f(y,t)$ qui est dérivable par rapport à t et deux fois dérivable par rapport à y, f satisfait l'équation différentielle stochastique :

$$df = \left(\frac{\partial f}{\partial t} + a(y,t)\frac{\partial f}{\partial y} + \tfrac{1}{2}b(y,t)^2\frac{\partial^2 f}{\partial y^2}\right)dt + b(y,t)\frac{\partial f}{\partial y}\,dX.$$

Le lemme d'Itô est aux variables stochastiques ce que les séries de Taylor sont aux variables déterministes. On peut penser cela comme une manière de développer les fonctions en série en dt, exactement comme les séries de Taylor. Si cela vous aide à penser de la sorte, vous devez retenir les méthodes empiriques simples qui suivent :

- partout où l'on trouve dX^2 dans le développement en série de Taylor d'une variable stochastique, on doit le remplacer par dt ;
- les termes qui sont $O(dt^{3/2})$, ou plus petit, doivent être négligés. Cela signifie que dt^2, dX^3, $dt\,dX$, etc. sont trop petits pour être gardés.

Il est difficile de surestimer la portée de l'importance du lemme d'Itô en finance quantitative. Il est utilisé dans de nombreuses dérivations du modèle de Black-Scholes pour l'évaluation d'options, et les modèles équivalents dans les marchés de taux et du crédit. Si l'on a un modèle de marche aléatoire pour le prix d'une action S et une option sur cette action, de valeur $V(S,t)$, le lemme d'Itô nous indique comment le prix de l'option change avec les changements du prix de l'action. De là vient l'idée de couverture, en appariant les fluctuations aléatoires de S avec celles de V. Ceci est important, à la fois dans la théorie de l'évaluation des dérivés et dans la gestion pratique du risque de marché.

Même si vous ne savez pas comment prouver le lemme d'Itô, vous devrez être capable de le citer et d'en utiliser le résultat.

Parfois, on a une fonction de plus d'une quantité stochastique. Supposons que l'on a une fonction $f(y_1, y_2, \ldots, y_n, t)$ de n quantités stochastiques et du temps telle que :

$$dy_i = a_i(y_1, y_2, \ldots, y_n, t) \, dt + b_i(y_1, y_2, \ldots, y_n, t) \, dX_i,$$

où les n processus de Wiener dX_i ont des corrélations ρ_{ij}, d'où :

$$df = \left(\frac{\partial f}{\partial t} + \sum_{i=1}^{n} a_i \frac{\partial f}{\partial y_i} + \frac{1}{2} \sum_{i=1}^{n} \sum_{j=1}^{n} \rho_{ij} b_i b_j \frac{\partial^2 f}{\partial y_i \, \partial y_j} \right) \, dt + \sum_{i=1}^{n} b_i \frac{\partial f}{\partial y_i} \, dX_i.$$

On peut comprendre cela (si on ne le dérive pas entièrement légitimement) *via* des séries de Taylor en utilisant les deux méthodes empiriques :

$$dX_i^2 = dt \qquad \text{et} \qquad dX_i dX_j = \rho_{ij} dt.$$

Une autre extension qui est souvent utilisée en finance consiste à incorporer des sauts dans la variable indépendante. Ceux-ci sont usuellement modélisés par un processus de Poisson. C'est un dq tel que $dq = 1$ avec une probabilité $\lambda \, dt$ et $dq = 0$ avec une probabilité $1 - \lambda \, dt$. Si nous revenons, pour des raisons de simplicité, au cas d'une seule variable indépendante, et que l'on suppose que y satisfasse :

$$dy = a(y,t) \, dt + b(y,t) \, dX + J(y,t) \, dq$$

où dq est un processus de Poisson et J est la taille du saut ou de la discontinuité en y (quand $dq = 1$) alors :

$$df = \left(\frac{\partial f}{\partial t} + a(y,t) \frac{\partial f}{\partial y} + \frac{1}{2} b(y,t)^2 \frac{\partial^2 f}{\partial y^2} \right) \, dt + b(y,t) \frac{\partial f}{\partial y} \, dX$$
$$+ (f(y + J(y,t)) - f(y,t)) \, dq.$$

et ceci est le lemme d'Itô en présence de sauts.

Références et approfondissement

Joshi, M., 2003, *The Concepts and Practice of Mathematical Finance*, CUP.

Neftci, S., 1996, *An Introduction to the Mathematics of Financial Derivatives*, Academic Press.

Wilmott, P., 2001, *Paul Wilmott Introduces Quantitative Finance*, John Wiley & Sons.

Pourquoi l'évaluation « risque-neutre » fonctionne-t-elle ?

Réponse courte

L'évaluation risque-neutre (risk-neutral) signifie que vous pouvez évaluer des options en fonction de leurs payoffs attendus, actualisés de la date d'expiration au moment présent, en supposant qu'ils croissent en moyenne au taux sans risque.

valeur de l'option = valeur actualisée du payoff attendu
(suivant un chemin aléatoire neutre au risque)

Ainsi le taux réel auquel le sous-jacent croît en moyenne n'affecte pas la valeur. Bien sûr, la volatilité, liée à l'écart-type du rendement du sous-jacent, joue un rôle. En pratique, il est habituellement beaucoup plus difficile d'estimer cette croissance moyenne que la volatilité, donc nous sommes assez gâtés avec les dérivés, où l'on a seulement besoin d'estimer un paramètre relativement stable, la volatilité[1]. La raison qui justifie cela, est qu'en couvrant une option avec le sous-jacent, on supprime toute exposition à la direction de l'action, le fait qu'elle monte ou baisse cesse d'être important. En éliminant le risque de cette façon, on supprime aussi toute dépendance au prix du risque. Le résultat final est que l'on pourrait imaginer que l'on se trouve dans un monde où personne ne valorise plus le risque, et tous les actifs négociables croissent en moyenne au taux sans risque.

Pour tout produit dérivé, tant que l'on peut le couvrir dynamiquement et parfaitement (en supposant que c'est possible, comme dans le cas d'une volatilité connue et déterministe, et sans risque de défaut), le portefeuille couvert perd son aléa et se comporte comme une obligation.

> **Exemple**
>
> Une action dont la valeur est actuellement de 44,75 $, croît en moyenne de 15 % par an. Sa volatilité est de 22 %. Le taux d'intérêt est de 4 %. Vous voulez évaluer une option d'achat avec un prix d'exercice de 45 $, expirant dans deux mois. Que pouvez-vous faire ?
>
> La croissance de 15 % en moyenne n'est absolument pas pertinente. La croissance de l'action, et donc sa direction réelle, n'affecte pas la valeur des dérivés. Ce que vous pouvez faire, c'est simuler de très nombreux chemins futurs d'une action avec une croissance moyenne de 4 % par an, puisque c'est le taux sans risque, et une volatilité de 22 %, pour trouver sa valeur probable dans deux mois. Puis, calculez le payoff du call pour chaque scénario. Actualisez chacun d'eux à aujourd'hui, et calculez la moyenne de tous les scénarios. C'est la valeur de votre option.

Réponse détaillée

L'évaluation risque-neutre des dérivés exploite la corrélation parfaite entre les changements de la valeur d'une option et de son actif sous-jacent. Tant que le sous-jacent est le seul facteur aléatoire, la corrélation devrait être parfaite. Donc, si une

---

1. Je voudrais mettre en exergue le mot « relativement ». La volatilité varie bien en réalité, mais probablement pas autant que le taux de croissance.

option voit sa valeur augmenter avec une croissance de l'action, alors une position formée d'une option « long » et de suffisamment d'actions « short » ne devrait pas avoir de fluctuations aléatoires, par conséquent, l'action couvre l'option. Le portefeuille résultant est sans risque.

Bien sûr, on a besoin de connaître le nombre correct d'actions à vendre à découvert. Ce nombre est appelé le « delta » et, habituellement, provient d'un modèle. Comme on utilise souvent un modèle mathématique pour calculer le delta, et parce que les modèles de finance quantitative ne sont nécessairement pas parfaits, l'élimination théorique du risque par la couverture en delta n'est également pas parfaite en pratique. Il y a plusieurs imperfections de ce type avec l'évaluation risque-neutre. Premièrement, elle requiert un rééquilibrage continu de la couverture. Le delta changeant constamment, on doit toujours vendre ou acheter des actions pour maintenir une position sans risque. Évidemment, ce n'est pas possible en pratique. Deuxièmement, elle a trait à la précision du modèle. Le sous-jacent doit être cohérent avec certaines hypothèses, comme suivre un mouvement brownien sans aucun saut, et avec une volatilité connue.

Un des effets secondaires les plus importants de l'évaluation risque-neutre est que l'on peut évaluer des dérivés en faisant des simulations de la trajectoire risque-neutre des sous-jacents, pour calculer les payoffs des dérivés. Ces payoffs sont ensuite actualisés et, finalement, moyennés. Cette moyenne est la « fair value » (valeur équitable) du contrat.

Voici quelques explications supplémentaires de l'évaluation risque-neutre.

- Explication 1 : si on se couvre correctement dans un monde de Black-Scholes, alors tout le risque est éliminé. S'il n'y a pas de risque, on ne doit pas attendre une compensation pour ce risque. On peut donc travailler sous une mesure de probabilité dans laquelle tout croît au taux d'intérêt sans risque.

- Explication 2 : si le modèle de l'actif est $dS = \mu S\, dt + \sigma S\, dX$ alors les μS s'annulent dans la dérivation de l'équation de Black-Scholes.

- Explication 3 : deux mesures sont équivalentes si elles ont les mêmes ensembles de probabilité zéro. Parce que les ensembles de probabilité zéro ne changent pas, un portefeuille est un arbitrage sous une mesure, si et seulement si, c'en est un sous toutes les mesures équivalentes. Par conséquent, un prix n'est pas arbitrable dans le monde réel, si et seulement si, il ne l'est pas dans le monde neutre au risque. Le prix neutre au risque est toujours non arbitrable. Si tout prix d'actif actualisé au taux sans risque est une martingale, alors il ne peut y avoir aucun arbitrage. Donc, si on change pour une mesure dans laquelle tous les actifs fondamentaux, par exemple les actions et les obligations, sont des martingales après actualisation et qu'ensuite, on définit le prix de l'option comme étant une espérance actualisée, ce qui fait de lui une martingale également, nous obtenons que tout est une martingale dans le monde risque-neutre. Par conséquent, il n'y a pas d'arbitrage dans le monde réel.

- Explication 4 : si on a des calls avec une distribution continue des prix d'exercice de zéro à l'infini, on peut synthétiser arbitrairement bien tout payoff de même échéance. Mais ces calls définissent la fonction de densité de probabilité risque-neutre pour cette échéance et donc, on peut interpréter l'option synthétique en termes de trajectoires aléatoires risque-neutre. Quand une telle dupli-cation statique est possible, elle est indépendante du modèle et on peut évaluer des dérivés complexes en termes de vanilles. (Bien sûr, l'exigence de distribu-tion continue favorise dans une certaine mesure cet argument.)

Il faut remarquer que l'évaluation risque-neutre ne fonctionne que sous les hypo-thèses de couverture continue, zéro coûts de transaction, dynamiques d'actifs conti-nues, etc. Une fois que l'on sort de ce monde simplificateur, on a de grandes chances de trouver que cela ne fonctionne pas.

Références et approfondissement
Joshi, M., 2003, *The Concepts and Practice of Mathematical Finance*, CUP.
Neftci, S., 1996, *An Introduction to the Mathematics of Financial Derivatives*, Academic Press.

Qu'est-ce que le théorème de Girsanov, et pourquoi est-il important en finance ?

Réponse courte
Le théorème de Girsanov est le concept formel qui sous-tend le changement de mesure du monde réel au monde risque-neutre. On peut passer d'un mouvement brownien doté d'une certaine dérive (drift) à un mouvement brownien doté d'une autre.

Exemple

L'exemple classique est de commencer avec :

$$dS = \mu S \, dt + \sigma S \, dW_t$$

avec W, un mouvement brownien sous une mesure (la mesure du monde réel) que l'on convertit en :

$$dS = rS \, dt + \sigma S \, d\widetilde{W}_t$$

sous une mesure différente, risque-neutre.

Réponse détaillée
Tout d'abord, une expression du théorème.

Soit W_t, un mouvement brownien de mesure $\mathbb{P}$ et d'espace de probabilité Ω. Si γ_t est un processus prévisible satisfaisant la contrainte :

$$E_{\mathbb{P}}\left[\exp\left(\tfrac{1}{2}\int_0^T \gamma_t^2\right)\right] < \infty$$

alors il existe une mesure équivalente $\mathbb{Q}$ sur Ω, telle que :

$$\widetilde{W}_t = W_t + \int_0^t \gamma_s \, ds$$

est un mouvement brownien.

Il est utile d'expliquer certains des termes les plus techniques de ce théorème :

– **Espace de probabilité** : tous les futurs états ou événements.
– **Mesure (de probabilité)** : pour le profane, la mesure donne les probabilités de chacun des résultats dans l'espace de probabilité.
– **Mesures** : un processus prévisible ne dépend que de l'histoire passée.
– **Équivalent** : deux mesures sont équivalentes si elles ont le même espace de probabilité et le même ensemble de «possibilités». Notez l'usage du mot «possibilités» au lieu de probabilités. Les deux mesures peuvent avoir des probabilités différentes pour chaque événement, mais doivent s'accorder sur ce qui est possible.

Une autre manière d'écrire la formule ci-dessus est de le faire sous une forme différentielle :

$$d\tilde{W}_t = dW_t + \gamma_t dt \,.$$

Un point important du théorème de Girsanov est sa réversibilité, telle que chaque mesure équivalente est donnée par un changement de drift. Cela implique que dans le monde Black-Scholes, il n'y a que la mesure équivalente risque-neutre. Si ce n'était pas le cas, il y aurait de multiples prix non arbitrables.

Le théorème de Girsanov n'est pas nécessairement utile pour beaucoup de problèmes en finance. C'est souvent le cas dans le monde des dérivés d'actions. La formule simple de Black-Scholes ne requiert pas une compréhension de Girsanov. Si l'on va au-delà du Black-Scholes de base, cela devient plus utile. Par exemple, supposez que vous voulez dériver les équations différentielles partielles d'évaluation d'options sous une volatilité stochastique. Le prix de l'action suit les processus du monde réel $\mathbb{P}$:

$$dS = \mu S dt + s S dX_1 \,.$$

et

$$d\sigma = a(S,\sigma,t)dt + b(S,\sigma,t)dWX_2 \,,$$

où dX_1 et dX_2 sont des mouvements browniens corrélés de corrélation $\rho(S,\sigma,t)$.

En utilisant le théorème de Girsanov, vous pouvez obtenir l'équation d'évaluation en trois étapes :

– Sous une mesure d'évaluation $\mathbb{Q}$, Girsanov et le fait que S est coté impliquent que :

$$dX_1 = d\tilde{X}_1 - \frac{\mu - r}{\sigma} dt$$

et

$$dX_2 = d\tilde{X}_2 - \lambda(S, \sigma, t)\ dt \,,$$

où λ est le prix de marché du risque de volatilité.

– Appliquez la formule d'Itô au prix de l'option actualisé $V(S,\sigma,t) = e^{-r(T-t)}F(S,\sigma,t)$, sous $\mathbb{Q}$, en utilisant les formules pour dS et dV obtenues par la transformation de Girsanov.
– Puisque l'option est négociée, le coefficient du terme dt dans le développement d'Itô doit aussi être zéro ; cela donne l'équation recherchée.

Girsanov et l'idée de changement de mesure sont particulièrement importants dans le monde des taux où les praticiens doivent souvent traiter avec de nombreuses mesures différentes en même temps, correspondant à diverses maturités. C'est la raison de la popularité du modèle BGM et des modèles du même genre.

Références et approfondissement

Joshi, M., 2003, *The Concepts and Practice of Mathematical Finance*, CUP.
Lewis, A., 2000, *Option Valuation under Stochastic Volatility*, Finance Press.
Neftci, S., 1996, *An Introduction to the Mathematics of Financial Derivatives*, Academic Press.

Que sont les grecques ?

Réponse courte

Les « grecques » (greeks) sont les sensibilités des prix des dérivés par rapport aux sous-jacents, aux variables et aux paramètres. Elles peuvent être calculées en dérivant les valeurs des options par rapport aux variables et/ou paramètres soit analytiquement, si l'on a une formule fermée, soit numériquement.

Exemple

Delta, $\Delta = \dfrac{\partial V}{\partial S}$ est la sensibilité du prix de l'option au prix de l'action. Gamma, $\Gamma = \dfrac{\partial^2 V}{\partial S^2}$, est la dérivée seconde du prix de l'option par rapport au prix de l'action sous-jacente, c'est la sensibilité du delta au prix de l'action. Ces deux exemples sont appelés « grecques » car ce sont des lettres de l'alphabet grec. Certaines sensibilités, comme véga $= \dfrac{\partial V}{\partial \sigma}$, sont aussi appelées « grecques » même si elles ne font pas partie de l'alphabet grec.

Réponse détaillée

Delta

Le delta, Δ, d'une option ou d'un portefeuille d'options est la sensibilité de l'option ou du portefeuille au sous-jacent. C'est le rapport du changement du prix de l'option sur celui du prix du sous-jacent :

$$\Delta = \frac{\partial V}{\partial S}.$$

Les spéculateurs ont un point de vue sur l'évolution d'une quantité comme le prix d'un actif et mettent en œuvre une stratégie pour tirer parti de leur prévision. S'ils détiennent des options, leur exposition au sous-jacent est, en première approximation, la même que s'ils possédaient une fraction delta du sous-jacent.

Ceux qui ne spéculent pas par rapport au sous-jacent vont se couvrir en achetant ou vendant le sous-jacent, ou une autre option, de sorte que le delta du portefeuille soit zéro. De cette manière, ils éliminent le risque de marché.

Typiquement, le delta change quand le prix de l'action et le temps changent, par conséquent, pour maintenir une position neutre en delta (**delta-neutral**), le nombre d'actifs détenus doit être réajusté continuellement en achetant ou en vendant l'action. On appelle cela rééquilibrer le portefeuille (**rehedging** ou **rebalancing**), dont un exemple est la **couverture dynamique**.

Parfois, la vente à découvert de l'action pour des besoins de couverture requiert d'emprunter l'action auparavant. (Vous pouvez vendre ce que vous avez emprunté, en le rachetant plus tard.) Cela peut être coûteux, on peut devoir payer un taux de pension livrée (le « repo »), l'équivalent d'un taux d'intérêt, sur le montant emprunté.

Gamma

Le gamma, Γ, d'une option ou d'un portefeuille d'options est la dérivée seconde de la position par rapport au sous-jacent :

$$\Gamma = \frac{\partial^2 V}{\partial S^2}.$$

Comme gamma est la sensibilité du delta au sous-jacent, c'est une mesure du montant ou de la fréquence du rééquilibrage de la position pour maintenir une position neutre en delta. S'il y a des coûts associés à l'achat ou la vente d'actions, le bid-ask spread par exemple, alors, plus le gamma est important, plus les coûts ou frictions causés par la couverture dynamique seront grands.

Puisque les coûts peuvent être importants et que l'on veut réduire l'exposition à l'erreur de modèle, il est naturel d'essayer de minimiser le besoin de rééquilibrer le portefeuille trop fréquemment. Comme le gamma est une mesure de la sensibilité du ratio de couverture delta au mouvement du sous-jacent, le besoin de couverture peut être diminué par une stratégie neutre en gamma (**gamma-neutral**). Cela revient à acheter ou vendre plus d'options, et plus seulement du sous-jacent.

Thêta

Le thêta, Θ, est le taux de variation du prix de l'option avec le temps :

$$\Theta = \frac{\partial V}{\partial \sigma}.$$

Le thêta est lié à la valeur de l'option, au delta et au gamma par l'équation de Black-Scholes.

Vitesse (speed)

La vitesse d'une option est le taux de variation du gamma par rapport au prix de l'action :

$$\text{Speed} = \frac{\partial^3 V}{\partial S^3}.$$

Les traders utilisent le gamma pour estimer de combien ils doivent rééquilibrer si l'action bouge. Un mouvement sur l'action de 1 \$ entraîne un changement du delta égal au gamma. Mais cela n'est qu'une approximation. Le delta peut changer de façon plus ou moins importante, surtout si l'action varie d'un montant élevé, ou si l'option est proche de l'exercice et de l'expiration. D'où l'usage de la vitesse dans le développement en série de Taylor à l'ordre trois.

Véga

Le véga, parfois connu sous le nom de zêta ou kappa, est une quantité très importante mais source de confusion :

$$\text{Vega} = \frac{\partial V}{\partial \sigma}.$$

Elle est complètement différente des autres grecques puisqu'elle est une dérivée par rapport à un paramètre et non à une variable. Cela peut avoir son importance. Il est parfaitement acceptable de considérer la sensibilité à une variable, qui varie, après tout. Toutefois, il peut être dangereux de mesurer la sensibilité à quelque chose comme la volatilité, qui est un paramètre et peut, par exemple, avoir été supposé constant par hypothèse. Cela serait une incohérence interne.

Comme pour la couverture en gamma, on peut se couvrir en véga pour réduire la sensibilité à la volatilité. C'est une avancée majeure vers l'élimination d'un risque de modèle, puisqu'elle réduit la dépendance à une quantité qui n'est pas connue très précisément.

Il existe un inconvénient à la mesure du véga. Il n'a réellement de sens que pour les options ayant un gamma du même signe partout. Par exemple, cela a du sens de mesurer le véga pour des calls et des puts, mais pas pour des calls binaires et des puts binaires. En effet, les valeurs des calls et puts (et des options avec un gamma à un seul signe) sont monotones en volatilité : si on augmente la volatilité d'un call, sa valeur augmente partout. Les contrats dont le gamma change de signe peuvent avoir un véga mesuré à zéro car, lorsque l'on accroît la volatilité, le prix peut monter à un endroit et chuter à un autre. Un tel contrat est très exposé au risque de volatilité, mais ce risque n'est pas mesuré par le véga.

Rhô

Le rhô, ρ, est la sensibilité de la valeur de l'option au taux d'intérêt utilisé dans la formule de Black-Scholes :

$$\rho = \frac{\partial V}{\partial r}.$$

En pratique, on utilise toujours l'entière structure par termes des taux d'intérêt, signifiant un taux dépendant de la maturité $r(t)$. Rhô serait donc la sensibilité au niveau des taux, en supposant un changement parallèle de la courbe des taux à chaque instant.

Rhô peut être aussi la sensibilité au rendement du dividende, ou au taux d'intérêt étranger dans une option de change.

Charme

Le charme est la sensibilité du delta au temps :

$$\frac{\partial^2 V}{\partial S \partial t}.$$

Il est utilisé pour voir comment la position couverte va changer avec le temps, par exemple, jusqu'à la prochaine fois où l'on espère se couvrir. Cela peut avoir son importance à l'approche de l'expiration.

Couleur

La couleur est le taux de variation de gamma avec le temps :

$$\frac{\partial^3 V}{\partial s^2 \partial t}.$$

Vanna

Le vanna est la sensibilité du delta à la volatilité :

$$\frac{\partial^2 V}{\partial s \partial \sigma}.$$

Il est utilisé quand on teste la sensibilité du ratio de couverture à la volatilité. Il peut induire en erreur quand le gamma est petit.

Vomma ou Volga

Le vomma ou volga est la dérivée seconde de la valeur de l'option par rapport à la volatilité :

$$\frac{\partial^2 V}{\partial \sigma^2}.$$

À cause de l'inégalité de Jensen, si la volatilité est stochastique le vomma/volga mesure la convexité due à la volatilité aléatoire et, par conséquent, fournit une idée de la quantité à ajouter ou ôter de la valeur d'une option.

Shadow greeks

Les grecques ci-dessus sont définies en termes de dérivées partielles par rapport au sous-jacent, au temps, à la volatilité, etc. en tenant les autres variables/paramètres constants. C'est la définition même d'une dérivée partielle. Mais, bien entendu, les variables/paramètres peuvent bouger ensemble en pratique. Par exemple, la chute du prix de l'action peut être accompagnée par un accroissement de la volatilité. Donc, on peut mesurer la sensibilité par rapport au couple sous-jacent-volatilité qui bougent en même temps. Cela est appelé un « shadow greek », et s'assimile au concept de dérivée totale que l'on trouve, par exemple, en mécanique des fluides quand on cherche à définir le parcours d'une particule de fluide.

Références et approfondissement

Taleb, N.N., 1997, *Dynamic Hedging*, John Wiley & Sons.

Wilmott, P., 2001, *Paul Wilmott Introduces Quantitative Finance*, John Wiley & Sons.

Pourquoi les quants aiment-ils les solutions en formule fermée ?

Réponse courte

Parce qu'ils calculent vite et comprennent facilement.

> **Exemple**
> Les formules de Black-Scholes sont simples et de forme fermée, et souvent utilisées sans savoir qu'elles ont des limitations, et pour des produits pour lesquels elles n'ont pas été destinées initialement.

Réponse détaillée

Un quant est soumis à des pressions diverses quand il s'apprête à choisir un modèle. Ce qu'il souhaiterait, c'est un modèle :

– Modèle Robuste : de petites variations dans le processus aléatoire pour le sous-jacent n'ont pas beaucoup d'importance.

– Modèle Rapide : les prix et les grecques doivent être rapides à calculer pour diverses raisons, de sorte que la transaction puisse s'effectuer et qu'elle ne soit pas laissée à un concurrent, et de sorte que les positions puissent être gérées en temps réel comme un simple petit élément d'un grand portefeuille.

– Modèle Précis : dans un sens scientifique, les prix doivent être bons, et parfois rejoindre les données historiques. C'est, bien sûr, une notion qui est différente de la robustesse.

– Modèle Facile à calibrer : les banques aiment avoir des modèles qui retrouvent les prix traités des contrats simples.

Il y a un certain recouvrement entre ces notions. Rapide peut aussi dire facile à calibrer, mais pas nécessairement. Précis et robuste peuvent être similaires mais, encore une fois, pas toujours.

D'un point de vue scientifique, l'attribut le plus important est la précision. Le moins important est la vitesse. Pour le scientifique, la question du calibrage devient une question relative à l'existence de l'arbitrage. Si vous êtes un hedge fund cherchant des opportunités de transactions pour compte propre sur des vanilles, le calibrage est précisément ce que vous ne voulez pas faire. Et la robustesse peut être confortable, mais peut-être que le monde financier est si instable que les modèles ne peuvent jamais être robustes.

Le praticien, lui, a besoin d'être capable d'évaluer rapidement pour exécuter la transaction puis pouvoir gérer le risque. Si son activité consiste à vendre des contrats exotiques, alors il calibrera en permanence, de sorte que ses prix seront cohérents avec ceux des vanilles. Tant que le modèle n'est pas trop imprécis, ou trop sensible, et qu'il peut ajouter une marge de profit suffisante, il est satisfait. Donc, pour le praticien, la vitesse et la capacité à calibrer sur le marché sont les critères les plus importants.

Le scientifique et le praticien ont des intérêts conflictuels. Et d'habitude, le praticien gagne.

Et qu'est-ce qui pourrait être plus rapide qu'une solution en formule fermée ? C'est la raison pour laquelle les praticiens tendent à favoriser les formes fermées. Ils ont aussi tendance à comprendre plus facilement une solution intuitive qu'une solution numérique. Les formules de Black-Scholes sont parfaites pour cela, ayant une interprétation simple en termes d'espérances, et utilisant la fonction de répartition de la distribution gaussienne.

Le désir de formules simples est tel, que les gens utilisent souvent les formules pour les mauvais produits. Supposez que vous vouliez évaluer certaines options asiatiques fondées sur une moyenne arithmétique. Pour faire cela proprement dans le monde de Black-Scholes vous utiliseriez la résolution d'une équation différentielle partielle à trois dimensions ou des simulations de Monte Carlo. Mais si vous prétendez que la moyenne est géométrique, et non arithmétique, alors, souvent, il existe des solutions de forme fermée simples. Donc, utilisez-les, même si elles sont fausses. Le point est qu'elles seront probablement moins fausses que les autres hypothèses que vous faites, comme celle de la future valeur de la volatilité.

Bien sûr, la définition de « formule fermée » dépend, d'une certaine manière, de l'observateur. Si une option peut être évaluée en termes de somme infinie de fonctions hypergéométriques, est-ce que cela compte ? Certaines options asiatiques peuvent être évaluées de la sorte. Ou bien, que penser d'une formule fermée incluant une intégration subtile dans le plan complexe qui doit finalement être faite numériquement ? C'est le cas du modèle à volatilité stochastique d'Heston.

Si les formules fermées sont appréciées, cela vaut-il la peine de passer beaucoup de temps à les chercher ? Probablement pas. Il y a toujours de nouveaux produits qui sont inventés et de nouveaux modèles d'évaluation qui sont définis, mais ils ont peu de chances d'être du type simple qui peut être résolu explicitement. Il y a des chances que vous deviez les résoudre numériquement, ou bien les approcher par quelque chose de pas trop dissemblable. Aujourd'hui, des approximations comme celles de Black (1976) sont probablement votre meilleure chance de trouver des solutions en formule fermée pour les nouveaux produits.

Références et approfondissement

Black F., 1976, « The pricing of commodity contracts », *Journal of Financial Economics* 3, p. 167–79.

Haug, E.G., 2003, « Know your weapon, Parts 1 and 2 », *Wilmott magazine*, May and July.

Haug, E.G., 2006, *The complete Guide to Option Pricing Formulas*, McGraw-Hill.

Lewis, A., 2000, *Option Valuation under Stochastic Volatility*, Finance Press.

Que sont les équations Forward et Backward ?

Réponse courte

Les équations Forward et Backward renvoient habituellement aux équations différentielles qui dirigent la fonction de densité de probabilité de transition pour un processus stochastique. Ce sont des équations de diffusion qui doivent donc être résolues dans la direction temporelle appropriée, d'où leur nom.

> **Exemple**
>
> Un taux de change est actuellement 1,88. Quelle est la probabilité qu'il soit supérieur à 2 d'ici à l'année prochaine ? Si vous avez un modèle d'équation différentielle stochastique pour ce taux de change, la question peut trouver sa réponse en utilisant les équations pour la fonction de densité de probabilité de transition.

Réponse détaillée

On suppose que l'on a une variable aléatoire y évoluant selon une équation différentielle stochastique à un facteur, assez générale :

$$dy = A(y, t) \, dt + B(y, t) \, dX.$$

Ici A et B sont deux fonctions arbitraires de y et t.

De nombreux modèles communs peuvent être écrits sous cette forme, incluant la marche aléatoire log-normale de l'actif, et des modèles communs de taux d'intérêt spot.

La fonction de densité de probabilité de transition

La fonction de densité de probabilité de transition $p(y,t; y',t')$ est la fonction de quatre variables définie par :

$$\text{Prob}(\, a < y < b \text{ at time } t' \,|y \text{ at time } t)$$
$$= \int_a^b p(y, t; y', t') \, dy'.$$

Cela exprime simplement la probabilité que la variable aléatoire y se trouve entre a et b à l'instant t' dans le futur, étant donné qu'elle a commencé à la valeur y à l'instant t. On peut se dire que y et t sont des valeurs courantes ou initiales, ayant pour futures valeurs y' et t'.

La fonction de densité de probabilité de transition $p(y,t; y',t')$ satisfait deux équations, l'une incluant des dérivées par rapport à l'état futur et à l'instant futur (y' et t') et appelée équation forward, et l'autre incluant les dérivées par rapport à l'état présent et à l'instant présent (y et t) et appelée équation backward. Ces deux équations sont des équations différentielles partielles paraboliques non dissemblables de l'équation de Black-Scholes.

L'équation forward

Également connue comme équation de Fokker-Planck ou équation forward de Kolmogorov, elle s'écrit :

$$\frac{\partial p}{\partial t'} = \frac{1}{2} \frac{\partial^2}{\partial y'^2} (B(y', t')^2 p) - \frac{\partial}{\partial y'} (A(y', t')p).$$

Cette équation aux dérivées partielles parabolique forward requiert des conditions initiales à l'instant t, et d'être résolue à $t'>t$.

Exemple

Un exemple important est celui de la distribution des prix d'actions dans le futur. Si on a la marche aléatoire :

$$dS = \mu S \, dt + \sigma S \, dX$$

alors l'équation forward devient :

$$\frac{\partial p}{\partial t'} = \frac{1}{2}\frac{\partial^2}{\partial S'^2}(\sigma^2 S'^{2}p) - \frac{\partial}{\partial S'}(\mu S'p).$$

Une solution spéciale de cette équation, qui représente une variable qui commence avec certitude avec la valeur S à l'instant t est :

$$p(S, t; S', t')$$
$$= \frac{1}{\sigma S'\sqrt{2\pi(t'-t)}}e^{-\left(\ln(S/S')+(\mu-\frac{1}{2}\sigma^2)(t'-t)\right)^2/2\sigma^2(t'-t)}.$$

Ceci est représenté sur le graphe ci-dessous comme une fonction de S' et t' à la fois.

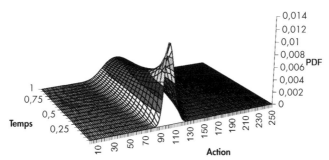

Figure 2-7 : Distribution des prix d'actions dans le futur

L'équation backward

Également connue sous le nom d'**équation backward de Kolmogorov**, elle s'écrit :

$$\frac{\partial p}{\partial t} + \frac{1}{2}B(y, t)^2\frac{\partial^2 p}{\partial y^2} + A(y, t)\frac{\partial p}{\partial y} = 0.$$

Cette équation doit être résolue de façon rétrograde à l'instant t avec des données finales spécifiées.

Par exemple, si l'on souhaite calculer la valeur espérée d'une fonction $F(S)$ à l'instant T on doit résoudre cette équation pour la fonction $p(S, t)$ avec :

$$p(S, T) = F(S).$$

Prix des options

Si l'on a la marche aléatoire log-normale de S, comme ci-dessus, et que l'on transforme la variable dépendante en utilisant un facteur de capitalisation[1] d'après :

$$p(S, t) = e^{r(T-t)} V(S, t),$$

alors l'équation backward en p devient une équation en V qui est identique à l'équation aux dérivées partielles de Black-Scholes. Identique, mais à une subtilité près, l'équation contient un μ là où l'équation de Black-Scholes contient un r. On peut en conclure que la fair value d'une option est la valeur actuelle du payoff espéré à l'expiration pour une marche aléatoire risque-neutre du sous-jacent. « Risque-neutre » signifie ici que l'on remplace μ par r.

Références et approfondissement

Feller, W., 1950, *Probability Theory and Its Applications*, John Wiley & Sons.

Wilmott, P., 2006, *Paul Wilmott On Quantitative Finance*, second edition, John Wiley & Sons.

Quelle méthode numérique utiliser et quand ?

Réponse courte

Les trois principales méthodes numériques utilisées couramment sont **Monte Carlo**, les différences finies et la quadrature numérique. (J'inclus la méthode binomiale comme une version simpliste des différences finies). **Monte Carlo** est bonne pour la dépendance complexe à la trajectoire et les dimensions élevées, et pour les problèmes qui ne peuvent pas être écrits facilement sous la forme d'une équation différentielle. **Les différences finies** sont la meilleure méthode pour les basses dimensions et les contrats nécessitant une prise de décision comme l'exercice anticipé, ou les contrats qui admettent une formulation en équation différentielle. **La quadrature** numérique est utilisée quand on peut écrire la valeur d'une option comme une intégrale multiple.

Exemple

Vous voulez évaluer un contrat de taux en utilisant le modèle BGM. Quelle méthode numérique devez-vous utiliser ? BGM est approprié aux solutions par simulations, donc vous utiliserez une simulation de Monte Carlo.

Vous voulez évaluer une option qui est payée par fractions échelonnées, et vous pouvez arrêter de payer et perdre l'option à chaque instant si vous pensez que ce n'est pas la peine de continuer les paiements. On pourrait choisir une méthode de différences finies puisqu'il y a une caractéristique décisionnelle.

Vous voulez évaluer un contrat européen, indépendant de la trajectoire, sur un panier d'actions. Cela peut être vu comme une intégrale multiple et donc, vous utiliserez une méthode de quadrature.

---

1. N.D.C. : appelée à tort « actualisation » dans l'original.

Réponse détaillée

Les méthodes des différences finies

Les méthodes des différences finies sont conçues pour trouver des solutions numériques à des équations différentielles. Puisque l'on travaille avec un maillage, tout comme la méthode binomiale, on trouvera la valeur du contrat à tous les points de l'espace temps-prix de l'action. En finance quantitative, cette équation différentielle est presque toujours de type diffusion ou parabolique. Les seules vraies différences entre les équations différentielles partielles sont les suivantes :

– Nombre de dimensions.
– Forme fonctionnelle des coefficients.
– Conditions aux bornes/finales.
– Caractères décisionnels.
– Linéaire ou non linaire.

Nombre de dimensions. Le contrat est-il une option sur un seul sous-jacent ou plusieurs ? Le payoff a-t-il une dépendance forte à la trajectoire ? Les réponses détermineront le nombre de dimensions du problème. On aura au minimum deux dimensions : S ou r, et t. Les méthodes des différences finies sont parfaitement adaptées aux petits nombres de dimensions, disons jusqu'à quatre. Au-dessus, elles deviennent assez consommatrices de temps.

Forme fonctionnelle des coefficients. La différence principale entre un problème d'option sur action et un problème d'option sur taux d'intérêt est dans la forme fonctionnelle de la dérive et de la volatilité. Celles-ci apparaissent comme des coefficients dans les équations aux dérivées partielles maîtresses. Le modèle standard pour les actions est le modèle log-normal, mais il y a beaucoup plus de modèles « standard » pour les taux. Cela a-t-il de l'importance ? Non, pas si vous résolvez ces équations numériquement, mais seulement si vous essayez de trouver une solution en formule fermée, auquel cas, plus les coefficients sont simples, plus vous avez de chances de trouver une solution en formule fermée.

Conditions aux bornes/finales. Dans un schéma numérique, la différence entre un call et un put est la condition finale. On dit au schéma de différences finies comment partir. Et dans les schémas de différences finies en finance, on commence à l'expiration et on remonte jusqu'au présent. Les conditions aux bornes sont les endroits où l'on contraint le schéma, comme pour les options à barrières.

Caractères décisionnels. Un exercice anticipé, des primes échelonnées, des possibilités de choix, sont tous des exemples de décisions inclus dans les contrats exotiques. Les traiter numériquement est assez direct en utilisant des méthodes de différences finies, faisant de ces techniques numériques les techniques naturelles pour de tels contrats. La différence entre une option européenne et américaine concerne trois lignes de code dans un programme de différences finies, et moins d'une minute de programmation.

Linéaire ou non linéaire. Presque tous les modèles financiers sont linéaires, de telle sorte que l'on peut résoudre un portefeuille d'options en résolvant chaque contrat à un instant donné et en sommant. Certains modèles plus modernes sont non linéaires. Linéaire ou non linéaire, cela ne fait pas beaucoup de différence quand on résout par les méthodes de différences finies. Par conséquent, choisir ces méthodes permet beaucoup de souplesse dans le type de modèles que l'on peut utiliser.

Efficience. Les différences finies sont très adaptées pour les faibles dimensions, et sont la méthode à choisir si l'on a un contrat incorporant des décisions. Elles sont excellentes pour les équations différentielles non linéaires.

Le temps pris pour évaluer une option et calculer les sensibilités au(x) sous-jacent(s) et le temps d'utilisation de la méthode des différences finies explicite, sera de l'ordre :

$$O(M\varepsilon^{-1-d/2}),$$

où M est le nombre d'options différentes dans le portefeuille, on veut une précision de ε, et d est le nombre de dimensions autres que le temps. Donc, si l'on a une option non dépendante de la trajectoire sur un seul sous-jacent, alors $d = 1$. On note que l'on pourrait avoir besoin d'un bout de code par option, d'où M dans la formule ci-dessus.

Programme d'étude. Si vous n'êtes pas familier avec les méthodes de différences finies et que vous voulez réellement les étudier, voici une suggestion de programme d'étude.

- **Méthode explicite/calls, puts et binaires européens :** pour débuter vous devriez apprendre la méthode explicite à travers son application à l'équation de Black-Scholes pour une option européenne. C'est très facile à programmer et vous ne ferez pas beaucoup d'erreurs.

- **Méthode explicite/calls, puts et binaires américains :** l'application de la méthode explicite aux options américaines n'est pas beaucoup plus difficile.

- **Crank-Nicolson/calls, puts et binaires européens :** une fois que vous avez la méthode explicite dans la poche, vous devriez apprendre la méthode implicite de Crank-Nicolson. C'est plus difficile à programmer, mais vous obtiendrez une meilleure précision.

- **Crank-Nicolson/calls, puts et binaires américains :** il n'y a pas besoin de beaucoup d'efforts supplémentaires pour évaluer des options américaines par rapport aux options européennes.

- **Méthode explicite/options « path dependent » :** maintenant, vous êtes assez averti, et il est temps d'évaluer un contrat path dependent. Commencez avec une option asiatique à trajectoire discrète, puis essayez une option asiatique à trajectoire continue. Finalement, essayez les lookbacks.

- **Produits de taux d'intérêt :** reprenez le programme ci-dessus pour des produits de taux non path dependent puis path dependent. Évaluez d'abord des caps et floors, puis essayez le swap sur indice à taux d'amortissement.

- **Explicite à deux facteurs :** pour débuter avec les problèmes à deux facteurs, évaluez une obligation convertible en utilisant une méthode explicite, l'action et le taux d'intérêt spot étant tous deux stochastiques.

- **Implicite à deux facteurs :** l'étape finale est d'implémenter la méthode implicite à deux facteurs appliquée à une obligation convertible.

Méthodes de Monte Carlo

Les méthodes de Monte Carlo simulent le comportement aléatoire sous-tendant les modèles financiers. Par conséquent, dans un sens, ils vont droit au cœur du problème. Rappelez-vous toujours, cependant, que lorsque vous évaluez vous simulez la(les) trajectoire(s) aléatoire(s) risque-neutre(s), la valeur du contrat étant alors la valeur espérée actualisée de tous les cash-flows. Lorsque vous implémentez une méthode de Monte Carlo, prêtez attention aux points suivants :

- Nombre de dimensions.
- Forme fonctionnelle des coefficients.
- Conditions aux limites/finales.
- Caractères décisionnels.
- Linéaire ou non linaire.

Encore !

Nombre de dimensions. Pour chaque facteur aléatoire, vous devrez simuler une série temporelle ; cela prendra du temps évidemment, mais le temps sera seulement proportionnel au nombre de facteurs, ce qui n'est pas si mauvais. Cela rend les méthodes de Monte Carlo idéales pour les dimensions élevées quand les méthodes de différences finies commencent à peiner.

Forme fonctionnelle des coefficients. Comme pour les méthodes de différences finies, ce que sont la dérivée et les fonctions de dérive et de volatilité importe peu en pratique, puisque vous ne chercherez pas de solutions de forme fermée.

Conditions aux limites/finales. Elles jouent un rôle très similaire à celui qu'elles jouent dans les différences finies. La condition finale est la fonction de payoff et les conditions aux limites sont là où l'on impose des barrières, etc.

Caractères décisionnels. Quand on a un contrat impliquant que des décisions soient prises, les méthodes de Monte Carlo deviennent maladroites. C'est, sans conteste, l'inconvénient le plus important des méthodes de simulation. Quand on utilise la méthode de Monte Carlo, on trouve seulement la valeur de l'option pour le prix de l'action et l'instant présents. Mais pour évaluer correctement une option américaine, par exemple, on a besoin de savoir ce que la valeur de l'option *serait* à chaque point de l'espace prix-temps. Typiquement, on ne trouve pas cela dans la méthode de Monte Carlo.

Linéaire ou non linéaire. Les méthodes de simulation ont également du mal à faire face aux modèles non linéaires. Certains modèles n'ont tout simplement pas d'interprétation utilisable en termes de probabilités et d'espérances, en conséquence on ne peut pas s'attendre à ce qu'ils nous conduisent à une solution par des méthodes fondées sur des simulations aléatoires.

Efficience. Si l'on veut une précision de ε et que l'on a d sous-jacents, le temps de calcul est :

$$O(d\varepsilon^{-3})$$

Cela prendra plus longtemps d'évaluer les grecques, mais d'un autre côté, on peut évaluer de nombreuses options en même temps pour un coût en temps additionnel quasi nul.

Programme d'étude. Voici un programme d'étude des méthodes de simulation de Monte Carlo.

– **Calls, puts et binaires européens sur une seule action** : simulez la trajectoire d'une seule action, le revenu d'une option, ou même un portefeuille d'options, calculez le revenu attendu et la valeur actualisée pour évaluer le contrat.

– **Option path dependent sur une seule action** : évaluez une option barrière, une asiatique, une lookback, etc.

– **Options sur plusieurs actions** : évaluez un contrat sur plusieurs actifs en simulant des trajectoires aléatoires corrélées. Vous verrez comme le temps que l'on met varie avec le nombre de dimensions.

– **Dérivés de taux d'intérêt, modèle de taux spot** : ce n'est pas plus compliqué que pour les actions. Rappelez-vous juste d'actualiser selon chaque trajectoire réalisée par les taux *avant* de prendre l'espérance de toutes les trajectoires.

– **Modèle HJM** : le modèle de taux d'intérêt HJM est un peu plus ambitieux. Utilisez un seul facteur, puis deux, etc.

– **Modèle BGM** : une version discrète du HJM.

Intégration numérique

Occasionnellement, on peut écrire la solution d'un problème d'évaluation d'option sous la forme d'une intégrale multiple. C'est parce que l'on peut interpréter la valeur d'une option comme l'espérance future d'un gain, et l'espérance d'un gain est mathématiquement l'intégrale du produit de cette fonction de revenu et de la fonction de densité de probabilité. C'est seulement possible dans des cas précis. L'option doit être européenne, l'équation différentielle stochastique sous-jacente doit être explicitement intégrable (donc la trajectoire aléatoire log-normale est parfaite pour cela), et le revenu ne devrait pas être path-dependent habituellement. Par conséquent si cela est possible, alors l'évaluation est facile… on a une formule. La seule difficulté réside dans le fait de transformer cette formule en nombre. Et cela, c'est le sujet de l'intégration numérique ou de la quadrature. Intéressons-nous donc à la question : pouvez-vous écrire la valeur d'une option comme une intégrale ?

Ce n'est que ça, en bref.

Efficience. Il y a plusieurs méthodes de quadrature numérique. Mais les deux plus répandues sont encore fondées sur la génération de nombres aléatoires. L'une emploie des nombres distribués normalement, l'autre utilise ce qui est appelé des suites à discrépance faible. Le génie des nombres à discrépance faible est que, superficiellement, ils paraissent aléatoires, mais ne forment pas les amas inévitables que font les nombres vraiment aléatoires.

En utilisant simplement des nombres normalement distribués, si l'on veut une précision de ε et que l'on évalue M options, le temps requis sera :

$$O(M\varepsilon^{-2}).$$

Si l'on utilise les nombres à discrépance faible, le temps nécessaire sera :

$$O(M\varepsilon^{-1}).$$

On peut voir que cette méthode est très rapide ; malheureusement elle n'est pas souvent applicable.

Programme d'étude. Voici un programme d'étude des méthodes de quadrature numériques :

- **Calls, puts et binaires sur une seule action, utilisant des nombres normalement distribués** : très simple. Vous allez évaluer une simple intégrale.
- **Calls, puts et binaires européens sur plusieurs actions log-normales sous-jacentes, en utilisant des nombres normalement distribués** : très simple encore. Vous évaluerez une intégrale multiple.
- **Payoff path-in dependent, européen, arbitraire, sur plusieurs actions log-normales sous-jacentes, en utilisant des nombres normalement distribués** : vous devrez changer une seule fonction.
- **Payoff non path-in dependent, européen, arbitraire, sur plusieurs actions log-normales sous-jacentes, en utilisant des nombres à discrépance faible** : modifiez simplement la source des nombres aléatoires dans le code précédent.

En résumé :

Méthodes	Différences fines	Monte Carlo	Quadrature
Dimensions basses	Bon	Non efficace	Bon
Dimensions élevées	Faible	Excellent	Bon
Path dependent	Variable	Excellent	Mauvais
Grecque	Excellent	Mauvais	Excellent
Portefeuille de marché	Non efficace	Très bon	Très bon
Décisions	Excellent	Faible	Très faible
Non linéaire	Excellent	Faible	Très faible

Références et approfondissement

Ahmad, R., 2007, « Numerical and Computational Methods for Derivative Pricing », John Wiley & Sons.

Wilmott, P., 2006, « Paul Wilmott On Quantitative Finance, second edition », John Wiley & Sons.

Qu'est-ce que la simulation de Monte Carlo ?

Réponse courte

Les simulations de Monte Carlo sont une façon de résoudre des problèmes probabilistes en « imaginant » numériquement de nombreux scénarios ou jeux possibles, de façon à calculer des propriétés statistiques comme des espérances, des variances ou les probabilités de certains résultats. En finance on utilise de telles simulations pour représenter le comportement futur des actions, des taux d'intérêt, etc. de telle sorte que l'on puisse soit étudier la performance future possible d'un portefeuille, soit évaluer des dérivés.

Exemple

On a un portefeuille complexe d'investissements. Nous voudrions savoir la probabilité de perdre de l'argent sur l'année prochaine, puisque notre bonus dépend de notre capacité à faire des profits. On peut estimer cette probabilité en simulant comment les composants individuels de notre portefeuille pourraient évoluer sur l'année prochaine. Cela suppose que l'on ait un modèle pour le comportement aléatoire de chacun des actifs, incluant la relation ou corrélation entre eux, si elle existe.

Certains problèmes, qui sont complètement déterministes, peuvent aussi être résolus numériquement en lançant des simulations, le plus fameux d'entre eux étant de trouver une valeur du nombre π.

Réponse détaillée

Il est assez clair que les problèmes probabilistes peuvent être résolus par simulations. Quelle est la probabilité de tomber sur « face » quand on jette une pièce ? Jetez simplement la pièce suffisamment souvent et vous trouverez la réponse. On en dira plus, concernant la finance, un peu plus loin. Mais de nombreux problèmes déterministes peuvent aussi être résolus de cette façon, à condition que l'on trouve un équivalent probabiliste du problème déterministe. Un exemple célèbre est l'aiguille de Buffon, un problème et une solution datant de 1777. Tracez sur une table des lignes parallèles écartées d'un pouce. Jetez une aiguille, également longue d'un pouce, sur cette table. La trigonométrie vous montrera que la probabilité pour que l'aiguille touche une des lignes est $2/\pi$. Ainsi, on obtient une approximation du nombre π en reproduisant l'expérience de nombreuses fois. Malheureusement, à cause de la nature probabiliste de cette méthode, il faut jeter l'aiguille de nombreux milliards de fois pour trouver π à une précision de six décimales.

Il peut aussi y avoir une relation entre certains types d'équations différentielles et des méthodes probabilistes. Stanislaw Ulam, inspiré par un jeu de cartes, a inventé cette technique en travaillant sur le projet Manhattan pour le développement d'armes nucléaires. Le nom « Monte Carlo » a été donné à cette idée par son collègue Nicholas Metropolis.

Les simulations de Monte Carlo sont utilisées en finance pour résoudre deux types de problèmes :

- Explorer les propriétés statistiques d'un portefeuille d'investissements ou de cash-flows pour déterminer des quantités comme des revenus espérés, le risque, les pertes potentielles, les probabilités de réaliser certains profits ou pertes, etc.

- Trouver la valeur des dérivés en exploitant la relation théorique entre les valeurs des options et le payoff espéré sous une trajectoire aléatoire risque-neutre.

Explorer les propriétés statistiques d'un portefeuille. Les modèles quantitatifs les plus aboutis représentent les investissements comme des trajectoires aléatoires. Il existe une théorie mathématique entière derrière ces modèles, mais pour apprécier le rôle qu'ils jouent dans l'analyse de portefeuille, vous avez juste besoin de comprendre trois concepts simples.

Premièrement, vous avez besoin d'un algorithme expliquant comment les investissements les plus basiques évoluent de manière aléatoire. Pour les actions, c'est souvent une trajectoire aléatoire log-normale. (Si vous connaissez la distinction réel/risque-neutre, vous devriez savoir que vous utiliserez la trajectoire aléatoire réelle ici). Cela peut être représenté sur une feuille ou en code comme la manière dont le prix d'une action change d'une période à une autre en ajoutant un rendement aléatoire. Dans le monde des taux d'intérêt, on utilise le modèle BGM pour modéliser la manière dont des taux de maturités diverses évoluent. Pour le crédit, on peut avoir un modèle qui modélise la faillite aléatoire d'une entreprise. Si vous avez plus d'un investissement à modéliser, vous aurez aussi besoin de représenter toutes les interrelations entre eux. On y parvient souvent en utilisant les corrélations.

Une fois que vous pouvez réaliser de telles simulations pour les investissements basiques, vous avez besoin d'avoir des modèles pour des contrats plus compliqués qui dépendent d'eux, c'est-à-dire pour les options/dérivés/actifs contingents. Pour cela, vous avez besoin de théorie, la théorie des dérivés. C'est le deuxième concept que vous devez comprendre.

Finalement, vous serez capable de simuler plusieurs milliers, voire plus, de futurs scénarios pour votre portefeuille, et d'utiliser les résultats pour examiner les statistiques de ce portefeuille. C'est, par exemple, la manière dont on peut estimer la VaR (Value at Risk) classique, parmi d'autres.

Évaluer des dérivés. On sait d'après les résultats de l'évaluation risque-neutre que dans les théories des dérivés connues, la valeur d'une option peut être calculée comme la valeur actualisée du payoff espéré sous une trajectoire aléatoire risque-neutre. Et calculer les espérances de payoff d'un seul contrat est un simple exemple de l'analyse de portefeuille mentionnée plus haut, mais juste pour une seule option, et en utilisant la trajectoire aléatoire risque-neutre au lieu de la trajectoire aléatoire réelle. Même si les modèles d'évaluation peuvent souvent être écrits sous la forme d'équations aux dérivées partielles déterministes, ils peuvent être résolus de manière probabiliste, tout simplement comme Stanislaw Ulam l'a fait pour d'autres problèmes, non financiers. Cette méthodologie d'évaluation des dérivés a été proposée pour la première fois en 1977 par l'actuaire de formation Phelim Boyle.

Que l'on utilise Monte Carlo pour des problèmes probabilistes ou déterministes, la méthode est habituellement assez simple à mettre en œuvre sous sa forme de base, et donc très populaire en pratique.

Références et approfondissement
Boyle, P., 1977, « Options : a Monte Carlo approach », Journal of Financial Economics 4, p. 323–338.
Glasserman, P., 2003, « Monte Carlo Methods in Financial Engineering », Springer Verlag.
Jäckel, P., 2002, « Monte Carlo Methods in Finance », John Wiley & Sons.

Qu'est-ce que la méthode des différences finies ?

Réponse courte

La méthode des différences finies est une manière d'approcher les équations différentielles, en variables continues, en équations différences, en variables discrètes, de sorte qu'elles puissent être résolues numériquement. C'est une méthode particulièrement utile quand le problème a un faible nombre de dimensions, c'est-à-dire de variables indépendantes.

> **Exemple**
> De nombreux problèmes financiers peuvent être traduits en équations différentielles. Habituellement, elles ne peuvent être résolues analytiquement, en conséquence elles doivent l'être numériquement.

Réponse détaillée

Les problèmes financiers qui partent d'équations différentielles stochastiques comme modèles pour des quantités évoluant aléatoirement, comme des prix d'actions ou des taux d'intérêt, utilisent le langage du calcul. On y fait référence à des gradients, des taux de variation, des coefficients directeurs, des sensibilités. Ces « dérivées » mathématiques décrivent la vitesse à laquelle une variable dépendante, comme la valeur d'une option, change lorsqu'une des variables indépendantes, comme le prix d'une action, varie. Ces sensibilités sont définies techniquement comme le ratio de la variation infinitésimale de la variable dépendante sur la variation infinitésimale de la variable indépendante. Et il faut un nombre infini d'éléments infinitésimaux pour décrire une courbe entière. Cependant, quand on essaye de calculer ces dérivés numériquement, par exemple avec un ordinateur, on ne peut pas travailler avec des infinis et des nombres infinitésimaux, par conséquent on doit faire appel à des approximations.

Techniquement, la définition du delta d'une option est :

$$\Delta = \frac{\partial V}{\partial S} = \lim_{h \to 0} \frac{V(S+h, t) - V(S-h, t)}{2h}$$

où $V(S,t)$ est la valeur de l'option comme fonction du prix de l'action S, et du temps t. Bien sûr, il peut y avoir d'autres variables indépendantes. La procédure de passage à la limite ci-dessus est la clé pour approcher de telles dérivées reposant sur des variables continues, par des différences reposant sur des variables discrètes.

La première étape dans les méthodes des différences finies est de tracer une grille, comme celle dessinée sur la figure 2-8.

La grille a typiquement des points représentatifs du prix de l'actif espacés à intervalles réguliers, et des points temporels espacés régulièrement. Quoique dans des schémas plus sophistiqués, ces intervalles puissent varier.

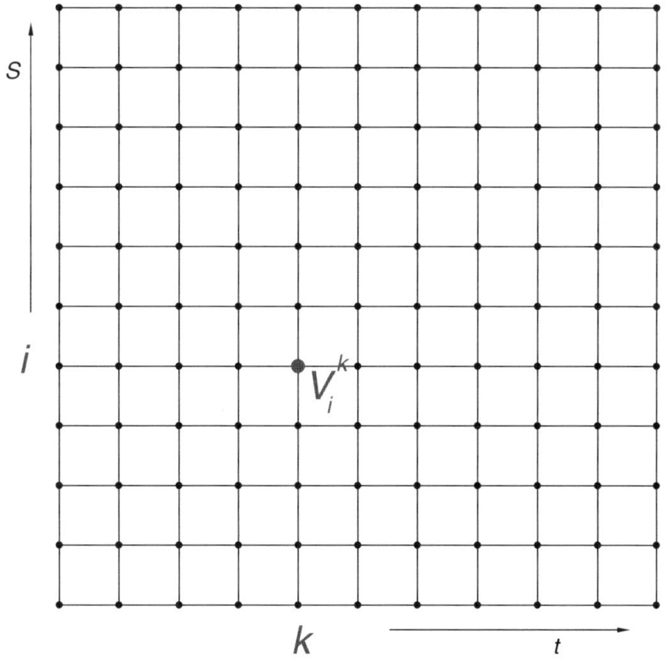

Figure 2-8 : La grille des différences finies

Notre tâche sera de trouver numériquement une approximation de la valeur de l'option à chaque nœud de cette grille.

Les équations différentielles classiques d'évaluation d'options sont écrites en termes de la fonction d'évaluation, disons $V(S,t)$, une dérivée par rapport au temps, $\dfrac{\partial V}{\partial t}$, (le thêta de l'option), la dérivée première par rapport au sous-jacent, $\dfrac{\partial V}{\partial S}$, (le delta de l'option), et la dérivée seconde par rapport au sous-jacent, $\dfrac{\partial^2 V}{\partial S^2}$, (le gamma de l'option). Je fais explicitement l'hypothèse que le sous-jacent est une action ou un taux de change dans ces exemples. Dans le monde des taux d'intérêt, on aurait des équations similaires mais on remplacerait juste le sous-jacent S par le taux d'intérêt r, puis les idées s'enchaîneraient de la même manière.

Une approximation discrète simple de la dérivée partielle thêta est :

$$\theta = \frac{\partial V}{\partial t} \approx \frac{V(S,t) - V(S, t - \delta t)}{\delta t}$$

où δt est le pas de temps entre les points de la grille. De même :

$$\Delta = \frac{\partial V}{\partial S} \approx \frac{V(S + \delta S, t) - V(S - \delta S, t)}{2\,\delta S}$$

où δS est le pas de variation de l'actif entre deux points de la grille. Il y a une différence subtile entre ces deux expressions. Notez comme la dérivée par rapport au temps a été discrétisée en évaluant la fonction V au prix S et à l'instant t « actuels », et aussi un instant avant. Mais la dérivée par rapport à l'actif utilise une approximation qui encadre le point S, entre $S + \delta S$ et $S - \delta S$. Le premier type d'approximation est appelé une différence à gauche, l'autre une différence centrale. Les raisons poussant à choisir l'un ou l'autre type d'approximation ont un rapport avec la stabilité et la précision. La différence centrale est plus précise que la différence à gauche et a tendance à être préférée pour l'approximation du delta, mais quand on l'utilise pour la dérivée temporelle cela peut amener des instabilités dans le schéma numérique. (Ici je vais décrire le schéma explicite des différences finies, mais celui-ci peut souffrir d'instabilité potentielle si l'on utilise une mauvaise discrétisation du temps.)

La différence centrale pour le gamma est :

$$\Gamma = \frac{\partial^2 V}{\partial S^2} \approx \frac{V(S + \delta S, t) - 2\,V(S,t) + V(S - \delta S, t)}{\delta S^2}.$$

En modifiant légèrement la notation de sorte que V_i^k soit l'approximation de la valeur de l'option pour le i-ième pas sur l'actif et le k-ième pas de temps, on peut écrire :

$$\theta \approx \frac{V_i^k - V_i^{k-1}}{\delta t}, \quad \Delta \approx \frac{V_{i+1}^k - V_{i-1}^k}{2\delta S}$$

et :

$$\Gamma \approx \frac{V_{i+1}^k - 2V_i^k + V_{i-1}^k}{\delta S^2}.$$

Finalement, en insérant l'expression ci-dessus ainsi que $S = i\,\delta S$ dans l'équation de Black-Scholes, on obtient la version discrétisée de l'équation :

$$\frac{V_i^k - V_i^{k-1}}{\delta t} + \tfrac{1}{2}\sigma^2 i^2 \delta S^2 \frac{V_{i+1}^k - 2V_i^k + V_{i-1}^k}{\delta S^2}$$
$$+ ri\,\delta S \frac{V_{i+1}^k - V_{i-1}^k}{2\delta S} - rV_i^k = 0.$$

Cela peut facilement être réarrangé pour donner V_i^{k-1} en fonction de V_{i+1}^k, V_i^k et V_{i-1}^k comme cela est montré schématiquement sur la figure suivante.

En pratique, on connaît la valeur de l'option à l'expiration comme une fonction de S, et donc de i.

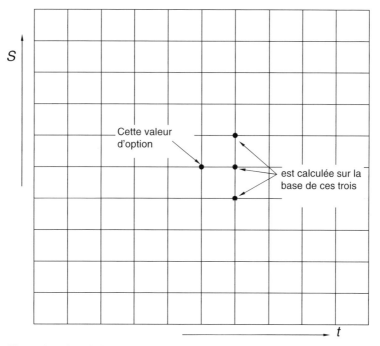

Figure 2-9 : La relation entre les valeurs de l'option dans la méthode explicite

Et cela nous permet de travailler en remontant le temps depuis l'expiration pour calculer la valeur de l'option aujourd'hui, un pas de temps à la fois.

Ce qui figure ci-dessus est la forme la plus élémentaire des méthodes des différences finies, il y en a de nombreuses autres versions plus sophistiquées.

Les avantages des méthodes des différences finies résident dans leur vitesse pour des problèmes à peu de dimensions, jusqu'à trois sources d'aléa. Elles sont aussi particulièrement efficaces quand le problème a un caractère décisionnel, comme un exercice prématuré, car à chaque nœud on peut facilement vérifier si le prix de l'option transgresse les contraintes d'arbitrage.

Références et approfondissement

Ahmad, R., 2007, « Numerical and Computational Methods for Derivative Pricing », John Wiley & Sons.
Wilmott, P., 2006, « Paul Wilmott On Quantitative Finance, second edition », John Wiley & Sons.

Qu'est-ce qu'un modèle de diffusion avec sauts et quel rapport avec les valeurs d'options ?

Réponse courte

Les modèles de diffusion avec sauts (jump-diffusion Models) combinent le mouvement brownien continu vu dans le modèle de Black-Scholes (la diffusion), avec des prix qui peuvent effectuer des sauts discontinus. L'instant du saut est habituellement aléatoire, et il est représenté par un processus de poisson. La taille du saut peut aussi être aléatoire. Quand on accroît la fréquence des sauts (tous les autres paramètres étant constants), les valeurs des calls et puts augmentent. Les prix des options binaires, et d'autres options, peuvent évoluer à la hausse ou à la baisse.

Exemple

Une action suit une trajectoire aléatoire log-normale. Chaque mois vous lancez un dé. Si vous obtenez un 1, le prix de l'action effectue un saut discontinu. La taille du saut est décidée par un nombre aléatoire que vous tirez d'un chapeau. (Ce n'est pas le meilleur exemple car le processus de Poisson est un processus continu, et non un événement mensuel.)

Réponse détaillée

Un processus de Poisson peut être écrit dq, où dq est le saut d'une variable aléatoire q, de l'instant t à $t + dt$. La quantité dq vaut 0 avec la probabilité $1 - \lambda dt$, et 1 avec la probabilité λdt. Notez comme la probabilité d'un saut est proportionnelle à la période dt pendant laquelle le saut peut arriver. Le facteur de proportionnalité λ est connu comme **l'intensité** du processus; plus λ est grand, plus les sauts sont fréquents.

Le processus peut être utilisé pour modéliser une variable aléatoire financière discontinue, comme le prix d'une action, la volatilité ou un taux d'intérêt. Bien qu'il y ait eu des papiers de recherche considérant des processus de saut purs comme des modèles financiers, il est plus fréquent de combiner les sauts avec le mouvement brownien classique. Le modèle pour les actions, par exemple, est souvent considéré comme étant :

$$dS = \mu S \, dt + \sigma S \, dX + (J - 1) S \, dq,$$

où dq est défini comme précédemment, avec l'intensité λ, et J-1 est la taille du saut, usuellement considérée comme aléatoire. Les modèles de diffusion avec sauts peuvent donner de très bons résultats pour représenter le phénomène réel de la discontinuité des variables, et capturer les queues de distribution épaisses observées sur les rendements boursiers.

Le modèle pour les actifs sous-jacents devient un modèle pour le prix des options. Ce modèle peut être une équation intégro-différentielle, typiquement, avec le terme intégral représentant la probabilité que l'action saute une distance finie de façon discontinue. Malheureusement, les marchés avec des sauts de cette nature sont incomplets, ce qui implique que les options ne peuvent pas être couvertes pour éliminer tout le risque. Pour dériver les équations d'évaluation d'options, on doit donc faire quelques hypothèses sur les préférences quant au risque, ou introduire plus de titres avec lesquelles on peut se couvrir.

Robert Merton a été le premier à proposer des modèles de diffusion avec sauts. Il a dérivé l'équation suivante pour les valeurs d'options sur action :

$$\frac{\partial V}{\partial t} + \frac{1}{2}\sigma^2 S^2 \frac{\partial^2 V}{\partial S^2} + rS\frac{\partial V}{\partial S} - rV$$
$$+ \lambda E[V(JS, t) - V(S, t)] - \lambda \frac{\partial V}{\partial S} SE[J - 1] = 0.$$

E[.] est l'espérance de la taille du saut. En termes probabilistes cette équation représente la valeur espérée du payoff actualisé, sous la mesure risque-neutre pour la diffusion, mais sous la mesure réelle pour les sauts.

Il y a une solution simple à cette équation dans le cas spécial où le logarithme de J est distribué normalement. Si le logarithme de J est normalement distribué avec l'écart-type σ' et si l'on écrit :

$$k = E[J - 1]$$

alors le prix d'une option européenne non « path-dependent » peut être écrit comme :

$$\sum_{n=0}^{\infty} \frac{1}{n!} e^{-\lambda'(T-t)} (\lambda'(T-t))^n V_{BS}(S, t; \sigma_n, r_n).$$

Dans l'expression ci-dessus,

$$\lambda' = \lambda(1 + k), \quad \sigma_n^2 = \sigma^2 + \frac{n\sigma'^2}{T-t}$$

et

$$r_n = r - \lambda k + \frac{n \ln(1 + k)}{T-t},$$

et V_{BS} est la formule de Black-Scholes pour la valeur de l'option en l'absence de saut. Cette formule peut être interprétée comme la somme des valeurs Black-Scholes individuelles, dont chacune est supposée avoir eu n sauts, et elles sont pondérées selon la probabilité qu'il y aura eu n sauts avant l'expiration.

Les modèles de diffusion avec sauts peuvent donner de bons résultats pour apprécier la pente des « skews » et « smiles » de volatilité pour les options à courte échéance, ce que les autres modèles, comme ceux à volatilité stochastique, ont du mal à faire.

Références et approfondissement

Cox, J. & Ross, S., 1976, « Valuation of Options for Alternative Stochastic Processes », *Journal of Financial Econometrics* 3.

Kingman, J.F.C., 1995, *Poisson Processes*, Oxford Science Publications Chapter 2 : FAQs, p. 145.

Lewis, A., Series of articles in *Wilmott magazine*, September 2002 to August 2004.

Merton, R.C., 1976, « Option pricing when underlying stock returns are discontinuous », *Journal of Financial Economics* 3, p. 125–44.

Qu'entend-on par marchés « complets » et « incomplets » ?

Réponse courte

Un marché complet est un marché où un produit dérivé peut être synthétisé à partir d'instruments plus basiques, comme l'actif sans risque et l'actif sous-jacent. Cela recouvre habituellement la notion de rééquilibrage dynamique d'un portefeuille d'instruments les plus simples, selon une formule ou un algorithme quelconque, pour dupliquer l'instrument le plus compliqué, le dérivé. Évidemment, un marché incomplet est un marché où on ne peut dupliquer l'option avec des instruments plus simples.

Exemple

L'exemple le plus simple est la duplication d'une option sur action, un call, en achetant ou vendant continuellement de l'action de sorte que l'on ait toujours le montant d'action suivant :

$$\Delta = e^{-D(T-t)} N(d_1),$$

où

$$N(x) = \frac{1}{\sqrt{2\pi}} \int_{-}^{x} e^{-\frac{1}{2}\phi^2} d\phi$$

et

$$d_1 = \frac{\ln(S/E) + (r - D + \frac{1}{2}\sigma^2)(T-t)}{\sigma\sqrt{T-t}}.$$

Réponse détaillée

Une description un peu plus mathématique, quoique toujours facilement compréhensible, est de dire qu'un marché complet est un marché pour lequel il existe le même nombre de titres linéairement indépendants qu'il y a d'états du monde dans le futur.

Considérons par exemple le modèle binomial, dans lequel il y a deux états du monde au prochain instant, et qu'il y a aussi deux titres, le cash et l'action. C'est un marché complet. Maintenant, après deux pas de temps, il y aura trois états possibles du monde, en supposant que le modèle binomial se recombine de sorte qu'un mouvement à la baisse aboutisse au même résultat qu'un mouvement à la hausse. On pourrait penser qu'on a donc besoin de trois titres pour avoir un marché complet. Ce n'est pas le cas parce que, après le premier instant, on peut modifier la quantité d'actions que l'on détient. C'est ici qu'intervient le côté dynamique de la duplication.

Les deux modèles les plus populaires pour les prix des actions sont le log-normal, avec une volatilité constante, et le binomial. Ces deux modèles donnent des marchés complets, on peut dupliquer d'autres contrats dans ces univers.

Dans un marché complet on peut dupliquer des dérivés avec les instruments les plus simples ; mais on peut aussi prendre le problème par l'autre bout, de façon à couvrir le dérivé avec les instruments sous-jacents pour obtenir une position sans risque. Dans le modèle binomial, on peut dupliquer une option à partir d'actions et de cash, ou bien l'on peut couvrir l'option avec l'action pour faire du cash. Même idée, mêmes équations, il suffit de mettre les termes différemment de part et d'autre du signe « égal ».

Tout comme ils permettent de dupliquer des dérivés, ou de les couvrir, les marchés complets ont également une propriété mathématique intéressante. Pensons au modèle binomial. Dans ce modèle, on précise la probabilité que l'action monte (et donc qu'elle baisse, la somme des probabilités valant 1). Il apparaît que cette probabilité n'affecte pas le prix de l'option. C'est une conséquence simple des marchés complets, puisque l'on peut couvrir l'option avec l'action, on se moque de savoir si l'action monte ou baisse, et donc des probabilités associées. Les gens peuvent donc ne pas être d'accord sur la probabilité qu'une action monte ou baisse, mais s'entendre sur la valeur de l'option, tant qu'ils partagent la même opinion sur la volatilité de l'action.

En termes probabilistes on dit que dans les marchés complets, il existe une unique mesure martingale, mais que dans un marché incomplet il n'y a pas de mesure martingale unique. On interprète ceci en disant que même si les options sont des instruments risqués, on n'a pas à spécifier son propre degré d'aversion au risque pour les évaluer.

Il suffit des marchés complets. Où peut-on trouver des marchés incomplets ? La réponse est « partout ». En pratique, tous les marchés sont incomplets à cause des imperfections ou des particularités du monde réel qui violent les hypothèses des modèles simples.

Prenons comme exemple la volatilité. Tant que l'on a une trajectoire aléatoire log-normale de l'action, aucun coût de transaction, une couverture continue, des actifs parfaitement divisibles,… et une volatilité constante, alors on a un marché complet. Si cette volatilité est connue comme une fonction dépendante du temps, alors le marché est encore complet. Il est même encore complet si la volatilité est connue comme une fonction du temps et du prix de l'action. Mais dès que la volatilité devient aléatoire, le marché n'est plus complet. C'est parce qu'il y a maintenant plus d'états du monde qu'il n'y a de titres linéairement indépendants. En réalité, on ne sait pas ce que sera la volatilité dans le futur, par conséquent les marchés sont incomplets.

On a aussi des marchés incomplets si le sous-jacent suit un processus de diffusion avec sauts. À nouveau, il y a plus d'états possibles qu'il n'y a de titres sous-jacents.

Une autre cause commune d'incomplétude est le fait que le sous-jacent ou une des variables gouvernant le comportement du sous-jacent est aléatoire. Les options sur les actes terroristes ne peuvent être couvertes, puisque les actes terroristes ne sont pas négociés sur une place (à ma connaissance du moins).

On doit cependant évaluer des contrats, même dans des marchés incomplets. Alors, que peut-on faire ? Il y a ici deux idées maîtresses. La première est d'évaluer selon la voie actuarielle, l'autre est d'essayer de rendre tous les prix d'option cohérents les uns avec les autres.

La voie actuarielle consiste à considérer l'évaluation dans le sens d'une moyenne. Même si l'on ne peut couvrir le risque de chaque option, cela n'a pas forcément d'importance sur le long terme. Parce qu'à long terme on aura fait des centaines de milliers de transactions d'options, donc la seule chose qui compte est le prix moyen que chaque contrat devrait avoir, même s'il est risqué. Dans une certaine mesure, cela rejoint les conclusions du **théorème de la limite centrale**. Cette approche est appelée actuarielle parce qu'elle décrit comment le métier des assurances fonctionne. On ne peut pas couvrir la vie entière de chaque assuré individuel, mais l'on peut se représenter ce qu'il arrivera à des centaines de milliers d'entre eux *en moyenne* en utilisant des tables actuarielles.

L'autre manière d'évaluer est de rendre les options cohérentes entre elles. Cela est fait couramment quand on a des modèles à volatilité stochastique, par exemple, et souvent dans l'évaluation des dérivés de taux. Travaillons avec le modèle à volatilité stochastique pour enrichir l'intuition. Supposons que l'on ait une trajectoire aléatoire log-normale avec une volatilité stochastique. Cela signifie que l'on a deux sources d'aléa (l'action et la volatilité), mais seulement une quantité avec laquelle on peut se couvrir (l'action). C'est comme si l'on disait qu'il y a plus d'états du monde que de titres sous-jacents, d'où l'incomplétude. On sait que l'on peut couvrir le risque sur le prix de l'action avec l'action, ce qui nous laisse seulement une source de risque que l'on ne peut évincer. C'est comme si l'on disait qu'il y a un degré de liberté de plus dans les états du monde qu'il n'y a de titres.

Dès que l'on a un risque que l'on ne peut évincer, on doit se demander comment ce risque peut être évalué. Plus le risque est grand, plus le rendement que l'on peut attendre en excès du taux sans risque est important. Cela introduit l'idée de prix de marché du risque. Techniquement dans ce cas, cela introduit le prix de marché du risque de volatilité. Ceci mesure le rendement en excès attendu qui doit rémunérer le risque non couvrable. Maintenant, toutes les options sur cette action à volatilité aléatoire ont la même sorte de risque non couvrable, certaines peuvent avoir plus ou moins de risque que les autres mais elles sont toutes exposées au risque de volatilité. Cela aboutit à un modèle d'évaluation qui contient explicitement ce paramètre de prix de marché du risque. Cela assure que les prix des options sont cohérents entre eux *via* ce paramètre « universel ». Une autre interprétation est que l'on évalue des options en fonction des prix des autres options.

Références et approfondissement

Joshi, M., 2003, « The Concepts and Practice of Mathematical Finance », CUP.

Merton, R.C., 1976, « Option pricing when underlying stock returns are discontinuous », Journal of Financial Economics 3, p. 125–144.

Wilmott, P., 2006, *Paul Wilmott On Quantitative Finance, second edition*, John Wiley & Sons.

Qu'est-ce que la volatilité ?

Réponse courte

La volatilité est l'écart-type annualisé des rendements. Mais est-ce bien cela ? Parce que c'est une mesure statistique, nécessairement tournée vers le passé, parce qu'elle semble varier, que l'on veut connaître sa valeur dans le futur, et parce que les gens ont des avis différents sur ce qu'elle sera dans le futur, les choses ne sont pas simples.

Exemple

La volatilité effective est le σ qui apparaît dans l'équation aux dérivées partielles de Black-Scholes. La volatilité implicite est le nombre dans la formule de Black-Scholes qui fait que le prix théorique rejoint le prix du marché.

Réponse détaillée

La volatilité effective est une mesure du montant d'aléa d'une quantité financière à chaque instant. C'est ce que Desmond Fitzgerald appelle le « rebond rebond ». Elle est difficile à mesurer, et encore plus dure à prévoir, mais c'est l'une des données d'entrée les plus importantes des modèles d'évaluation d'options.

Elle est difficile à mesurer puisqu'elle est définie mathématiquement par un écart-type dont le calcul requiert des données historiques. Cependant, la volatilité effective n'est pas une quantité historique mais une quantité instantanée.

Les volatilités réalisée/historique sont associées à une période temporelle, en fait, deux périodes temporelles. On pourrait dire que la volatilité quotidienne sur les soixante derniers jours a été de 27 %. Cela signifie que l'on prend la valeur des prix des actifs quotidiens sur les soixante derniers jours et que l'on calcule la volatilité. J'insiste sur le fait que cela est associé à deux échelles de temps, bien que la volatilité effective n'en ait aucune. Cela tend à être l'estimation par défaut de la volatilité future en l'absence d'un modèle plus sophistiqué. Par exemple, on pourrait supposer que la volatilité des soixante prochains jours est la même que sur les soixante derniers jours. Cela nous donnera une idée de ce qu'une option à soixante jours pourrait valoir.

La volatilité implicite est le nombre que l'on doit entrer dans l'équation d'évaluation d'options de Black-Scholes pour obtenir le prix théorique qui correspond au prix du marché. Elle est souvent considérée comme l'estimation de marché de la volatilité.

Récapitulons. On a la **volatilité effective** qui est la quantité de bruit instantanée sur le taux de rendement du prix d'une action. Elle est parfois modélisée comme une simple constante, parfois comme étant dépendante du temps, parfois dépendante du temps et de l'action, parfois stochastique et parfois comme un processus à sauts, et parfois comme incertaine, c'est-à-dire comprise dans un intervalle. Elle est impossible à mesurer exactement, le mieux que l'on puisse faire est d'obtenir une estimation statistique fondée sur des données passées. Mais c'est le paramètre que l'on adorerait connaître, à cause de son importance dans l'évaluation des dérivés. Certains hedge funds pensent que leur marge est due à une prévision de ce paramètre meilleure que les autres, et donc profitent des options qui sont mal évaluées sur le marché.

Comme on ne peut pas voir la volatilité effective, les gens comptent souvent sur une mesure de la **volatilité historique** ou **volatilité réalisée**. C'est une mesure statistique tournée vers le passé de ce que la volatilité a été. Et puis on suppose qu'il y a des informations dans ces données qui nous diront ce que la volatilité sera dans le futur. Il y a plusieurs modèles pour mesurer et prévoir la volatilité sur lesquels nous reviendrons bientôt.

La **volatilité implicite** est le nombre que l'on doit entrer dans la formule d'évaluation d'options de Black-Scholes pour obtenir le prix théorique qui correspond au prix du marché. Elle est souvent appelée l'estimation de marché de la volatilité. De façon plus correcte, les prix des options sont gouvernés par l'offre et la demande. Est-ce la même chose que lorsque le marché prend une opinion sur la volatilité future ? Pas nécessairement car la plupart des gens qui achètent des options ont une opinion sur la direction du marché, et par conséquent l'offre et la demande reflètent la direction plus que la volatilité. Mais comme les gens qui couvrent des options ne sont pas exposés à la direction, mais uniquement à la volatilité, il semble que les gens ont une opinion sur la volatilité lorsqu'ils ont plus probablement une opinion sur la direction, ou lorsqu'ils achètent des puts hors de la monnaie comme assurance contre un krach boursier. Par exemple, le marché chute, les gens paniquent, ils achètent des puts, le prix des puts et donc la volatilité implicite augmentent. L'endroit où le prix va s'arrêter dépend de l'offre et de la demande, et pas de l'estimation de quelqu'un sur la volatilité future, raisonnablement.

La volatilité implicite aplanit le terrain, donc on peut comparer et distinguer les prix des options selon leurs prix d'exercice et leurs maturités.

Il y a également la **volatilité à terme**. L'adjectif « à terme » est ajouté à tout objet financier pour signifier des valeurs dans le futur. Par conséquent, la volatilité à terme devrait simplement signifier la volatilité, effective ou implicite, après une certaine période de temps dans le futur.

Enfin, la **volatilité de couverture** est le paramètre que l'on introduit dans le calcul du delta pour connaître la quantité de sous-jacent à vendre à découvert nécessaire au besoin de couverture.

Comme la volatilité est difficile à appréhender, c'est une quantité naturellement propice à une modélisation intéressante, voici certaines des approches utilisées pour modéliser ou prévoir la volatilité.

Modèles économétriques. Ces modèles utilisent des formes variées d'analyses de séries temporelles pour estimer la volatilité effective attendue actuelle et future. Ils sont typiquement fondés sur une régression de la volatilité sur les rendements passés, et ils peuvent inclure des composantes autorégressives ou à moyenne mobile. Dans cette catégorie, on trouve les modèles de type **GARCH**. Parfois l'on modélise la volatilité au carré, la variance, parfois l'on utilise des données de prix haut-bas-ouverture-clôture et pas juste des prix de clôture, et parfois l'on modélise le logarithme de la volatilité. Ce dernier semble être assez prometteur parce qu'il y a des preuves que la volatilité effective est distribuée de manière log-normale. D'autres travaux dans ce domaine décomposent la volatilité d'une action en composantes comme la volatilité de marché, la volatilité du secteur d'activité et la volatilité propre à chaque entreprise. C'est le pendant du MEDAF (CAPM) pour les rendements.

Modèles déterministes. Les formules simples de Black-Scholes supposent que la volatilité est constante ou dépendante du temps, mais les données de marché suggèrent que la volatilité implicite varie avec le prix d'exercice. Un tel comportement de marché ne peut pas être cohérent avec une volatilité qui est une fonction déterministe du temps. Une manière d'accommoder le monde de Black-Scholes avec une volatilité implicite dépendante du prix d'exercice est de supposer que la volatilité effective est fonction à la fois du temps et du prix du sous-jacent. C'est le modèle de la (**surface de**) **volatilité déterministe**. C'est l'extension la plus simple du monde de Black-Scholes qui puisse être faite pour le rendre cohérent avec les prix de marché. Il requiert seulement d'avoir $\sigma(S,t)$, et l'équation aux dérivées partielles de Black-Scholes est encore valide. L'interprétation de la valeur d'une option comme la valeur actuelle du payoff espéré suivant une trajectoire aléatoire risque-neutre est également valable. Malheureusement, les formules fermées de type Black-Scholes ne sont plus correctes. C'est un modèle simple et populaire, mais il ne capture pas très bien les dynamiques de la volatilité implicite.

Volatilité stochastique. Comme la volatilité est difficile à mesurer, et semble devoir changer tout le temps, il est naturel de la modéliser comme un processus stochastique. Le modèle le plus connu de ce type est celui de Heston. De tels modèles ont souvent plusieurs paramètres qui peuvent soit être choisis pour coller aux données historiques, ou plus communément, choisis pour que les prix théoriques soient calibrés sur ceux du marché. Les modèles à volatilité stochastique sont meilleurs que les déterministes pour établir les dynamiques des prix des options négociées. Cependant, des marchés différents se comportent différemment. Ceci s'explique en partie par la manière dont les traders regardent les prix des options. Les traders sur actions considèrent la volatilité implicite par rapport au prix d'exercice ; les traders de change considèrent la volatilité implicite par rapport au delta. Il est donc naturel que la courbe de volatilité implicite se comporte différemment dans ces deux marchés. À cause de cela, on a vu se développer le modèle « sticky strike », le modèle « sticky delta », etc. qui modélisent la façon dont la courbe de volatilité implicite varie en fonction des mouvements du sous-jacent.

Processus de Poisson. Il y a des moments de basse volatilité et des moments de haute volatilité. Cela peut être modélisé par une volatilité qui fait des sauts, comme un processus de Poisson.

Volatilité incertaine. Une solution élégante au problème de modélisation d'une volatilité invisible est de la traiter comme incertaine, c'est-à-dire qu'elle est autorisée à varier dans un intervalle spécifié, mais l'endroit exact où elle se trouve dans cet intervalle, ou d'ailleurs la probabilité de prendre telle valeur, sont laissés imprécis. Avec ce type de modèle, on n'obtient plus un seul prix d'option mais un intervalle de prix, dont les bornes représentent le scénario le pire et le scénario le meilleur.

Références et approfondissement

Avellaneda, M., Levy, A. & Parás, A., 1995, « Pricing and hedging derivative securities in markets with uncertain volatilities », *Applied Mathematical Finance* 2, p. 73–88.

Derman, E. & Kani, I., 1994, « Riding on a smile », *Risk magazine* 7 (2), p. 32–39.

Dupire, B., 1994, « Pricing with a smile », *Risk magazine* 7 (1), p. 18–20.

Heston, S., 1993, « A closed-form solution for options with stochastic volatility with application to bond and currency options », *Review of Financial Studies* 6, p. 327–343.

Javaheri, A., 2005, *Inside Volatility Arbitrage*, John Wiley & Sons.

Lewis, A., 2000, *Option valuation under Stochastic Volatility*, Finance Press.

Lyons, T.J., 1995, « Uncertain Volatility and the risk-free synthesis of derivatives », *Applied Mathematical Finance* 2, p. 117–133.

Rubinstein, M., 1994, « Implied binomial trees », *Journal of Finance* 69, p. 771–818.

Wilmott, P., 2006, *Paul Wilmott On Quantitative Finance*, second edition, John Wiley & Sons.

Qu'est-ce que le smile de volatilité ?

Réponse courte

Le smile de volatilité est la phrase utilisée pour décrire comment les volatilités implicites des options varient avec leurs prix d'exercice. Un **smile** (sourire) signifie que les puts hors de la monnaie et les calls hors de la monnaie ont tous des volatilités implicites plus élevées que les options à la monnaie. D'autres configurations sont aussi possibles. Une pente sur la courbe est appelée un « **skew** ». Un skew négatif donnerait un graphe volatilité implicite/prix d'exercice de pente négative.

Exemple

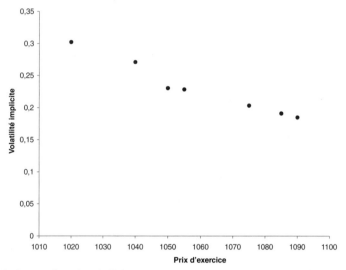

Figure 2-10 : Le « smile » de volatilité pour des options à un mois sur le SP500, en février 2004.

Réponse détaillée

Commençons par la manière de calculer les volatilités implicites. On peut démarrer à partir des prix des options vanille négociées, habituellement le prix médian entre offre et demande, et tous les autres paramètres requis dans la formule de Black-Scholes, comme les prix d'exercice, les dates d'expiration, les taux d'intérêt, les dividendes, *sauf* les volatilités. Là, on peut se poser la question : quelle volatilité devrait être utilisée pour chaque série d'options pour que le prix théorique de Black-Scholes et le prix du marché soient identiques ?

Bien que la formule de Black-Scholes pour les valeurs d'options soit une fonction de la volatilité, il n'y a aucune formule exprimant la volatilité implicite comme fonction de la valeur de l'option, elle doit être calculée en utilisant une bisection, Newton-Raphson, ou une autre technique numérique pour trouver les zéros d'une fonction. Maintenant, traçons ces volatilités implicites en fonction du prix d'exercice, une courbe par date d'expiration. C'est le smile de volatilité implicite. Si l'on trace la volatilité implicite à la fois en fonction du prix d'exercice et de la date d'expiration, sur un graphe en trois dimensions, on obtient la surface de volatilité implicite. Souvent, on trouvera que le smile est assez plat pour les options à long terme, mais devient plus raide pour les options à court terme.

Puisque les formules de Black-Scholes supposent une volatilité constante (ou une volatilité dépendante du temps avec des variations mineures), on pourrait s'attendre à un graphe de volatilité implicite plat. Il apparaît que ce n'est pas le cas pour les données réelles de prix d'options. Comment peut-on l'expliquer ? Voici quelques questions à se poser :

- La volatilité est-elle constante ?
- Les formules à la Black-Scholes sont-elles correctes ?
- Les traders d'options utilisent-ils les formules de Black-Scholes ?

La volatilité n'apparaît pas constante. En cela, on veut dire que la volatilité effective n'est pas constante, la volatilité effective étant le montant d'aléa sur le rendement d'une action. La volatilité effective est quelque chose que l'on peut essayer de mesurer à partir d'une série temporelle des prix d'une action, et elle existerait même si les options n'existaient pas. Bien qu'il soit facile de dire avec assurance que la volatilité effective n'est pas constante, il est beaucoup plus dur d'estimer le comportement futur de cette volatilité. Cela pourrait expliquer pourquoi la volatilité implicite n'est pas constante, bien que les gens la croient telle.

Si la volatilité n'est pas constante, alors les formules de Black-Scholes ne sont pas correctes. (Encore une fois, on rappelle le petit avertissement selon lequel les formules de Black-Scholes peuvent fonctionner si la volatilité est une fonction *déterministe* du temps connue. Mais je pense qu'on peut aussi très bien réfuter en toute confiance cette idée.)

En dépit de cela, les traders d'options utilisent encore les formules de Black-Scholes pour les options vanille. Parmi tous les modèles qui ont été inventés, le modèle de Black-Scholes est encore le plus populaire pour les contrats vanille. Il est simple et facile à utiliser, il a très peu de paramètres, il est très robuste. Ses inconvénients sont assez bien compris. Mais très souvent, au lieu d'utiliser des modèles exempts de certains des défauts des formules de Black-Scholes, les gens « adaptent » les formules de Black-Scholes à leurs problèmes. Par exemple, quand une action chute de manière spectaculaire, on voit souvent un accroissement temporaire de sa volatilité. Comment cela peut-il être pris en compte dans le modèle de Black-Scholes ? C'est facile, il suffit d'augmenter les volatilités implicites des options ayant des prix d'exercice plus faibles. Un put à bas prix d'exercice sera hors de la monnaie jusqu'à ce que l'action chute, jusqu'au point où il sera à la monnaie, et en même temps la volatilité augmentera. Par conséquent, augmentons la volatilité de tous les puts hors de la monnaie. La déviation par rapport au monde de Black-Scholes à volatilité plate tend à devenir plus prononcée quand on s'approche de l'expiration.

Une explication plus générale du smile de volatilité est qu'il incorpore la kurtosis observée sur les rendements des actions. Les rendements des actions ne sont pas normalement distribués, les prix des actions ne sont pas log-normalement distribués. Les deux ont des queues de distribution plus épaisses que ce qu'on attendrait pour des rendements normalement distribués. On sait que, théoriquement, la valeur d'une option est la valeur actualisée du payoff attendu suivant une trajectoire aléatoire risque-neutre. Si cette fonction de densité de probabilité risque-neutre a des queues épaisses, on peut s'attendre à ce que les prix des options soient plus élevés que ceux de Black-Scholes pour les prix d'exercice très bas et très hauts. D'où des volatilités implicites plus élevées, et le smile.

Une autre école de pensée prétend que le smile de volatilité et le skew existent à cause de l'offre et de la demande. Les prix des options viennent moins d'une analyse de la probabilité des événements de la queue de distribution, que d'un simple accord entre un acheteur et un vendeur. Les puts hors de la monnaie sont un moyen peu cher d'acheter une protection contre un crash. Mais toute forme d'assurance est chère, après tout, ceux qui vendent l'assurance veulent aussi en tirer profit. Ainsi, les puts hors de la monnaie sont relativement surévalués. Cela explique la volatilité implicite élevée pour les bas prix d'exercice. D'un autre côté, de nombreuses personnes détenant des actions vont émettre des calls hors de la monnaie (covered call writing) pour empocher une prime, peut-être quand les marchés sont en train de déraper. Il y a aura donc une sur-offre de calls hors de la monnaie, poussant les prix vers le bas. Résultat net, un skew négatif. Bien que l'explication par l'offre et la demande soit populaire parmi les traders, elle n'est pas une idée confortable pour les quants car elle suggère que les options ne sont pas évaluées correctement, et qu'il pourrait y avoir des opportunités d'arbitrage.

En parlant d'arbitrage, cela vaut la peine de mentionner qu'il y a des contraintes sur le skew et le smile qui proviennent de l'examen des portefeuilles d'options simples. Par exemple, de manière assez évidente, plus le prix d'exercice d'un call est élevé, plus son prix est bas. Autrement, on pourrait gagner de l'argent assez facilement en achetant le call à bas prix d'exercice et en vendant le call à prix d'exercice plus élevé. Cela impose une contrainte sur le skew. De manière similaire, un butterfly spread doit avoir une valeur positive puisque son payoff ne peut jamais être négatif. Cela impose une contrainte sur la courbure du smile. Ces deux contraintes sont indépendantes du modèle. Il existe de nombreux moyens de construire l'effet du smile de volatilité dans un modèle d'évaluation d'options, et de n'avoir toujours pas d'arbitrage. Les plus célèbres sont, par ordre de complexité, les suivants :

- Surface de volatilité déterministe.
- Volatilité stochastique.
- Diffusion-sauts.

La surface de volatilité déterministe est l'idée que la volatilité n'est pas constante, ni même simplement une fonction du temps, mais une fonction connue du temps et du prix de l'action, $\sigma(S,t)$. Ici, le mot « connue » est légèrement trompeur. Ce que l'on connaît réellement, ce sont les prix de marché des options vanille, une photo à un instant donné. On doit maintenant représenter la fonction $\sigma(S,t)$ correcte de telle sorte que la valeur théorique de nos options coïncide avec les prix de marché. C'est mathématiquement un problème inversé, revenant à trouver le paramètre, la volatilité, en connaissant certaines solutions, les prix de marché. Ce modèle peut établir exactement la surface de volatilité à un instant donné, mais a bien de la peine à établir les dynamiques, c'est-à-dire la façon dont les données changent avec le temps.

Les modèles à volatilité stochastique ont deux sources d'aléa, le rendement de l'action et la volatilité. Un des paramètres de ces modèles est la corrélation entre les deux sources d'aléa. Cette corrélation est typiquement négative, de sorte qu'une chute du prix de l'action est souvent accompagnée d'une augmentation de la volatilité. Cela donne un skew négatif à la volatilité implicite. Malheureusement, ce skew négatif n'est pas habituellement aussi prononcé que le skew de marché réel. Ces modèles peuvent aussi expliquer le smile. C'est une loi gravée dans le marbre, on doit payer pour la convexité. On le voit dans le monde simple de Black-Scholes, où l'on paye pour le gamma. Dans le monde de la volatilité stochastique on peut regarder la dérivée seconde de la valeur de l'option par rapport à la volatilité, et si elle est positive on peut s'attendre à devoir payer pour cette convexité, c'est-à-dire que les valeurs de l'option seront relativement plus élevées à chaque fois que cette quantité sera plus grande. Pour un call ou un put dans un monde de volatilité constante, on a :

$$\frac{\partial^2 V}{\partial \sigma^2} = S\sqrt{T-t}\,\frac{d_1 d_2 e^{D-(T-t)}e^{-d_1^2/2}}{\sqrt{2\pi}\,\sigma}.$$

Cette fonction est tracée sur la figure 2-10 pour $S = 100$, $T\text{-}t = 1$, $\sigma = 0.2$, $r = 0.05$ et $D = 0$. Observez comme elle est positive loin de la monnaie, et petite à la monnaie. (Bien sûr, j'ai triché parce que d'un côté je parle de volatilité aléatoire, et de l'autre j'utilise encore une formule qui n'est correcte que pour une volatilité constante.)

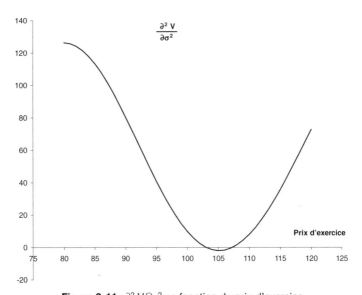

Figure 2-11 : $\partial^2 V/\partial\sigma^2$ en fonction du prix d'exercice

Les modèles à volatilité stochastique ont un potentiel supérieur pour établir les dynamiques, mais le problème, comme toujours, est de savoir quel modèle de volatilité stochastique choisir, et comment trouver ses paramètres. Quand vous serez calibrés sur les prix de marché, vous trouverez habituellement, encore une fois, que les paramètres supposés constants dans votre modèle continuent à changer. C'est souvent le cas avec les modèles calibrés, et cela suggère que le modèle n'est pas correct, même si sa complexité semble très prometteuse.

Les modèles de diffusion avec sauts permettent à l'action (et même à la volatilité) d'être discontinue. De tels modèles contiennent tant de paramètres que le calibrage peut être instantanément plus précis (même s'il n'est pas nécessairement stable dans le temps).

Références et approfondissement

Gatheral, J., 2006, *The Volatility Surface*, John Wiley & Sons.

Javaheri, A., 2005, *Inside Volatility Arbitrage*, John Wiley & Sons.

Taylor, S.J., & Xu, X., 1994, « The magnitude of implied volatility smiles : theory and empirical evidence for exchange rates », *The Review of Futures Markets* 13.

Wilmott, P., 2006, *Paul Wilmott On Quantitative Finance*, second edition, John Wiley & Sons.

Qu'est-ce que le GARCH ?

Réponse courte

Le GARCH signifie Generalized Auto Regressive Conditional Heteroscedasticity. C'est un modèle économétrique utilisé pour modéliser et prévoir la variance dépendante du temps, et donc la volatilité, des rendements du prix d'une action. Il représente la variance présente en fonction de la/des variance(s) passée(s).

Exemple

Le membre le plus simple de la famille GARCH est le GARCH (1,1) dans lequel la variance v_n des rendements d'une action au pas de temps n est modélisée par :

$$v_n = (1 - \alpha - \beta)w_0 + \beta v_{n-1} + \alpha v_{n-1}B_{n-1}^2,$$

où w_0 est la variance de long terme, α et β sont des paramètres positifs, avec $\alpha + \beta < 1$, et les B_n sont des mouvements browniens indépendants, c'est-à-dire des nombres aléatoires tirés d'une distribution normale. La dernière variance, v_n, peut donc être vue comme la moyenne pondérée de la variance la plus récente, du carré des derniers rendements, et de la moyenne de long terme.

Réponse détaillée

Qu'est-ce ? Le GARCH est un membre de la grande famille des modèles économétriques utilisés pour modéliser la variance variant avec le temps. Ils sont populaires en finance quantitative parce qu'ils peuvent être utilisés pour mesurer et prévoir la volatilité.

Il est clair que la volatilité n'est pas constante pour les actions simples ou les indices. Si c'était le cas, son estimation serait très simple. Après tout, en finance, on a ce qui parfois ressemble à des quantités infinies de données. Comme la volatilité varie avec le temps, on voudrait savoir au moins ce qu'elle vaut tout de suite. Et, de façon plus ambitieuse, on voudrait savoir ce qu'elle sera dans le futur, et si on ne le peut pas précisément, au moins peut-être connaître sa valeur espérée future. Cela requiert un modèle.

Le modèle populaire le plus simple suppose que l'on peut obtenir une estimation de la volatilité sur les N prochains jours, dans le futur, en regardant la volatilité sur les N

derniers jours, dans le passé. Cette volatilité **à fenêtre mobile** est attirante de prime abord, mais souffre du fait que s'il y a un saut dans le prix de l'action, il restera dans les données avec le même poids pour les N prochains jours, et disparaîtra soudainement. Cela conduit à gonfler artificiellement les estimations de volatilité pour un moment. Un moyen de contourner cela est d'utiliser le deuxième modèle de volatilité le plus populaire, la moyenne mobile pondérée exponentiellement (**EWMA, Exponentially Weighted Moving Average**). Il prend la forme :

$$v_n = \beta v_{n-1} + (1 - \beta) R_{n-1}^2,$$

où ß est un paramètre entre zéro et un, et les R_s sont les rendements, normalisés de façon adéquate avec le pas de temps. Cela modélise la dernière variance comme une moyenne pondérée entre la variance précédente et le carré des derniers rendements. Plus ß est grand, plus le poids est associé au passé éloigné, et moins au passé récent. Ce modèle est également simple et attirant, mais a un inconvénient : il ne donne aucune structure temporelle dans le futur. La variance attendue demain, le jour d'après et tous les jours dans le futur, est juste la variance d'aujourd'hui. Cela est contre-intuitif, surtout à des moments où la volatilité est à des hauts ou des bas historiques.

Et donc, on considère le troisième modèle le plus simple :

$$v_n = (1 - \alpha - \beta) w_0 + \beta v_{n-1} + \alpha R_{n-1}^2,$$

le modèle GARCH (1,1). Il ajoute une constante, la variance de long terme, au modèle EWMA. La variance espérée, k pas de temps plus loin dans le futur, se comporte alors comme :

$$E[v_{n+k}] = w_0 + (v_n - w_0)(\alpha + \beta)^n.$$

Comme $\alpha + \beta < 1$, c'est une décroissance exponentielle de la moyenne pondérée vers sa moyenne. Une dépendance au temps bien plus agréable, et bien plus réaliste que celle que l'on obtient du modèle EWMA.

Dans le GARCH(p,q) les (p,q) signifient qu'il y a p variances passées et q rendements passés dans l'estimation :

$$v_n = \left(1 - \sum_{i=1}^{q} \alpha_i - \sum_{i=1}^{p} \beta_i \right) w_0 + \sum_{i=1}^{p} \beta_i v_{n-i} + \sum_{i=1}^{q} \alpha_i R_{n-i}^2.$$

Pourquoi ? La volatilité est une donnée d'entrée requise par tous les modèles classiques d'évaluation d'options, c'est aussi une donnée d'entrée pour de nombreux problèmes d'allocation d'actifs et d'estimation de risque, comme la VaR (Value at Risk). Il est donc très important d'avoir une méthode pour prévoir la volatilité future.

Toutefois, il y a un léger problème avec des modèles économétriques. L'économètre développe son modèle de volatilité en temps discret, alors que le quant qui évalue des options voudrait idéalement un modèle d'équation différentielle stochastique en temps continu. Heureusement, dans de nombreux cas, le modèle en temps discret peut être interprété comme un modèle en temps continu (il existe une *convergence faible* quand le pas de temps diminue), et donc l'économètre et le quant sont tous les deux contents. Encore une fois, bien sûr, les modèles économétriques, fondés sur des données réelles de prix d'actions, donnent un modèle pour le processus de volatilité *réelle* et non *risque-neutre*. Passer de l'un à l'autre demande la connaissance du prix de marché du risque de volatilité.

Comment ? Les paramètres de ces modèles sont habituellement déterminés par la **méthode du maximum de vraisemblance** (Maximum Likelihood Estimation) appliquée à la fonction de vraisemblance (logarithmique ou non). Bien que cette technique soit usuellement assez directe à appliquer, il peut y avoir des difficultés en pratique. Ces difficultés peuvent provenir :

- de données insuffisantes ;
- de ce que la fonction de (log)vraisemblance est très « plate » en fonction des paramètres, de sorte que le maximum est insensible aux valeurs des paramètres ;
- de ce que l'on estime le mauvais modèle, ce qui inclut le fait d'avoir de trop nombreux paramètres (le meilleur modèle devrait être plus simple que celui auquel vous pensez).

Les membres de la famille

Voici certains des autres membres de la famille GARCH. De nouveaux apparaissent tout le temps, ils se multiplient comme des lapins. Dans ces modèles, les innovations peuvent typiquement avoir soit une distribution normale, une *t*-distribution de Student, ou une distribution d'erreur généralisée, les deux dernières ayant les queues les plus épaisses.

NGARCH

$$v_n = (1 - \alpha - \beta)w_0 + \beta v_{n-1} + \alpha \left(R_{n-1} - \gamma \sqrt{v_{n-1}}\right)^2.$$

Ce modèle est semblable au GARCH(1,1) mais le paramètre γ permet la corrélation entre les processus de prix de l'action et de la volatilité.

AGARCH

GARCH en valeur absolue. Semblable au GARCH mais avec une volatilité (pas la variance) linéaire en valeur absolue des rendements (au lieu du carré des rendements).

EGARCH (Exponential GARCH)

Il modélise le logarithme de la variance. Le modèle accommode aussi l'asymétrie dans le fait que des chocs négatifs peuvent avoir un impact plus grand sur la volatilité que des chocs positifs.

REGARCH (Range-based Exponential GARCH)

Il modélise l'intervalle défini par les plus hauts et les plus bas des prix des actifs sur un « jour ».

IGARCH (Integrated GARCH)

C'est un type de modèle GARCH avec des contraintes supplémentaires sur les paramètres.

FIGARCH (Fractionally Integrated GARCH)

Ce modèle utilise l'opérateur retard différentiel fractionnaire appliqué à la variance. Cela ajoute un paramètre supplémentaire au modèle GARCH, de telle sorte que ce modèle inclut le GARCH et le IGARCH comme des cas extrêmes. Ce modèle a une volatilité à mémoire longue et à taux de décroissance faible que l'on voit en pratique.

FIGARCH (Fractionally Integrated Exponential GARCH)

Il modélise le logarithme de la variance et a encore une volatilité à mémoire longue et à taux de décroissance faible que l'on voit en pratique.

TGARCH (Threshold GARCH)

Il est similaire au GARCH mais inclut un terme supplémentaire qui prend effet quand le choc est négatif. Cela donne une asymétrie réaliste au modèle de volatilité.

PARCH (Power ARCH)

Dans ce modèle, la variance est élevée à une puissance autre que zéro (logarithme), 1 (AGARCH) ou 2. Ce modèle peut avoir une volatilité à mémoire longue, et à taux de décroissance faible que l'on voit en pratique.

CGARCH (Component GARCH)

Ceci modélise la variance comme la somme de deux « composants » ou plus. Dans un modèle à deux composants, par exemple, un composant est utilisé pour capturer les effets des chocs à court terme, et l'autre les effets à long terme. Ce modèle a donc une volatilité à mémoire longue, et à taux de décroissance faible que l'on voit en pratique.

Références et approfondissement

Engle, R., 1982, Autoregressive Conditional Heteroskedasticity with Estimates of the Variance of United Kingdom Inflation, *Econometrica* 5, p. 987–1008.

Bollerslev, T., 1986, Generalised Autoregressive Conditional Heteroskedasticity, *Journal of Econometrics* 31, p. 307–327.

Comment faire pour se couvrir dynamiquement ?

Réponse courte

La couverture dynamique, ou couverture en delta (delta hedging), signifie l'achat ou la vente continue de l'actif sous-jacent selon une formule ou un algorithme tel que le risque est éliminé d'une position sur option. Le point clé ici est de savoir quelle formule vous utilisez, et, étant donné qu'en pratique vous ne pouvez pas vous couvrir continuellement, comment devriez-vous vous couvrir discrètement ? D'abord obtenez un delta correct, et cela signifie utiliser une formule et des estimations de paramètres correctes, comme pour la volatilité. Puis, décidez quand vous couvrir, en vous fondant sur les désirs conflictuels de vouloir se couvrir le plus souvent possible pour réduire le risque, mais aussi peu que possible pour réduire tous les coûts associés à la couverture.

> **Exemple**
>
> La volatilité implicite d'une option d'achat est de 20 % mais vous pensez que c'est bon marché, que la volatilité est proche de 40 %. Quelle valeur mettez-vous dans le calcul du delta, 20 % ou 40 % ? Ensuite l'action bouge, allez-vous rééquilibrer, entraînant d'inévitables coûts de transaction, ou attendre un peu plus longtemps, en prenant les risques de n'être pas couvert ?

Réponse détaillée

Il y a ici au moins trois sujets. Premièrement, quel est le delta correct ? Deuxièmement, si je ne me couvre pas assez souvent, dans quelle mesure le risque est-il grand ? Troisièmement, quand je me couvre à nouveau, dans quelle mesure mes coûts de transaction sont-ils importants ?

Quel est le delta correct ? Continuons avec l'exemple ci-dessus, la volatilité implicite de 20 % mais vous pensez que la volatilité sera de 40 %. Doit-on mettre 0,2 ou 0,4 dans le calcul de Black-Scholes du delta, ou peut-être quelque chose d'autre ? D'abord laissez-moi vous rassurer, vous ne perdrez théoriquement pas d'argent dans aucun des cas (ou même si vous couvrez en utilisant une volatilité comprise entre 20 et 40) tant que vous avez raison pour les 40 % et que vous vous couvrez continuellement. Il y aura cependant un gros impact sur votre P & L en fonction de la volatilité que vous utiliserez.

Si vous utilisez la volatilité effective de 40 %, vous êtes assurés de faire un profit égal à la différence entre la formule de Black-Scholes utilisant 40 %, et la même utilisant 20 %.

$$V(S, t; \sigma) - V(S, t; \tilde{\sigma}).$$

où $V(S,t;\tilde{\sigma})$ est la formule de Black-Scholes pour le call, σ désigne la volatilité effective et $\tilde{\sigma}$ est la volatilité implicite.

Ce profit est réalisé de manière stochastique, de sorte que sur une base marked-to-market votre profit sera aléatoire chaque jour. Bien que ce ne soit pas évident de prime abord, il est néanmoins vrai que vous faites chaque jour un profit ou une perte aléatoire, tous deux aussi probables, mais que votre profit total jusqu'à l'expiration est un nombre garanti, connu dès le départ. La plupart des traders n'aiment pas les variations potentiellement importantes du P & L que vous obtenez quand vous couvrez en utilisant la volatilité prévue, qu'eux couvrent en utilisant la volatilité implicite.

Quand vous couvrez avec la volatilité implicite, même si elle est fausse par rapport à votre prévision, vous gagnerez quand même de l'argent. Mais dans ce cas, le profit quotidien est non négatif et lissé, bien plus agréable que lorsque vous couvrez en utilisant la volatilité prévue. L'inconvénient est que le profit final dépend de la trajectoire prise par le sous-jacent. Si l'action reste proche du prix d'exercice, vous gagnerez énormément d'argent rapidement. Si l'action s'éloigne rapidement dans ou hors de la monnaie, votre profit sera petit. Vous couvrir en utilisant la volatilité implicite vous donne un accroissement de votre P & L agréable, lissé, monotone, mais au prix de ne pas savoir combien d'argent vous gagnerez.

À chaque pas de temps, le profit est :

$$\frac{1}{2} \left(\sigma^2 - \tilde{\sigma}^2 \right) S^2 \Gamma^i \, dt,$$

où τ^i est le gamma de Black-Scholes utilisant la volatilité implicite. Vous pouvez constater dans cette expression que tant que la volatilité effective est plus grande que la volatilité implicite, vous gagnerez de l'argent avec cette stratégie de couverture. Cela signifie que vous n'avez pas à être si précis dans votre estimation de la future volatilité effective pour faire un profit.

Dans quelle mesure mon erreur de couverture est-elle importante ? En pratique, vous ne pouvez pas vous couvrir continûment. Le modèle de Black-Scholes et l'analyse ci-dessus requièrent un rééquilibrage continu de la position en sous-jacent. L'impact de la couverture discrète est assez facile à quantifier.

Quand vous couvrez, vous éliminez une exposition linéaire au mouvement du sous-jacent. Votre exposition devient quadratique et dépend du gamma de votre position. Si l'on utilise ϕ pour désigner une variable aléatoire normalement distribuée, de moyenne zéro et de variance un, alors le profit que vous faites sur un pas de temps δt grâce au gamma est :

$$\frac{1}{2} \sigma^2 S^2 \Gamma \, \delta t \, \phi^2.$$

Cela, c'est dans un monde de Black-Scholes autrement parfait. La seule raison pour laquelle ce n'est pas exactement un monde de Black-Scholes, c'est que l'on couvre à des intervalles de temps discrets.

Le modèle de Black-Scholes intègre la valeur espérée de cette expression. Vous reconnaîtrez le $\frac{1}{2} \sigma^2 S^2 \Gamma$ de l'équation aux dérivées partielles de Black-Scholes. Donc **l'erreur de couverture** est simplement :

$$\frac{1}{2} \sigma^2 S^2 \Gamma \delta t (\phi^2 - 1).$$

C'est la quantité que vous gagnez ou perdez entre chaque rééquilibrage.

On peut faire plusieurs observations importantes sur l'erreur de couverture :

– elle est grande : elle est d'ordre $O(\delta t)$, ce qui est du même ordre que tous les autres termes du modèle de Black-Scholes. Elle est usuellement plus grande que les intérêts reçus sur le portefeuille d'options couvert ;

– elle a une moyenne de zéro : les erreurs de couverture s'équilibrent ;

– elle dépend de la trajectoire : plus le gamma est grand, plus les erreurs de couverture sont grandes ;

– l'erreur de couverture totale a un écart-type de $\sqrt{\delta t}$: l'erreur de couverture totale est l'erreur finale quand vous arrivez à l'expiration. Si vous voulez diminuer l'erreur par deux vous devrez couvrir quatre fois plus souvent ;

– l'erreur de couverture est tirée d'une distribution du chi-deux : c'est ce que signifie ϕ^2 ;

– si vous êtes « long gamma » vous perdrez de l'argent approximativement 68 % du temps : c'est dû à la distribution du chi-deux. Mais quand vous gagnerez de l'argent, ce sera à partir des queues de distribution, et vous gagnerez assez pour donner une moyenne de zéro. Si vous êtes « short gamma » vous perdrez seulement 32 % du temps, mais il y aura des pertes importantes ;

– en pratique ϕ n'est pas normalement distribué : les queues de distribution épaisses, les pics élevés que l'on voit en pratique rendront les observations ci-dessus bien plus extrêmes, peut-être qu'une position « long gamma » perdra 80 % du temps et gagnera seulement 20 % du temps. Mais la moyenne restera toujours à zéro.

De combien les coûts de transaction vont-ils réduire mon profit ? Pour réduire l'erreur de couverture, on doit couvrir plus fréquemment, mais l'inconvénient est que tous les coûts associés à la négociation du sous-jacent vont augmenter. Peut-on quantifier les coûts de transaction ? Bien entendu.

Si l'on détient une position « short » en delta du sous-jacent, et que l'on rééquilibre au nouveau delta après un temps δt, on devra avoir acheté ou vendu une quantité de sous-jacent égale au changement de delta. Quand l'action varie de δS, le delta varie de $\delta S \Gamma$. Si l'on suppose que les coûts sont proportionnels à la valeur absolue du montant de sous-jacent acheté ou vendu, tels que l'on paye en coûts un montant égal à K fois la valeur négociée, alors le coût attendu à chaque δt est :

$$\kappa \sigma S^2 \sqrt{\delta t} \sqrt{\frac{2}{\pi}} |\Gamma|,$$

où le $\sqrt{\dfrac{2}{\pi}}$ apparaît parce que l'on doit prendre la valeur espérée de la valeur absolue d'une variable normale. Puisque cela arrive à chaque pas de temps, on peut ajuster l'équation de Black-Scholes en lui soustrayant la quantité ci-dessus divisée par ∂t pour arriver à :

$$\frac{\partial V}{\partial t} + \frac{1}{2}\sigma^2 S^2 \frac{\partial V}{\partial S^2} + rS \frac{\partial V}{\partial S} - rV - \kappa \sigma S^2 \sqrt{\frac{2}{\pi \delta t}} |\Gamma| = 0.$$

Cette équation est intéressante car elle est non linéaire, de sorte que la valeur d'un call « long » ou d'un call « short » sera différente. Le call « long » aura une valeur inférieure à celle de Black-Scholes, et le call « short » une valeur supérieure. La position longue vaut moins parce que l'on doit inclure le coût de la couverture. La position « short » a une valeur encore plus négative à cause des coûts.

On voit aussi, de manière cruciale, que l'effet des coûts croît comme l'inverse de la racine carrée du temps entre les rééquilibrages. Comme expliqué précédemment, si l'on veut diviser par deux l'erreur de couverture, on doit couvrir quatre fois plus souvent. Mais cela doublerait les effets des coûts de transaction.

En pratique, les gens ne rééquilibrent pas à des intervalles fixes, sauf peut-être juste avant la clôture du marché. Il y a beaucoup d'autres stratégies possibles impliquant la couverture quand le sous-jacent ou le delta varie d'un montant spécifié, ou même des stratégies impliquant la **théorie de l'utilité**.

Références et approfondissement

Ahmad, R. & Wilmott, P., 2005, Which free lunch would you like today, Sir ? *Wilmott magazine*, November.

Whalley, A.E. & Wilmott, P., 1993a, « Counting the costs », *Risk magazine* 6 (10), p. 59–66.

Whalley, A.E. & Wilmott, P., 1993b, « Option pricing with transaction costs », MFG Working Paper, Oxford.

Whalley, A.E. & Wilmott, P., 1994a, « Hedge with an edge », *Risk magazine* 7 (10), p. 82–85.

Whalley, A.E. & Wilmott, P., 1994b, « A comparison of hedging strategies », *Proceedings of the 7th European Conference on Mathematics in Industry*, p. 427–434.

Whalley, A.E. & Wilmott, P., 1996, « Key results in discrete hedging and transaction costs », in *Frontiers in Derivatives* (Ed. Konishi, A and Dattatreya, R.), p. 183–196.

Whalley, A.E. & Wilmott, P., 1997, « An asymptotic analysis of an optimal hedging model for option pricing with transaction costs », *Mathematical Finance 7*, p. 307–324.

Wilmott, P., 1994, « Discrete charms », *Risk magazine* 7 (3), p. 48–51.

Wilmott, P., 2006, *Paul Wilmott On Quantitative Finance*, second edition, John Wiley & Sons.

Qu'est-ce que le trading de dispersion ?

Réponse courte

Le trading de dispersion est une stratégie impliquant la vente d'options sur un indice contre l'achat d'un panier d'options sur des actions individuelles. Une telle stratégie est un jeu sur le comportement des corrélations pendant des marchés normaux et pendant de grands mouvements de marché. Si les rendements des actifs individuels sont dispersés largement, il peut y avoir peu de mouvement sur l'indice, mais un grand mouvement sur les actifs individuels. Il en résulterait un payoff important sur les options sur actifs individuels, et un paiement négatif faible sur l'option sur indice « short».

Exemple

Vous avez acheté des straddles sur des constituants de l'indice SP500, et vous avez vendu un straddle sur l'indice lui-même. La plupart du temps, vous ne dégagez pas vraiment de profit ni de perte sur cette position, les gains/pertes sur les actions s'équilibrent avec les gains/pertes sur l'indice. Mais un jour, la moitié de vos actions augmente énormément, et l'autre moitié chute, de sorte qu'il y a peu de mouvement sur l'indice. Ce jour-là, vous gagnez de l'argent sur les options sur actions grâce aux gammas, et vous gagnez aussi de l'argent sur l'option sur indice « short » grâce à sa perte de valeur temps (time decay). Ce jour-là, les actions individuelles se seront comportées de façon sympathiquement dispersée.

Réponse détaillée

La volatilité d'un indice, σ_I, peut être approchée par :

$$\sigma_I^2 = \sqrt{\sum_{i=1}^{N} \sum_{j=1}^{N} w_i w_j \rho_{ij} \sigma_i \sigma_j},$$

où l'indice est constitué de N actions, de volatilités σ_i, de poids w_i pour chaque valeur et de corrélations ρ_{ij}. (J'écris «approchée» car techniquement on a une somme de log-normales, qui n'est pas log-normale, mais cette approximation est bonne.)

Si l'on connaît les volatilités implicites des actions individuelles et de l'option sur indice, on peut déduire une corrélation implicite, apparaissant comme une « moyenne » sur toutes les actions :

$$\frac{\sigma_I^2 - \sum_{i=1}^{N} w_i^2 \sigma_i^2}{\sum_{i=1}^{N} \sum_{i \neq j=1}^{N} w_i w_j \rho_{ij} \sigma_i \sigma_j}.$$

Le trading de dispersion peut être interprété comme une opinion sur cette corrélation implicite contre la prévision personnelle de ce que cette corrélation devrait être, celle-ci pouvant être fondée sur des analyses historiques.

Les effets contradictoires dans un trade de dispersion sont :

- les profits de gamma contre le time decay pour chacune des options sur actions « long » ;
- les pertes de gamma contre le time decay (ce dernier étant une source de profit) pour les options sur indice « short » ;
- le degré de corrélation entre les actions individuelles.

Dans l'exemple ci-dessus, on avait la moitié des actions qui croissaient, et la moitié dont la valeur décroissait. Si elles bougeaient chacune plus que leur volatilité implicite respective, cela suggérerait que chacune ferait un profit. Pour chaque action, ce profit dépendrait du gamma de l'option et de la volatilité implicite, et serait parabolique en variation de l'action. L'indice bougerait à peine et le profit serait aussi relié au gamma de l'option sur indice. Un tel scénario aboutirait à une corrélation moyenne de zéro et à une volatilité de l'indice très faible.

Mais si toutes les actions devaient bouger dans la même direction, le profit des options sur les actions individuelles serait le même, mais ce profit serait effacé par la perte de gamma sur les options sur indice. Cela correspond à une corrélation de 1 entre toutes les actions et à une volatilité importante de l'indice.

Quels sont les points forts du trading de dispersion ?

- les dynamiques des marchés sont plus complexes que ce qui peut être perçu par le concept simpliste de corrélation ;
- les options sur indice peuvent être chères à cause d'une demande importante, et donc devenir bonnes à vendre ;
- on peut choisir d'acheter des options sur des actions qui sont prédisposées à un haut niveau de dispersion. Par exemple, concentrez-vous sur des actions qui évoluent de façon importante dans des directions différentes durant les moments de stress. Cela peut s'expliquer parce qu'elles concernent différents secteurs, ou parce qu'elles sont concurrentes entre elles, ou parce qu'il existe des possibilités de fusion ;
- tous les constituants de l'indice ne nécessitent pas d'être achetés. On peut choisir d'acheter les options sur actions les moins chères en termes de volatilité.

Quels sont les points faibles du trading de dispersion ?

- c'est une stratégie trop détaillée pour négocier de nombreux contrats avec des fourchettes cours acheteur-cours vendeur ;
- on est censé couvrir les positions en delta, ce qui peut être coûteux ;
- on doit faire attention aux inconvénients dans un contexte de crash du marché.

Référence et approfondissement

Grace, D. & Van der Klink, R., 2005, Dispersion Trading Project. Technical Report, École polytechnique fédérale de Lausanne.

Qu'est-ce que le Bootstrapping utilisant les facteurs d'actualisation ?

Réponse courte

Le bootstrapping consiste à construire une courbe des taux d'intérêt forward (à terme) qui soit cohérente avec les prix de marché des instruments de taux communs comme les obligations et les swaps. La courbe résultante peut ensuite être utilisée pour valoriser d'autres instruments, comme les obligations qui ne sont pas négociées sur un marché.

> **Exemple**
> Vous connaissez les prix de marché des obligations à un, deux, trois, cinq ans de maturité. On vous demande d'évaluer une obligation de maturité à quatre ans. Comment pouvez-vous utiliser les prix de marché de manière à obtenir un prix cohérent pour l'obligation à quatre ans ?

Réponse détaillée

Imaginez que vous vivez dans un monde où les taux d'intérêt évoluent de manière complètement déterministe, et pas du tout aléatoire. Par exemple, les taux d'intérêt pourraient être bas maintenant, mais croître dans le futur. Le taux d'intérêt spot est l'intérêt que vous recevez entre un instant et un autre. Dans ce monde déterministe pour les taux d'intérêt, le taux spot peut être décrit comme une fonction du temps, $r(t)$. Si vous connaissiez cette fonction, vous seriez capable d'évaluer des obligations à coupon fixe de toutes maturités en utilisant le facteur d'actualisation :

$$\exp\left(-\int_{t}^{T} r(\tau)\,d\tau\right),$$

pour actualiser un paiement à l'instant T à l'instant présent t.

Malheureusement, personne ne vous dit ce qu'est cette fonction r. À la place, vous connaissez seulement, en regardant les prix de marché d'instruments de taux variés, certaines contraintes sur cette fonction r.

Pour prendre un exemple simple, supposez que vous savez qu'une obligation zéro-coupon, de principal 100\$, de maturité un an, vaut 95\$ aujourd'hui. Cela signifie que :

$$\exp\left(-\int_{t}^{t+1} r(\tau)\,d\tau\right) = 0{,}95.$$

Supposez qu'une obligation zéro-coupon similaire à deux ans vaut 92 \$, donc on sait aussi que :

$$\exp\left(-\int_t^{t+2} r(\tau)\,d\tau\right) = 0{,}92.$$

Il n'y a, de loin, pas assez d'information pour calculer la fonction $r(t)$ entière, mais c'est similaire à ce que l'on a pour négocier en pratique. En réalité, on a de nombreuses obligations de maturités différentes, certaines sans aucun coupon mais la plupart avec, et aussi des swaps très liquides de maturités variées. Chacun de ces instruments est une contrainte sur la fonction $r(t)$.

Le bootstrapping reconstruit de façon itérative une fonction déterministe du taux d'intérêt spot, $r(t)$, aussi appelée **courbe de taux forward (instantanée)**, cohérente avec tous ces instruments liquides.

Notez que, habituellement, seuls les instruments linéaires « simples » sont utilisés pour le bootstrapping. Ce sont essentiellement des obligations, mais ils peuvent aussi inclure des swaps puisqu'ils peuvent être décomposés en un portefeuille d'obligations. D'autres contrats comme les caps et floors contiennent un élément d'optionalité et requièrent donc un modèle stochastique pour les taux d'intérêt. Cela n'aurait pas de sens, financièrement, de supposer un monde déterministe pour ces instruments, de la même manière que vous ne supposeriez pas une trajectoire déterministe du prix de l'action pour une option sur action.

Parce que la courbe de taux forward n'est pas simplement déterminée par l'ensemble fini de contraintes que l'on rencontre en pratique, on doit imposer certaines conditions à la fonction $r(t)$.

- Les taux forward devraient être positifs, sans quoi il y aurait des opportunités d'arbitrage.
- Les taux forward devraient être continus (bien que ce soit du bon sens, plutôt que la conséquence d'un quelconque argument financier).
- La courbe devrait peut-être aussi être lisse.

Même avec ces caractéristiques souhaitables, la courbe forward n'est pas définie de manière unique.

Trouver la courbe forward avec ces propriétés revient à décider de la façon d'interpoler « entre les points », les « points » signifiant les contraintes sur les intégrales de la fonction r. Il y a eu de nombreuses propositions de techniques d'interpolation comme :

- linéaire en facteurs d'actualisation ;
- linéaire en taux spot ;
- linéaire en logarithme des taux ;
- linéaire par morceaux en taux forward ;
- splines cubiques ;
- spline cubique de Bessel ;
- spline cubique préservant la monotonicité ;
- splines quartiques ;

et bien d'autres.

Au final, la méthode devrait aboutir à une fonction de taux à terme qui n'est pas trop sensible aux données d'entrée, les prix des obligations et les taux des swaps, elle doit être rapide à compiler et ne doit pas être trop locale, dans le sens où si l'une des données d'entrée est modifiée, cela ne doit impacter la fonction qu'à proximité.

Et bien sûr, on devrait mettre en avant le fait qu'il n'y a aucune manière « correcte » de joindre les points.

À cause de la liquidité relative des instruments, il est d'usage d'utiliser les taux des dépôts pour le très court terme, les obligations et les FRA pour le moyen terme et les swaps pour la fin de la courbe forward.

Finalement, comme la courbe forward « bootstrapped » est supposée provenir de taux déterministes, il est dangereux de l'utiliser pour évaluer des instruments à convexité, puisque de tels instruments demandent un modèle pour l'aléa, comme expliqué par l'**inégalité de Jensen**.

Références et approfondissement

Hagan, P. & West, G., Interpolation methods for curve construction. www.riskworx.com/insights/interpolation/interpolation.pdf.

Jones, J., 1995, private communication.

Ron, U., 2000, *A practical guide to swap curve construction*, Technical Report 17, Bank of Canada.

Walsh, O., 2003, « The art and science of curve building », *Wilmott magazine* November, p. 8–10.

Qu'est-ce que le modèle de marché LIBOR et ses applications principales en finance ?

Réponse courte

Le modèle de marché LIBOR (LMM, Libor Market Model), également connu comme modèle BGM ou BGM/J, est un modèle pour l'évolution stochastique des taux d'intérêts à terme. Sa principale force par rapport aux autres modèles de taux d'intérêt est qu'il décrit l'évolution de taux à termes qui existent, à des maturités effectivement traitées sur le marché, contrairement aux constructions théoriques comme le taux d'intérêt spot.

> **Exemple**
> Dans le LMM, les variables sont un ensemble de taux à terme pour des instruments de taux simples négociés. Les paramètres sont leurs volatilités et leurs corrélations. À partir de l'absence d'arbitrage, on peut trouver les taux dérivés risque-neutre pour ces variables. Le modèle est ensuite utilisé pour évaluer d'autres instruments.

Réponse détaillée

L'histoire de la modélisation des taux d'intérêt commence avec les taux déterministes, et les notions de rendement à maturité, duration, etc. L'hypothèse déterministe n'est cependant pas tout à fait satisfaisante pour évaluer les dérivés, à cause de l'**inégalité de Jensen**.

En 1976, Fischer Black a présenté l'idée de traiter les obligations comme des actifs sous-jacents de façon à appliquer les formules de Black-Scholes pour les options sur actions aux instruments de taux. Ceci n'est pas non plus entièrement satisfaisant puisqu'il peut y avoir des contradictions dans cette approche. D'un côté, les prix des obligations sont aléatoires, et pourtant de l'autre côté les taux d'intérêt utilisés pour actualiser depuis l'expiration sont déterministes. Une approche des taux stochastiques cohérente interne était nécessaire.

La première étape vers le taux d'intérêt stochastique utilisait un taux à très court terme, le taux spot, comme le facteur déterminant l'intégralité de la courbe de taux. Les mathématiques de ces modèles à taux spot étaient identiques à celles utilisées pour les modèles actions, et les dérivés de taux satisfaisaient à des équations similaires à celles des dérivés actions. Les équations de diffusion gouvernaient les prix des dérivés, et ces prix pouvaient être interprétés comme la valeur espérée risque-neutre de la valeur actualisée de tous les cash-flows. Et ainsi les méthodes de résolution comme celles des différences finies pour résoudre des équations aux dérivées partielles, les arbres et les simulations de Monte Carlo pouvaient aussi s'appliquer. Les modèles correspondant sont ceux de Vasicek, Cox, Ingersoll & Ross, Hull & White. L'avantage de ces modèles est qu'ils sont très simples à résoudre numériquement, par de nombreuses méthodes différentes. Mais il y a aussi plusieurs inconvénients. Premièrement, le taux spot n'existe pas, il doit être approché d'une quelconque manière. Deuxièmement, avec seulement une source d'aléa, la courbe des taux est très contrainte sur sa façon d'évoluer, essentiellement par des translations parallèles. Troisièmement, la courbe des taux qui résulte du modèle ne correspondra pas à la courbe de taux du marché. Dans une certaine mesure, le marché pense chaque maturité comme étant semi-indépendante des autres, donc un modèle devrait correspondre à toutes les maturités, sans quoi il y aurait des opportunités d'arbitrage.

Des modèles ont été élaborés pour contourner les deuxième et troisième problèmes. Un second facteur aléatoire a été introduit, parfois représentant le taux d'intérêt à long terme (Brennan & Schwartz), et parfois la volatilité du taux spot (Fong & Vasicek). Cela a permis une structure plus riche des courbes de taux. Et un (ou parfois deux ou trois) paramètre arbitraire a été rendu dépendant du temps là où jusqu'alors il était constant. La dépendance au temps a permis à la courbe de taux (et d'autres quantités souhaitées) d'être en adéquation avec le marché. Ainsi est née la notion de calibrage, le premier exemple étant le modèle de Ho et Lee.

La mise en place du calibrage dans de tels modèles a rarement été directe. L'étape suivante dans le développement des modèles a été menée par **Health, Jarrow & Morton (HJM)** qui ont modélisé directement l'évolution de la courbe de taux *entière*, de sorte que le calibrage est simplement devenu une question de spécification d'une courbe initiale. Le modèle a été défini de manière à être simple à implémenter par des simulations. À cause de la nature non markovienne du modèle général HJM, il n'est pas possible de le résoudre *via* une solution en différences finies d'équations aux dérivées partielles, et l'équation aux dérivée partielle aurait en général un nombre infini de résultantes variables, représentant la mémoire infinie du modèle général HJM. Comme le modèle est habituellement résolu par simulation, c'est très facile d'avoir n'importe quel nombre de facteurs aléatoires et donc une structure extrêmement riche pour le comportement de la courbe des taux. Le seul inconvénient de ce modèle, dans la mesure où l'implémentation est concernée, est qu'il suppose une distribution continue des maturités et l'existence d'un taux spot.

Le modèle de marché du LIBOR (LMM) tel que proposé par Miltersen, Sandmann, Sondermann, Brace, Gatarek, Musiela et Jamshidian sous des combinaisons variées et à des moments différents, modélise les taux à terme *négociés* de différentes maturités comme des marches aléatoires corrélées. L'avantage principal par rapport au HJM est que seuls les prix qui existent sur le marché sont modélisés, les taux LIBOR. Chaque taux à terme négocié est représenté par une équation différentielle stochastique avec une dérive et une volatilité, ainsi qu'une corrélation avec chacun des autres taux à terme. Pour les besoins de l'évaluation des produits dérivés, on travaille comme d'habitude dans un monde risque-neutre. Dans ce monde, les dérives ne peuvent pas être spécifiées indépendamment des volatilités et des corrélations. S'il y a N taux à terme qui sont modélisés, alors il y aura N fonctions de volatilité à spécifier et N(N-1)/2 fonctions de corrélation, les dérives risque-neutre étant donc une fonction de ces paramètres.

À nouveau, le LMM est résolu par simulation, en prenant la courbe des taux « d'aujourd'hui » comme donnée initiale. Le calibrage à la courbe des taux est donc automatique. Le LMM peut aussi être rendu cohérent à l'approche standard d'évaluation des caps, floors et swaptions utilisant Black 1976. Ainsi, le calibrage aux instruments liquides dépendants de la volatilité et dépendants de la corrélation peut aussi être assuré.

Il y a une aussi grande variété de modèles de taux d'intérêt parce que aucun modèle n'a été accepté universellement. Cela contraste avec le monde des actions dans lequel la marche aléatoire log-normale est le point de départ de presque tous les modèles. Le fait de savoir si le LMM est un bon modèle d'un point de vue précision scientifique est une autre question, mais sa facilité d'utilisation et de calibrage et ses relations avec les modèles standards le rendent très attrayant pour les praticiens.

Références et approfondissement

Brace, A., Gatarek, D. & Musiela, M., 1997, « The market model of interest rate dynamics », *Mathematical Finance 7*, p. 127–154.

Brennan, M. & Schwartz, E., 1982, « An equilibrium model of bond pricing and a test of market efficiency », *Journal of Financial and Quantitative Analysis 17*, p. 301–329.

Cox, J., Ingersoll, J. & Ross, S., 1985, « A theory of the term structure of interest rates », *Econometrica 53*, p. 385–467.

Fong, G. & Vasicek, O., 1991, Interest rate volatility as a stochastic factor. Working Paper.

Heath, D., Jarrow, R. & Morton, A., 1992, « Bond pricing and the term structure of interest rates : a new methodology », *Econometrica 60*, p. 77–105.

Ho, T. & Lee, S., 1986, « Term structure movements and pricing interest rate contingent claims », *Journal of Finance 42*, p. 1129–1142.

Hull, J.C. & White, A., 1990, « Pricing interest rate derivative securities », *Review of Financial Studies 3*, p. 573–592.

Rebonato, R., 1996, *Interest-rate Option Models*, John Wiley & Sons.

Vasicek, O.A., 1977, « An equilibrium characterization of the term structure 7, *Journal of Financial Economics 5*, p. 177–188.

Que signifie la « valeur » d'un contrat ?

Réponse courte

La valeur signifie habituellement le coût théorique de construction d'un nouveau contrat à partir de produits plus simples, comme la duplication d'une option en achetant et en vendant dynamiquement une action.

> **Exemple**
>
> Des roues coûtent 10 $ chacune. Un châssis vaut 20 $. Combien vaut un chariot ?
> La valeur est 60 $.

Réponse détaillée

Pour beaucoup de gens la valeur d'un contrat est ce qu'ils voient sur un écran ou ce qui sort de leur logiciel de valorisation. Les choses sont en réalité un peu plus subtiles que cela. Considérons l'exemple du chariot mentionné ci-dessus.

Pour le quant, la valeur du chariot est simplement de 60 $, coût du châssis et des quatre roues, en ignorant les clous et autres accessoires, et en ignorant certainement le coût de la main-d'œuvre nécessaire à sa construction.

Pourquoi quelqu'un vous l'a-t-il acheté 80 $? Il doit clairement considérer les 80 $ comme étant un montant à payer raisonnable. Peut-être envisage-t-il de participer à une course de chariots dont le premier prix est 200 $? Sans chariot, il ne peut pas participer, et donc ne peut pas gagner les 200 $. La possibilité de gagner le prix signifie que le chariot vaut plus pour lui que les 80 $. Peut-être qu'il aurait été jusqu'à le payer 100 $.

Cet exemple simple illustre la subtilité de l'ensemble du processus d'évaluation/valorisation. Sous plusieurs aspects, les options ressemblent à des chariots et on peut affiner son intuition en pensant les choses à un niveau assez basique.

Le quant réfléchit rarement comme cela. Pour lui, la valeur et le prix sont les mêmes, utilisant souvent les deux mots de façon interchangeable. Et le concept de valeur n'apparaît pas.

Quand un quant doit évaluer un contrat exotique, il regarde les contrats vanille échangés pour obtenir une certaine vision de la volatilité à utiliser. C'est le calibrage. Une option vanille se traite, disons à 10 $. C'est le prix. Le quant vérifie ensuite la volatilité implicite du marché par une formule d'évaluation de Black-Scholes. Ce faisant, il suppose que le prix et la valeur sont identiques.

Une autre question est liée à ce sujet, celle de savoir si un modèle mathématique explique ou décrit un phénomène. Les équations de mécanique des fluides, par exemple, font les deux. Elles sont fondées sur la conservation de la masse et l'énergie, deux principes physiques très sains. Appréciez le contraste avec les modèles de produits dérivés.

En pratique, les prix sont dictés par l'offre et la demande. Les contrats qui sont demandés, comme les puts hors de la monnaie pour la protection contre la baisse, sont relativement chers. Ceci est l'explication des prix. Pourtant, les modèles mathématiques que l'on utilise pour valoriser ne comportent aucune mention d'offre ou de demande. Ils sont fondés sur les trajectoires aléatoires du sous-jacent avec un paramètre de volatilité inobservable, et l'hypothèse d'absence d'arbitrage. Les modèles essaient de décrire comment les prix devraient se comporter pour une volatilité donnée. Mais comme on le sait déjà à partir des données, si l'on insère notre propre prévision de la volatilité future dans les formules de valorisation d'options, on obtiendra des valeurs qui divergent des prix du marché. Soit notre prévision est fausse et le marché a raison, soit le modèle est incorrect, ou le marché est incorrect. Le bon sens conclut que les trois cas sont à blâmer. Dès que vous calibrez votre modèle en vérifiant la volatilité à partir de prix dirigés par l'offre et la demande en utilisant une formule d'évaluation, vous mélangez les choux et les carottes.

Dans une certaine mesure, le quant essaie de faire la même chose que le constructeur de chariot. La différence fondamentale est que ce dernier n'a pas besoin d'un modèle dynamique pour le prix des roues et des châssis, c'est un calcul statique. Un chariot égale un châssis plus quatre roues. C'est rarement aussi simple pour le quant. Ses calculs sont inévitablement dynamiques, sa couverture change quand le prix de l'action et le temps varient. Ce pourrait être comparable à un chariot pour lequel vous devez continuer à acheter des roues supplémentaires pendant la course, en ne connaissant pas le prix des roues avant de les acheter. C'est ici que les modèles mathématiques interviennent, et des erreurs, des confusions, et des opportunités apparaissent.

Et la valeur ? C'est un concept plus subjectif. La quantifier pourrait requérir une approche par l'utilité espérée. Comme disait Oscar Wilde : « Un homme cynique est quelqu'un qui connaît le prix de tout mais la valeur de rien. »

Référence et approfondissement

Wilde, O., *The Complete Works*, Harper Perennial.

Qu'est-ce que le calibrage ?

Réponse courte

Le calibrage signifie choisir des paramètres pour votre modèle de sorte que les prix théoriques des contrats cotés issus du modèle soient égaux ou aussi proches que possible des prix de marché à un instant donné. Dans un sens, c'est l'opposé du fait de faire coïncider des paramètres à des séries temporelles historiques. Si votre modèle retrouve exactement les prix de marché, alors vous éliminez les opportunités d'arbitrage, et c'est la raison pour laquelle c'est populaire.

Exemple

Vous avez votre modèle de taux d'intérêt favori, mais vous ne savez pas comment décider ce que les paramètres du modèle doivent être. Vous réalisez que les marchés obligations, swaps et swaptions sont très liquides, et probablement très efficients. Par conséquent, vous choisissez vos paramètres dans le modèle de telle façon que le résultat théorique de votre modèle pour ces instruments simples soit le même que leur prix de marché.

Réponse détaillée

Presque tous les modèles financiers ont un ou des paramètres qui ne peuvent pas être mesurés précisément. Dans le cas non trivial le plus simple, le modèle de Black-Scholes, ce paramètre est la volatilité. Si l'on ne peut pas mesurer ce paramètre comment peut-on décider de sa valeur ? En effet, si l'on n'a aucune idée de sa valeur, le modèle est inutile.

Deux voies viennent à l'esprit. L'une est d'utiliser des données historiques, l'autre est d'utiliser les données de prix d'aujourd'hui.

Considérons la mise en œuvre de la première méthode. Examinons, disons des données actions pour essayer d'estimer la volatilité. Le problème ici est que l'on regarde nécessairement vers le passé, en utilisant des données du passé. Cela risque de ne pas être très pertinent pour le futur. Un autre problème avec cette méthode est qu'elle pourrait donner des prix qui soient incohérents avec le marché. Par exemple, vous vous intéressez à l'achat d'une certaine option. Vous pensez que la volatilité est de 27 %, donc vous utilisez cette valeur pour évaluer l'option, et vous obtenez un prix de 15 $. Cependant, le prix de marché de cette option est de 19 $. Êtes-vous toujours intéressé pour l'acheter ? Vous pouvez soit décider que l'option est mal évaluée, soit que votre estimation de volatilité est fausse.

L'autre méthode est de supposer qu'effectivement, il y a des informations dans les prix de marché des instruments négociés sur le marché. Dans l'exemple ci-dessus on se demande quelle volatilité utiliser dans une formule pour obtenir le prix « correct » de 19 $. On utilise ensuite ce nombre pour évaluer d'autres instruments. Dans ce cas, on a calibré notre modèle par rapport à une vue instantanée du marché à un instant donné, plus que par rapport à des informations du passé.

Le calibrage est commun sur tous les marchés, mais est habituellement plus compliqué que dans l'exemple simple ci-dessus. Les modèles de taux d'intérêt peuvent avoir des douzaines de paramètres ou même des fonctions entières à choisir en cherchant à « coller » au marché.

Le calibrage peut donc être souvent consommateur de temps. Le calibrage est un exemple de problème inversé, dans lequel on connaît la réponse (le prix des contrats simples), et on veut trouver des solutions du problème (les paramètres). Les problèmes inversés sont notoirement difficiles, en étant par exemple très sensibles aux conditions initiales.

Le calibrage peut induire en erreur, puisqu'il suggère que vos prix sont corrects. Par exemple, si vous calibrez un modèle par rapport à un ensemble de contrats vanille, et que vous calibrez un modèle différent au même ensemble de vanilles, comment connaissez-vous le meilleur modèle ? Les deux évaluent correctement le prix des vanilles aujourd'hui. Mais quelle sera leur performance demain ? Devrez-vous re-calibrer ? Si vous utilisez les deux modèles différents pour évaluer un contrat exotique, comment pouvez-vous savoir le prix à utiliser ? Comment pouvez-vous connaître celui qui donne les meilleurs ratios de couverture ? Comment pourrez-vous même savoir si vous avez gagné ou perdu de l'argent ?

Référence et approfondissement

Schoutens, W., Simons, E. & Tistaert, J., 2004, « A perfect calibration ! Now what ? », *Wilmott magazine*, March, p. 66–78.

Qu'est-ce que le prix de marché du risque ?

Réponse courte

Le prix de marché du risque est le rendement en excès du taux sans risque que le marché exige comme compensation de la prise de risque.

> **Exemple**
>
> Historiquement, une action a crû avec une moyenne de 20 % par an quand le taux d'intérêt sans risque était de 5 %. La volatilité sur cette période était de 30 %. Par conséquent, pour chaque unité de risque cette action a un rendement moyen supplémentaire de 0,5 % au-dessus du taux sans risque. C'est le prix de marché du risque.

Réponse détaillée

D'après la théorie économique classique, aucune personne raisonnable n'investirait dans un actif risqué, à moins qu'il ne s'attende à battre le rendement d'un actif sans risque. Typiquement, le risque est mesuré par l'écart-type des rendements, ou la volatilité. Le prix de marché du risque d'une action est mesuré par le ratio du rendement attendu en excès du taux d'intérêt sans risque, divisé par l'écart-type des rendements. Intéressant, cette quantité n'est pas affectée par l'effet de levier. Si vous empruntez au taux sans risque pour investir dans un actif risqué, le rendement espéré et le risque augmentent tous deux, de sorte que le prix de marché du risque est inchangé. Ce ratio, une fois convenablement annualisé, est également appelé le **ratio de Sharpe**.

Si l'on a une certaine valeur pour le prix de marché du risque d'une action, une question évidente à poser est celle du prix de marché du risque pour une option sur cette action. Dans le fameux monde de Black-Scholes où la volatilité est déterministe et où l'on peut se couvrir continûment et sans coûts, alors le prix de marché du risque pour une option est le même que celui pour l'action sous-jacente. Ceci est lié au concept de **marché complet** dans lequel les options sont superflues parce qu'elles peuvent être dupliquées par des actions et du cash.

Dans la théorie des dérivés, on essaye souvent de modéliser des quantités comme stochastiques, c'est-à-dire aléatoires. L'aléa mène au risque, et le risque nous incite à nous demander comment évaluer le risque, c'est-à-dire, quel rendement on peut espérer pour la prise de risque. La cause déterminante, de loin la plus importante, du rôle de ce prix de marché du risque, est la réponse à la question suivante : la quantité que vous modélisez est-elle négociée directement sur le marché ?

Si la quantité *est* négociée directement, l'exemple évident étant celui d'une action, alors le prix de marché du risque n'apparaît pas dans le modèle d'évaluation d'options de Black-Scholes. La raison en est que vous pouvez couvrir une position sur options de façon à vous affranchir du risque en vendant et achetant dynamiquement l'actif sous-jacent. C'est la base de l'**évaluation risque-neutre**. La couverture élimine l'exposition à la direction que l'actif prend, et donc à son prix de marché du risque. Vous le constaterez si vous regardez l'équation de Black-Scholes. Là, le seul paramètre venant de la trajectoire aléatoire de l'action est sa volatilité, mais ni son taux de croissance ni son prix du risque n'apparaissent.

D'un autre côté, si la quantité modélisée n'est pas négociée en direct, alors il y a une référence explicite au prix de marché du risque dans le modèle d'évaluation d'options. Ceci parce que l'on ne peut pas se couvrir contre le risque associé. Et pour cette raison, on doit connaître le montant du rendement supplémentaire nécessaire pour compenser ce risque que l'on ne peut pas couvrir. En effet, le prix de marché du risque va typiquement apparaître dans les modèles classiques d'évaluation d'options à chaque fois que l'on ne pourra pas se couvrir parfaitement. Attendez-vous donc à le voir apparaître dans les situations suivantes :

- quand vous avez un modèle stochastique pour une quantité qui n'est pas négociée. Exemples : volatilité stochastique, taux d'intérêt (c'est subtil, le taux spot *n'est pas* négocié), le risque de défaut ;
- quand vous ne pouvez pas vous couvrir. Exemples : modèles à sauts, modèles de défauts, coûts de transaction.

Quand vous modélisez de façon stochastique une quantité qui n'est pas négociée, l'équation gouvernant l'évaluation des dérivés est habituellement de type diffusion, où le prix de marché du risque apparaît dans le terme de « dérive » de la quantité non négociée. Pour clarifier les choses, voici un exemple général.

Supposez que le prix d'une option dépende de la quantité d'une substance appelée phlogiston. Le phlogiston n'est pas négocié, mais soit le résultat de l'option dépend de la valeur du phlogiston, soit la valeur du phlogiston joue un rôle dans les dynamiques de l'actif sous-jacent. On modélise la valeur de phlogiston par :

$$d\Phi = \mu_\Phi dt + \sigma_\Phi dX_\Phi.$$

Le prix de marché du risque du phlogiston est λ_Φ. Dans les modèles classiques d'évaluation d'options, on terminera avec une équation pour une option avec le terme suivant :

$$\ldots + (\mu_\Phi - \lambda_\Phi \sigma_\Phi) \frac{\partial V}{\partial \Phi} + \ldots = 0.$$

Les points représentent tous les autres termes que l'on a habituellement dans une équation de type Black-Scholes. On constate que la variation attendue de la valeur du phlogiston, μ_Φ, a été ajustée pour tenir compte du prix de marché du risque du phlogiston. On l'appelle la **dérivée ajustée au risque** ou **risque-neutre**. De manière opportune, puisque l'équation gouvernante est encore de type diffusion, on peut continuer à utiliser les méthodes de simulation de Monte Carlo pour l'évaluation. Il faut juste se souvenir de simuler la trajectoire aléatoire risque-neutre :

$$d\Phi = (\mu_\Phi - \lambda_\Phi \sigma_\Phi) dt + \sigma_\Phi dX_\Phi.$$

et non la trajectoire réelle.

Vous pouvez imaginer estimer la dérive et la volatilité réelles pour toute quantité financière observable, simplement en regardant une série temporelle des valeurs de cette quantité. Mais comment pouvez-vous estimer son prix de marché du risque ? Le prix de marché du risque est seulement observable par le prix des options. C'est l'endroit où la pratique et l'élégante théorie commencent à se fausser compagnie. Le prix de marché du risque semble être une manière d'évaluer calmement la valeur supplémentaire requise pour prendre un risque. Malheureusement, il n'y a rien de calme dans la manière dont les marchés réagissent au risque. Par exemple, il est assez simple de relier la pente de la courbe de taux au prix de marché du risque de taux d'intérêt. Mais cela suggère fortement que le prix de marché du risque est lui-même aléatoire, et devrait peut-être aussi être modélisé de manière stochastique.

Notez que, lorsque vous calibrez un modèle par rapport au prix de marché des options, vous calibrez souvent effectivement le prix de marché du risque. Mais cela ne sera typiquement qu'un point à un instant donné. Si le prix de marché du risque est aléatoire, reflétant les attitudes des gens variant de la peur à la cupidité et *vice versa*, alors vous êtes en train de supposer fixe quelque chose qui est très mobile, et le calibrage ne fonctionnera pas.

Il y a des modèles dans lesquels le prix de *marché* du risque n'apparaît pas parce qu'ils incluent typiquement le fait d'utiliser une certaine forme d'approche par la théorie de l'utilité pour trouver le prix d'un instrument pour une personne donnée plutôt que pour le marché.

Références et approfondissement

Ahn, H. & Wilmott, P., 2003b, « Stochastic volatility and meanvariance analysis », *Wilmott magazine* November 2003, p. 84–90.

Markowitz, H., 1959, *Portfolio Selection : efficient diversification of investment*, John Wiley & Sons.

Wilmott, P., 2006, *Paul Wilmott On Quantitative Finance*, second edition, John Wiley & Sons.

Quelle est la différence entre l'approche par un modèle d'équilibre et l'approche par un modèle d'arbitrage ?

Réponse courte

Les modèles d'équilibre égalisent l'offre et la demande, ils requièrent la connaissance des préférences et probabilités des investisseurs. Les modèles d'arbitrage évaluent un instrument en le reliant aux prix d'autres instruments.

Exemple

Le modèle de taux d'intérêt de Vasicek peut être calibré par rapport à des données historiques. Il peut donc être vu comme la représentation d'un modèle d'équilibre, mais il rejoindra rarement les prix négociés. Peut-être bien qu'il serait alors un bon modèle de trading. Le modèle BGM rejoint les prix de marché chaque jour, et par conséquent suggère qu'il n'y a jamais d'opportunités de trading.

Réponse détaillée

Les modèles d'équilibre représentent l'égalité de l'offre et de la demande. Comme pour les modèles d'équilibre dans d'autres contextes non financiers, il peut y avoir un seul point d'équilibre, ou plusieurs, ou peut-être aucun équilibre possible du tout. Et les points d'équilibre peuvent être stables de telle sorte qu'une petite perturbation autour de l'équilibre sera corrigée (une balle dans un vallon), ou instable de telle sorte qu'une petite perturbation grossira (une balle sur le sommet d'une colline). Le prix donné par un modèle d'équilibre est supposé être correct dans un sens absolu.

Les modèles d'équilibre originels typiques en économie requièrent usuellement des probabilités des résultats futurs, et une représentation des préférences des investisseurs. Ces dernières sont parfois quantifiées par des fonctions d'utilité. En pratique, aucune n'est habituellement disponible, et donc les modèles d'équilibre tendent à être d'un intérêt plus académique que pratique.

Les modèles d'absence d'opportunité d'arbitrage (no-arbitrage ou arbitrage-free models) représentent le point où aucun profit d'arbitrage ne peut plus être fait. Si on peut obtenir les mêmes revenus et probabilités futurs avec deux portefeuilles différents, alors les deux portefeuilles doivent avoir la même valeur aujourd'hui, autrement il y aurait un arbitrage. En finance quantitative, l'exemple le plus évident des deux portefeuilles est celui d'une option d'un côté, et du cash et d'une position sur action rééquilibrée dynamiquement de l'autre côté. Au final, cela revient à obtenir la valorisation de l'option en fonction du prix du sous-jacent. Les probabilités associées aux futurs prix de l'action sortent du calcul et les préférences ne sont jamais nécessaires. Quand l'évaluation sans arbitrage est possible, on tend à l'utiliser en pratique. Le prix issu d'un modèle d'absence d'opportunité d'arbitrage est supposé être correct dans un sens relatif.

Pour que l'évaluation par absence d'opportunité d'arbitrage fonctionne, on a besoin de marchés qui soient **complets**, de sorte que l'on puisse évaluer un contrat en fonction d'autres contrats. Si les marchés ne sont pas complets et si l'on a des sources de risque impossibles à couvrir, alors on a besoin de pouvoir quantifier le **prix de marché du risque** pertinent. C'est une manière de relier de façon cohérente les prix des dérivés ayant la même source de risque impossible à couvrir, une volatilité stochastique par exemple.

Les modèles d'équilibre et d'absence d'opportunité d'arbitrage souffrent tous deux de problèmes de stabilité des paramètres.

Dans le monde des taux, des exemples de modèles d'équilibre sont ceux de Vasicek, CIR, Fong & Vasicek. Ceux-ci ont des paramètres qui sont constants, et qui peuvent être estimés à partir de données de séries temporelles. Le problème de ces modèles est qu'ils permettent un arbitrage très simple, parce que les prix qu'ils sortent pour les obligations ne rejoignent que rarement les prix négociés. Maintenant, les prix peuvent être corrects étant fondés sur les statistiques du passé, mais sont-ils corrects pour le futur ? Les modèles de Ho & Lee et Hull & White sont un croisement entre les modèles d'équilibre et absence d'opportunité d'arbitrage. Superficiellement, ils semblent très similaires au précédent, mais en rendant un paramètre ou plusieurs dépendants du temps, ils peuvent être calibrés par rapport aux prix de marché et sont donc supposés supprimer les opportunités d'arbitrage. Mais encore une fois, si les paramètres, qu'ils soient des constantes ou des fonctions, ne sont pas stables, alors il y aura de l'arbitrage. Mais la question est de savoir si cet arbitrage est prévisible. Les modèles de taux d'intérêt de HJM et BGM rejoignent les prix de marché chaque jour et sont donc encore plus dans le camp des modèles d'absence d'opportunité d'arbitrage.

Références et approfondissement

Brace, A., Gatarek, D. & Musiela, M., 1997, « The market model of interest rate dynamics », *Mathematical Finance 7*, p. 127–154.

Cox, J., Ingersoll, J. & Ross, S., 1985, « A theory of the term structure of interest rates », *Econometrica 53*, p. 385–467.

Fong, G. & Vasicek, O., 1991, Interest rate volatility as a stochastic factor, Working Paper.

Heath, D., Jarrow, R. & Morton, A., 1992, « Bond pricing and the term structure of interest rates : a new methodology », *Econometrica 60*, p. 77–105.

Ho, T. & Lee, S., 1986, « Term structure movements and pricing interest rate contingent claims », *Journal of Finance 42*, p. 1129–1142.

Hull, J.C. & White, A., 1990, « Pricing interest rate derivative securities », *Review of Financial Studies 3*, p. 573–592.

Vasicek, O.A., 1977, « An equilibrium characterization of the term structure », *Journal of Financial Economics 5*, p. 177–188.

Dans quelle mesure l'hypothèse de distributions normales pour les rendements financiers est-elle bonne ?

Réponse courte

La réponse doit être « cela dépend ». Cela dépend de l'échelle de temps sur laquelle les rendements sont mesurés. Pour les actions sur des échelles temporelles très courtes, de l'intraday à quelques jours, les distributions ne sont pas normales, elles ont des queues de distribution plus épaisses et des pics plus hauts que des distributions normales. Sur de longues périodes, elles commencent à être plus normales, et sur quelques années ou dizaines d'années, elles semblent log-normales.

Cela dépend aussi de ce que l'on entend par « bonne ». Elles sont très bonnes dans le sens où ce sont des distributions avec lesquelles il est facile de travailler, et aussi, grâce au théorème de la limite centrale, des distributions qui sont sensées, puisqu'il y a de vraies bonnes raisons qui expliquent leur apparition. Elles sont bonnes aussi du fait que le calcul stochastique basique et le lemme d'Itô supposent que les distributions normales et ces concepts sont les outils de base du quant.

Exemple

Sur la figure 2-12 on voit la fonction de densité de probabilité pour des rendements quotidiens sur l'indice S & P depuis 1980, normalisé pour avoir une moyenne de zéro et un écart-type de 1, et aussi la distribution normale standardisée. Le pic empirique est plus haut que celui de la distribution normale et les queues sont toutes deux plus épaisses.

Le 19 octobre 1987 le S & P500 a chuté de 20,5 %. Quelle est la probabilité d'une chute de 20 % en un seul jour sur le S & P500 ? Puisque l'on travaille avec des données journalières sur plus de 20 ans, on pourrait prétendre qu'empiriquement il y aura une chute de 20 % sur l'indice SPX tous les 20 ans à peu près. Pour obtenir une estimation théorique, fondée sur des distributions normales, on doit d'abord estimer l'écart-type journalier des rendements du SPX.

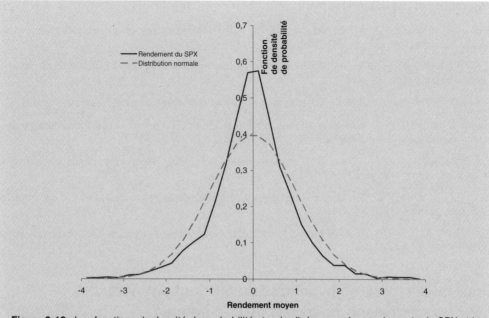

Figure 2-12 : Les fonctions de densité de probabilité standardisées pour les rendements du SPX et la Distribution Normale.

Sur cette période il était de 0,0106, équivalent à une volatilité moyenne de 16,9 %. Quelle est la probabilité d'une chute de 20 % ou plus quand l'écart-type est 0,0106 ? C'est un minuscule $1,8 \cdot 10^{-79}$. C'est juste une fois tous les $2 \cdot 10^{76}$ ans. C'est en cela que l'hypothèse de distribution normale est mauvaise dans les queues de distribution.

Réponse détaillée

D'après l'évidence empirique, les rendements des actifs ne sont pas distribués normalement. Des études statistiques montrent qu'il y a une kurtosis (queues épaisses) significative et une certaine asymétrie (skewness). Ce qui va compter ou non dépend de plusieurs facteurs :

- Détenez-vous des actions pour spéculer, ou couvrez-vous des dérivés ?
- Les rendements sont-ils indépendants et identiquement distribués (i.i.d.), quoique non normalement distribués ?
- La variance de la distribution est-elle finie ?
- Peut-on couvrir avec d'autres options ?

Les théories les plus basiques sur l'allocation d'actifs, comme la théorie moderne du portefeuille, supposent que les rendements sont normalement distribués. Cela permet de faire un grand progrès analytique puisque l'ajout de nombres aléatoires issus de distributions normales donne une autre distribution normale. Mais la spéculation sur actions, sans couverture, vous expose à la direction de l'actif ; vous achetez l'action parce que vous espérez qu'elle croisse. En supposant que cette action n'est pas votre seul investissement, votre principale préoccupation concerne le prix de l'action espéré dans le futur, et pas tellement sa distribution. D'un autre côté, si vous couvrez des options, vous éliminez largement l'exposition à la direction de l'actif. Ceci tant que vous ne couvrez pas trop peu fréquemment.

Si vous couvrez des dérivés vous êtes exposé à la dispersion des rendements, pas à la direction. Cela signifie que vous êtes exposé à la variance, si les mouvements des actifs sont petits, ou aux tailles et probabilités des sauts discontinus. Les modèles d'actifs peuvent être divisés grossièrement entre ceux pour lesquels la variance des rendements est finie, et ceux pour lesquels elle ne l'est pas.

Si la variance est finie, le fait que les rendements soient normalement distribués n'est pas très important. Non, c'est plutôt le fait d'être i.i.d. qui importe davantage. La partie « indépendante » n'est également pas si importante puisque, s'il y a une relation entre les rendements d'une période à une autre, cela tend à être très faible en pratique. La vraie question est celle de la variance, est-elle constante ? Si c'est le cas, et si on se couvre fréquemment, alors on peut travailler avec des distributions normales et le modèle de Black-Scholes à volatilité constante. Cependant, si elle n'est pas constante, on peut vouloir la modéliser plus précisément. On approche typiquement cette modélisation à la fois par des modèles de volatilité déterministe ou locale, dans lesquels la volatilité est fonction de l'actif et du temps, $\sigma(S, t)$, et des modèles à volatilité stochastique, dans lesquels on représente la volatilité par un autre processus stochastique. Ces derniers requièrent une connaissance ou une spécification des préférences de risque puisque le risque de volatilité ne peut être couvert simplement par l'actif sous-jacent.

Si la variance des rendements est infinie, ou s'il y a des sauts dans la trajectoire de l'actif, alors les distributions normales et Black-Scholes sont moins pertinents. Les modèles qui capturent ces effets demandent aussi une connaissance ou une spécification des préférences. Il est théoriquement bien plus difficile de couvrir des options dans de tels univers que dans un monde à volatilité stochastique.

Dans une certaine mesure, l'existence d'autres options négociées avec lesquelles on peut statistiquement couvrir un portefeuille de dérivés peut réduire l'exposition aux hypothèses sur les distributions ou les paramètres. Ceci est appelé **couvrir le risque de modèle**. C'est particulièrement important pour les market makers. De fait, il est instructif de considérer la manière dont les market makers réduisent le risque :

- le market maker couvre un dérivé par un autre dérivé, suffisamment similaire pour avoir une exposition au modèle similaire ;
- tant que le market maker a une espérance de gain positif pour chaque transaction, bien qu'avec un certain risque de modèle, comme il a un grand nombre de positions, il réduira son exposition globale par diversification. Cela ressemble plus à une approche actuarielle du risque de modèle ;
- si aucun des cas précédents n'est possible, il peut élargir ses fourchettes offre-demande. Ainsi, il traitera seulement avec les gens qui ont des vues significativement différentes du marché que lui.

Référence et approfondissement

Mandelbrot, B. & Hudson, R., 2004, *The (Mis)Behaviour of Markets : A Fractal View of Risk, Ruin and Reward*, Profile Books.

Quelle est la robustesse du modèle de Black-Scholes ?

Réponse courte

Très robuste. Vous pouvez abandonner un certain nombre des hypothèses sous-jacentes au modèle de Black–Scholes, et il continuera à fonctionner.

Exemple

Les coûts de transaction ? Ajustez simplement la volatilité. Une volatilité dépendante du temps ? Utilisez à la place la racine carrée de la variance moyenne. Des dérivés de taux d'intérêt ? Black (1976) explique comment utiliser les formules de Black-Scholes dans des situations pour lesquelles elles n'ont pas été initialement prévues.

Réponse détaillée

Voici quelques hypothèses qui semblent cruciales pour le modèle de Black-Scholes, et ce qui arrive quand on passe outre.

La couverture est continue. Si vous couvrez discrètement, Black-Scholes devient correct *en moyenne*. En d'autres termes, parfois vous perdez à cause de la couverture discrète, parfois vous gagnez, mais en moyenne vous rentrez dans vos frais. Et Black-Scholes s'applique encore.

Il n'y a pas de coûts de transactions. S'il y a un coût associé à l'achat ou la vente du sous-jacent pour la couverture, cela peut être modélisé par un nouveau terme dans l'équation de Black-Scholes qui dépend de gamma. Et ce terme est habituellement très petit. Si vous couvrez à des intervalles temporels fixes, la correction est proportionnelle à la valeur absolue du gamma, et peut être interprétée comme une simple correction de la volatilité dans les formules standards de Black-Scholes. Par conséquent, au lieu d'évaluer avec une volatilité de disons 20 %, vous pourrez utiliser 17 % et 23 % pour représenter la fourchette offre-demande due aux coûts de transactions.

La volatilité est constante. Si la volatilité dépend du temps, les formules de Black-Scholes sont encore valables tant que vous injectez la volatilité « moyenne » sur la vie restante de l'option. Ici « moyenne » signifie la racine carrée de la variance moyenne puisque les volatilités ne peuvent être ajoutées, mais les variances si.

Même si la volatilité est stochastique, on peut encore utiliser les formules de Black-Scholes basiques à condition que le processus de volatilité soit indépendant et décorrélé du prix de l'action. Mettez juste dans la formule la moyenne de la variance sur la durée de vie de l'option, conditionnée à sa valeur actuelle.

Il n'y a pas d'opportunités d'arbitrage. Même s'il y a des opportunités d'arbitrage parce que la volatilité implicite est différente de la volatilité effective, vous pouvez toujours utiliser les formules de Black-Scholes pour savoir quel profit vous ferez, et utiliser les formules de delta pour savoir comment vous couvrir. De plus, s'il existe une opportunité d'arbitrage et si vous ne couvrez pas correctement, cela n'aura pas un si gros impact sur le profit que vous espérez faire.

Le sous-jacent est distribué normalement. Le modèle de Black-Scholes est souvent utilisé pour les produits de taux d'intérêt qui ne sont clairement pas log-normaux.

Mais cette approximation est souvent assez bonne, et a l'avantage d'être facile à comprendre. C'est le modèle que l'on connaît couramment sous le nom de Black'76.

Il n'y a pas de coûts associés à l'emprunt d'actions pour les vendre à découvert. C'est facile à accommoder dans un modèle de Black-Scholes, il vous suffit juste de faire un ajustement de la dérive risque-neutre, comme quand il y a un dividende.

Les rendements sont normalement distribués. Grâce à la couverture quasi continue et au **théorème de la limite centrale**, tout ce dont vous avez réellement besoin pour la distribution des rendements, c'est d'avoir une variance finie ; le profil précis de cette distribution, son asymétrie et grand kurtosis ne comptent pas beaucoup.

Black–Scholes est un modèle remarquablement robuste.

Référence et approfondissement

Wilmott, P., 2006, *Paul Wilmott On Quantitative Finance*, second edition, John Wiley & Sons.

Pourquoi la distribution log-normale est-elle importante ?

Réponse courte

La distribution log-normale est souvent utilisée comme modèle pour la distribution des prix des actions ou des matières premières, des taux d'intérêt et des indices. La distribution *normale* est souvent utilisée pour modéliser les *rendements*.

> **Exemple**
>
> L'équation différentielle stochastique communément utilisée pour représenter les actions,
>
> $$dS = \mu S \, dt + \sigma S \, dX$$
>
> donne une distribution log-normale pour S, à condition que μ et σ ne soient pas dépendants du prix de l'action.

Réponse détaillée

Une quantité est distribuée de manière log-normale si son logarithme est normalement distribué, c'est la définition même de la log-normalité. La fonction de densité de probabilité est :

$$\frac{1}{\sqrt{2\pi} \, bx} \exp\left(-\frac{1}{2b^2}(\ln(x) - a)^2\right) \quad x \geq 0,$$

où les paramètres a et $b > 0$ représentent le lieu et l'échelle. La distribution est asymétrique vers la droite, s'étendant à l'infini et bornée par zéro à gauche. (La limite gauche peut être changée pour donner un paramètre supplémentaire, et on peut prendre le symétrique de la distribution par rapport à l'axe vertical pour aller vers « moins l'infini » à la place.)

Si l'on a l'équation différentielle stochastique ci-dessus, la fonction de densité de probabilité pour S s'exprime en fonction du temps et des paramètres comme suit :

$$\frac{1}{\sigma S \sqrt{2\pi t}} e^{-\left(\ln(S/S_0)-(\mu-\frac{1}{2}\sigma^2)t\right)^2/2\sigma^2 t},$$

où S_0 est la valeur de S à $t = 0$.

On s'attendrait à ce que les prix des actions suivent une trajectoire aléatoire autour d'une moyenne croissant exponentiellement. Donc, en prenant le logarithme du prix de l'action on pourrait s'attendre à ce qu'il soit normal autour d'une certaine moyenne. C'est l'explication non mathématique de l'apparence d'une distribution log-normale.

Plus mathématiquement, on pourrait justifier la log-normalité *via* le théorème de la limite centrale. En utilisant Ri pour représenter le rendement aléatoire du prix d'une action du jour i-1 au jour i, on a :

$$S_1 = S_0(1 + R_1),$$

le prix de l'action croît à un taux égal au rendement du jour zéro au jour 1. Après le deuxième jour, on a aussi :

$$S_2 = S_1(1 + R_2) = S_0(1 + R_1)(1 + R_2).$$

Après n jours on a :

$$S_n = S_0 \prod(1 + R_i),$$

le prix de l'action est la valeur initiale multipliée par n facteurs, les facteurs étant égaux aux rendements aléatoires plus un.

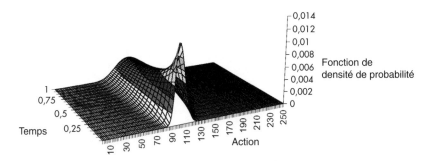

Figure 2-13 : la fonction de densité de probabilité pour la trajectoire aléatoire log-normale évoluant dans le temps

En prenant les logarithmes, on obtient :

$$\ln(S_n) = \ln(S_0) + \sum_{i=1}^{n} \ln(1 + R_i),$$

le logarithme d'un produit étant la somme des logarithmes.

Désormais, pensez au théorème de la limite centrale. Si chaque R_i est aléatoire, alors il en est de même pour $\ln(1 + R_i)$. Donc, l'expression pour $\ln(S_n)$ est juste la somme de nombreux nombres aléatoires. Tant que les R_i sont indépendants et identiquement distribués, et que la moyenne et l'écart-type de $\ln(1 + R_i)$ sont finis, on peut appliquer le TLC et conclure que $\ln(S_n)$ doit être distribué normalement. Par conséquent, S_n est normalement distribué. Puisque ici, n est un nombre de jours (ou toute autre période temporelle fixe), la moyenne de $\ln(S_n)$ est linéaire en n, c'est-à-dire va croître linéairement avec le temps, et l'écart-type sera proportionnel à la racine carrée de n, c'est-à-dire croîtra comme la racine carrée du temps.

Référence et approfondissement

Wilmott, P., 2006, *Paul Wilmott On Quantitative Finance*, second edition, John Wiley & Sons.

Que sont les copules et comment sont-elles utilisées en finance quantitative ?

Réponse courte

Les copules sont utilisées pour modéliser la distribution jointe de multiples sous-jacents. Elles permettent une structure riche de « corrélations » entre les sous-jacents. Elles sont utilisées pour la valorisation, la gestion des risques, le « pairs trading », etc. et sont particulièrement populaires dans les dérivés de crédit.

Exemple

On a un panier d'actions qui, en temps normal, montrent peu de relations entre elles. On pourrait dire qu'elles sont décorrélées. Mais les jours où le marché fluctue énormément, elles bougent toutes ensemble. Un tel comportement peut être modélisé par les copules.

Réponse détaillée

La technique la plus employée aujourd'hui pour évaluer les dérivés de crédit quand il y a de nombreux sous-jacents est celle de la **copule**. La fonction copule[1] est une manière de simplifier la structure de dépendance de défaut entre de nombreux sous-jacents d'une façon relativement transparente. La difficulté subtile est de séparer la distribution de défaut pour chaque nom individuel de la structure de dépendance entre ces noms. Par conséquent, on peut assez facilement analyser les noms un par un, pour des besoins de calibrage par exemple, puis les lier tous ensemble dans une distribution multivariée. Mathématiquement, la représentation de la dépendance par une copule (une distribution marginale par sous-jacent, et une structure de dépendance) n'est pas différente de la spécification d'une fonction de densité multivariée. Mais elle peut simplifier l'analyse.

L'approche « copule » nous permet, en effet, de passer facilement, presque sans discontinuité, d'un monde à défaut unique à un monde à défauts multiples. Et en choisissant la nature de la dépendance, la fonction copule, on peut explorer des modèles ayant une riche structure de « corrélation ». Par exemple, obtenir un haut degré de dépendance pendant de grands mouvements de marché est assez simple.

---

1. Du mot latin pour « joint ».

Prenez N variables aléatoires uniformément distribuées U_1, U_2, ..., U_N, chacune définie dans $[0,1]$. La fonction copule est définie comme :

$$C(u_1, u_2, \ldots, u_N) = \text{Prob}(\ U_1 \leq u_1, U_2 \leq u_2, \ldots, U_N \leq u_N).$$

On a clairement :

$$C(u_1, u_2, \ldots, 0, \ldots, u_N) = 0,$$

et :

$$C(1, 1, \ldots, u_i, \ldots, 1) = u_i.$$

C'est la fonction copule. La manière dont elle lie de nombreuses distributions univariées avec une distribution multivariée unique est définie comme suit.

Soit x_1, x_2, ..., x_N des variables aléatoires avec des fonctions de distribution cumulatives (appelées distributions **marginales**) $F_1(x_1)$, $F_2(x_2)$, ..., $F_N(x_N)$. On combine les F avec la fonction copule,

$$C(F_1(x_1), F_2(x_2), \ldots, F_N(x_N)) = F(x_1, x_2, \ldots, x_N)$$

$$F(x_1, x_2, \ldots, x_N)$$

et il est facile de montrer que cette fonction $F(x_1, x_2, \ldots, x_N)$ est la même que :

$$\text{Prob}(\ X_1 \leq x_1, X_2 \leq x_2, \ldots, X_N \leq x_N).$$

Pour évaluer un panier de dérivés de crédit, on utilisera l'approche copule en simulant les occurrences de défaut de chacun des noms constituant le panier. Et ainsi on réalisera de nombreuses simulations pour pouvoir analyser les statistiques, la moyenne, l'écart-type, la distribution, etc. de la valeur actualisée des cash-flows résultants.

Voici quelques exemples de fonctions copules bivariées. Elles sont facilement étendues au cas multivarié.

Normale Bivariée :

$$C(u, v) = N_2\left(N_1^{-1}(u), N_1^{-1}(v), \rho\right), \quad -1 \leq \rho \leq 1,$$

où N_2 est la fonction de distribution cumulative normale bivariée, et N_1^{-1} est l'inverse de la fonction de distribution cumulative normale univariée.

Frank :

$$C(u, v) = \frac{1}{\alpha} \ln\left(1 + \frac{(e^{\alpha u} - 1)(e^{\alpha v} - 1)}{e^{\alpha} - 1}\right), \quad -\infty < \alpha < \infty.$$

Borne supérieure de Fréchet-Hoeffding :

$$C(u, v) = \min(u, v).$$

Gumbel-Hougaard :

$$C(u, v) = \exp\left(-\left((-\ln u)^{\theta} + (-\ln v)^{\theta}\right)^{1/\theta}\right), \quad 1 \leq \theta < \infty.$$

Cette copule est bonne pour représenter les distributions de valeurs extrêmes.

Produit :

$$C(u, v) = uv$$

Une des propriétés simples à examiner pour chacune de ces copules, et qui peut vous aider à décider la meilleure pour vos besoins, est l'**indice de queue de distribution**. Considérons :

$$\lambda(u) = \frac{C(u, u)}{u}.$$

C'est la probabilité qu'un événement avec une probabilité inférieure à u arrive sur la première variable, étant donné que, dans le même temps, un événement de probabilité inférieure à u arrive sur la seconde variable. Maintenant, considérons la limite de cela quand u tend vers 0 :

$$\lambda_L = \lim_{u \to 0} \frac{C(u, u)}{u}.$$

Cet indice de queue de distribution nous informe sur la probabilité que deux événements extrêmes surviennent en même temps.

Référence et approfondissement

Li, D., 2000, On Default Correlation : A Copula Function Approach, RiskMetrics Working Paper.
Nelsen, R.B., 1999, An Introduction to Copulas, Springer Verlag.

Qu'est-ce que l'analyse asymptotique et comment est-elle utilisée en modélisation financière ?

Réponse courte

L'analyse asymptotique concerne l'exploitation d'un paramètre grand ou petit dans un problème, pour trouver des équations simples ou plus simples, ou même des solutions. On peut avoir une intégrale compliquée qui est beaucoup plus simple si on l'approxime ; ou une équation aux dérivées partielles qui peut être résolue si l'on peut se passer de certains des termes les moins importants. Parfois, on les appelle solutions approchées. Mais le mot « approché » n'implique pas les mêmes exigences techniques que « asymptotique ».

Exemple

Le modèle SABR est un modèle connu de taux d'intérêt à terme et de sa volatilité, qui exploite la faible volatilité de la volatilité pour trouver des solutions de formes fermées pour les prix des options. Si ce paramètre n'est pas petit, on doit résoudre le problème numériquement.

Réponse détaillée

L'analyse asymptotique concerne l'exploitation d'un paramètre grand ou petit dans un problème pour trouver des solutions/expressions simples ou plus simples. En dehors de la finance, l'analyse asymptotique est extrêmement commune et utile. Par exemple, la plupart des problèmes de mécanique des fluides l'utilisent pour rendre les problèmes plus faciles à appréhender. En mécanique des fluides, il y a un paramètre sans dimension très important, appelé le nombre de Reynolds. Cette quantité est donnée par :

$$Re = \frac{\rho U L}{\mu},$$

où ρ est la densité du fluide, U est une vitesse typique de l'écoulement, L est une échelle de longueur typique, et μ est la viscosité du fluide. Ce paramètre apparaît dans l'équation de Navier-Stokes qui, avec l'équation d'Euler de conservation de la masse, gouverne les écoulements des fluides. Et cela s'applique au flux d'air autour d'un aéronef, et à l'écoulement du verre. Ces équations sont généralement difficiles à résoudre. Dans les cours d'université, elles sont résolues dans des cas spéciaux, peut-être des géométries spéciales. Dans la vraie vie, lors de la conception d'un aéronef, elles sont résolues numériquement. Mais ces équations peuvent souvent être simplifiées, essentiellement approchées, et donc rendues plus faciles à résoudre, dans des «régimes» spéciaux. Les deux régimes distincts sont ceux à grand et faible nombre de Reynolds. Quand Re est grand, on a des écoulements rapides, qui sont généralement non visqueux à l'ordre principal. Supposer que $Re \gg 1$ signifie que l'équation de Navier-Stokes se simplifie grandement, et peut souvent être résolue analytiquement. De l'autre côté, si l'on a un problème où $Re \ll 1$, on a un écoulement lent et visqueux. À ce moment, l'équation de Navier-Stokes se simplifie encore, mais d'une manière complètement différente. Les termes qui étaient retenus dans le cas d'un nombre de Reynolds grand sont négligés, considérés comme n'étant pas importants, et les termes précédemment ignorés deviennent cruciaux.

Souvenez-vous que l'on cherche à observer ce qui arrive quand un paramètre devient petit, que l'on peut alors nommer ε. (De façon équivalente, on fait aussi des analyses asymptotiques pour de grands paramètres, mais alors on peut simplement définir le grand paramètre comme $1/\varepsilon$.) Dans l'analyse asymptotique, on utilise beaucoup les symboles suivants : $O(.)$, $o(.)$ et $\sim$. Ceux-ci sont définis comme suit :

On dit que $f(\varepsilon) = O(g(\varepsilon))$ quand $\varepsilon \to 0$

si $\lim_{\epsilon \to 0} \frac{f(\epsilon)}{g(\epsilon)}$ est finie.

On dit que $f(\varepsilon) = O(g(\varepsilon))$ quand $\varepsilon \to 0$

si $\lim_{\epsilon \to 0} \frac{f(\epsilon)}{g(\epsilon)} = 0.$

On dit que $f(\varepsilon) \sim g(\varepsilon)$ quand $\varepsilon \to 0$

si $\lim_{\epsilon \to 0} \frac{f(\epsilon)}{g(\epsilon)} = 1.$

En finance, il y a eu plusieurs exemples d'analyse asymptotique.

Coûts de transaction : les coûts de transaction sont habituellement un faible pourcentage d'une transaction. Il existe plusieurs modèles pour l'impact que ces coûts ont sur le prix des options, et dans certains cas, ces problèmes peuvent être simplifiés en réalisant une analyse asymptotique lorsque ce paramètre de coût tend vers zéro. Ces modèles de coûts sont invariablement non linéaires.

SABR : ce modèle pour les taux à terme et leur volatilité est un modèle à deux facteurs. Il devrait normalement être résolu numériquement, mais tant que la volatilité du paramètre de volatilité est petite, on peut trouver des solutions asymptotiques de forme fermée. Comme le modèle demande une faible volatilité de la volatilité, il est meilleur pour les dérivés de taux d'intérêt.

Dérive rapide et haute volatilité dans les modèles à volatilité stochastique : ces problèmes de perturbation singulière sont un peu plus compliqués. Maintenant le paramètre est grand, représentant à la fois un rapide retour de la volatilité vers sa moyenne et une grande volatilité de la volatilité. Ce modèle est plus adapté aux marchés actions, plus spectaculaires, qui montrent un tel comportement.

Références et approfondissement

Hagan, P., Kumar, D., Lesniewski, A. & Woodward, D., 2002, « Managing smile risk », *Wilmott magazine*, September.

Rasmussen, H. & Wilmott, P., 2002, « Asymptotic analysis of stochastic volatility models », in *New Directions in Mathematical Finance* (Ed. Wilmott, P. & Rasmussen, H.), John Wiley & Sons.

Whalley, A.E. & Wilmott, P., 1997, « An asymptotic analysis of an optimal hedging model for option pricing with transaction costs », *Mathematical Finance 7*, p. 307–324.

Qu'est-ce qu'un problème de frontière libre et quel est le temps d'arrêt optimal pour une option américaine ?

Réponse courte

Un problème avec des conditions aux limites est typiquement une équation différentielle avec une solution spécifiée pour un domaine donné. Un problème de frontière libre est un problème où la frontière doit aussi faire partie de la solution. Le fait de savoir quand exercer une option américaine est un exemple de problème de frontière libre, la frontière représentant la date et le cours auxquels exercer. Ce problème est aussi qualifié d'arrêt optimal, « l'arrêt » se référant ici à l'exercice de l'option.

Exemple

Prenez des glaçons et mélangez-les. Ce faisant, une frontière va apparaître entre l'eau et la glace, la frontière libre. Plus la glace fond, plus la quantité d'eau augmente et la quantité de glace diminue.

Les vaguelettes sur un bassin sont un autre exemple de frontière libre.

Réponse détaillée

Dans un problème avec des conditions aux limites, la spécification du comportement de la solution sur un domaine doit caractériser le problème de sorte qu'il n'ait qu'une solution unique. Selon le type d'équation à résoudre, on doit juste spécifier le bon type de conditions. Trop peu de conditions, et la solution ne sera pas unique.

Trop de conditions, et il pourrait ne pas y avoir de solution. Dans les équations de diffusion que l'on trouve pour valoriser les dérivés, on doit spécifier une condition aux limites temporelle. C'est le payoff final, et ceci est un exemple de **condition finale**. On doit aussi spécifier deux conditions sur le niveau de l'actif. Par exemple, un put a une valeur nulle pour un prix d'action infini, et vaut le prix d'exercice actualisé pour un prix d'action à zéro. Ce sont des exemples de **conditions aux limites**. Ces trois derniers sont exactement le bon nombre et le bon type de conditions pour qu'ici il existe une solution unique à l'équation aux dérivées partielles parabolique de Black-Scholes.

Concernant le problème du put américain, cela n'a pas de sens de préciser la valeur du put quand le prix de l'action vaut zéro parce que l'option aurait été exercée avant que l'action ne descende si bas. C'est facile à voir parce que la valeur du put européen tombe en dessous du payoff pour un prix de l'action suffisamment petit. Si le prix de l'option américaine devait satisfaire la même équation et les mêmes conditions aux limites que l'option européenne, elle aurait la même solution, et cette solution rendrait possible un arbitrage.

Le put américain devrait être exercé quand le prix de l'action tombe suffisamment bas. Mais que veut dire « suffisamment » ici ?

Pour déterminer le meilleur moment pour exercer on doit respecter deux principes :
- la valeur de l'option ne doit jamais tomber en dessous du payoff, autrement il y aura une opportunité d'arbitrage ;
- on doit exercer de façon à donner à l'option sa valeur maximale.

Le second principe n'est pas immédiatement évident. L'explication en est que l'on évalue l'option du point de vue de l'émetteur. Il doit vendre l'option à la valeur maximale qu'elle peut atteindre, car s'il sous-évalue le contrat, il peut réaliser une perte dans le cas où le détenteur exerce à un meilleur moment. Ceci dit, on doit aussi garder en tête que l'on valorise du point de vue de l'émetteur qui se couvre en delta. Il n'est pas exposé à la direction de l'action. Cependant, le détenteur ne se couvre probablement pas, et est donc très exposé à la direction de l'action. La stratégie d'exercice la meilleure pour le détenteur ne sera probablement pas celle à laquelle pense l'émetteur. Je reviendrai là-dessus bientôt.

Les mathématiques qui sous-tendent la recherche du meilleur moment pour exercer, problème d'arrêt optimal, sont assez techniques. Mais leurs conclusions peuvent être établies assez succinctement. Au prix de l'action auquel il est optimal d'exercer on doit avoir :
- la valeur de l'option et la fonction de payoff doivent être des fonctions continues du sous-jacent ;
- le delta, sensibilité de la valeur de l'option par rapport au sous-jacent, doit aussi être une fonction continue du sous-jacent.

Ceci est appelé la condition de raccordement lisse (smooth parting) puisqu'elle représente la jonction lisse de la fonction de valeur de l'option avec la fonction de payoff. (Fonction lisse dont la dérivée première est continue).

C'est maintenant un problème de frontière libre. À une frontière fixée prescrite, on imposerait normalement une condition. (Par exemple, la valeur du put pour un prix de l'action nul). Mais désormais, on ne sait pas où la limite se situe vraiment. Pour la caractériser de manière unique, on impose *deux* conditions, la continuité de la fonction et la continuité du gradient. Maintenant, on a assez de conditions pour trouver la solution inconnue.

Les problèmes de frontière libre comme ceux-ci sont non linéaires. Vous ne pouvez pas en additionner deux solutions pour obtenir une autre solution. Par exemple, le problème d'un « straddle » américain *n'est pas* le même que la somme d'un call et d'un put américains.

Bien que les mathématiques fascinantes des problèmes de frontière libre puissent être compliquées et difficiles, voire impossibles à résoudre analytiquement, elles peuvent être faciles à résoudre par des méthodes de différences finies. Par exemple, si dans une solution de différences finies on trouve que la valeur de l'option tombe en dessous du payoff, alors on peut juste la remplacer par ce dernier. Tant que l'on fait cela à chaque pas de temps avant de passer au suivant, on obtient normalement une convergence vers la solution correcte.

Comme mentionné ci-dessus, l'option est évaluée en maximisant la valeur du point de vue de l'émetteur qui se couvre en delta. Si le détenteur ne se couvre pas en delta mais spécule sur la direction, il pourra vouloir sortir de sa position à un moment que l'émetteur pense sous-optimal. Dans cette situation il y a trois manières de sortir :

– vendre l'option ;
– se couvrir en delta jusqu'à l'expiration ;
– exercer l'option.

La première doit être préférée parce que l'option peut encore avoir une valeur de marché supérieure au payoff. Le deuxième choix n'est possible que si le détenteur peut se couvrir à moindre coût. Dans tout autre cas, il peut toujours fermer sa position en l'exerçant. C'est particulièrement pertinent dans des situations où l'option est un contrat exotique, de gré à gré, avec une caractéristique d'exercice anticipé à la vente, ou si une couverture en delta est impossible.

Il existe beaucoup d'autres contrats avec des caractéristiques décisionnelles qui peuvent être traités d'une manière similaire à un exercice anticipé comme des problèmes de frontière libre. Des exemples évidents sont la conversion d'une obligation convertible, les options shout et les choosers.

Références et approfondissement

Ahn, H. & Wilmott, P., 2003, « On exercising American options : the risk of making more money than you expected », *Wilmott magazine* March 2003, p. 52–63.
Crank, J.C., 1984, *Free and moving Boundary Value Problems*, Oxford.

Que sont les nombres à discrépance faible ?

Réponse courte

Les suites à discrépance faible sont des suites de nombres qui couvrent un espace sans faire d'amas (clusters) et de trous, d'une manière telle que l'ajout d'un autre nombre à la suite ne donne pas non plus d'amas ni de trous. Elles donnent l'impression d'être aléatoires mais sont pourtant déterministes. Elles sont utilisées pour estimer numériquement des intégrales, souvent dans des hautes dimensions.

Les suites les plus connues sont celles de Faure, Halton, Hammersley, Niederreiter et Sobol'.

Exemple

Vous avez une option qui paie le maximum de 20 taux de change à une date spécifiée. Vous connaissez toutes les volatilités et corrélations. Comment pouvez-vous trouver la valeur de ce contrat ? Si l'on suppose que chaque taux de change suit une trajectoire aléatoire log-normale, ce problème peut être résolu comme une intégrale à 20 dimensions. Une telle intégrale à haute dimension doit être évaluée par quadrature numérique, et une manière efficiente de faire cela est d'utiliser les suites à discrépance faible.

Réponse détaillée

Certains problèmes financiers peuvent être reformulés comme des intégrations, parfois en grande dimension. Par exemple, la valeur d'une option européenne sur des variables aléatoires log-normales peut être écrite comme la valeur actualisée du payoff attendu risque-neutre. Le payoff attendu est une intégrale du produit de la fonction de payoff et de la fonction de densité de probabilité pour le(s) sous-jacent(s) à l'expiration. S'il y a n sous-jacents, il y a typiquement une intégrale de dimension n à calculer. Si le nombre de dimensions est petit, il y a des algorithmes efficients simples pour réussir ce calcul. À une dimension, par exemple, divisez le domaine d'intégration en intervalles uniformes et utilisez la loi des trapèzes. Cela revient à évaluer l'intégrande sur un certain nombre de points, et plus le nombre d'évaluations de la fonction augmente, plus la précision de la méthode s'améliore.

Malheureusement, dans les hautes dimensions, l'évaluation de la fonction à des points uniformément espacés devient inefficiente numériquement.

Si le domaine d'intégration est un hypercube unitaire (et bien sûr il peut toujours être transformé comme tel), la valeur de l'intégrale est la même que la moyenne de la fonction sur ce domaine :

$$\int_0^1 \ldots \int_0^1 f(\mathbf{x}) \, d\mathbf{x} \approx \frac{1}{N} \sum_{i=1}^{N} f(\mathbf{x}_i),$$

où les $\mathbf{x}_i$ sont uniformément distribués. Cela suggère qu'une méthode alternative d'évaluation numérique de l'intégrale consiste à sélectionner les points d'une distribution aléatoire uniforme dans l'hypercube, puis de calculer leur moyenne. Si on réalise N évaluations de la fonction, alors la méthode converge en $O(N^{-1/2})$. C'est la méthode d'intégration numérique de Monte Carlo. Bien que très simple à réaliser, elle souffre de problèmes liés aux inévitables amas et trous qui surviennent lorsque l'on choisit des nombres aléatoirement.

Clairement, on souhaiterait utiliser une suite de nombres qui ne souffre pas du problème d'amas/trous. C'est ici que les suites à discrépance faible interviennent.

Les nombres à discrépance faible exploitent l'**inégalité de Koksma-Hlawka** qui met une limite à l'erreur dans la méthode de la moyenne ci-dessus pour un ensemble arbitraire de points échantillonnés $\mathbf{x}_i$. L'inégalité de Koksma-Hlawka dit que si $f(\mathbf{x})$ est de variation bornée $V(f)$ alors :

$$\left| \int_0^1 \dots \int_0^1 f(\mathbf{x}) \, d\mathbf{x} - \frac{1}{N} \sum_{i=1}^N f(\mathbf{x}_i) \right| \le V(f) \, D_N^*(\mathbf{x}_1, \dots, (\mathbf{x})_N)$$

où $D^*_N (\mathbf{x}_i, \dots, (\mathbf{x})_N)$ est la discrépance de la suite. (Cette discrépance mesure la déviation par rapport à une distribution uniforme. Elle est calculée en comparant le nombre de points d'échantillon qui peuvent être trouvés dans les sous–intervalles avec le nombre de points qu'il y aurait pour une distribution uniforme, puis en prenant le cas le pire).

Concernant ce résultat, le point qui importe plus que les détails est que la borne est le produit d'un terme spécifique à la fonction (sa variation, qui est indépendante de l'ensemble des points de l'échantillon), et un terme spécifique à l'ensemble des points d'échantillonnage (et indépendant de la fonction à échantillonner). Donc, une fois que l'on a trouvé un ensemble de points qui est bon, de discrépance faible, il fonctionnera pour tous les intégrandes de variation bornée.

Les suites à discrépance faible connues mentionnées plus haut sont telles que :

$$D_N^* < C \frac{(\ln N)^n}{N}$$

où C est une constante. Par conséquent, la convergence de cette méthode de quadrature numérique **quasi Monte Carlo** est plus rapide que la méthode de Monte Carlo réellement aléatoire.

Un autre avantage de ces suites à discrépance faible est que si vous faites s'effondrer les points sur une dimension plus basse (par exemple, laissez tous les points d'un graphe bidimensionnel tomber sur l'axe horizontal), ils ne se répéteront pas, ils ne tomberont pas les uns sur les autres. Cela signifie que s'il existe une dépendance particulière forte sur l'une des variables plus que sur les autres, la méthode donnera encore une réponse précise, car elle distribuera les points de façon satisfaisante sur les dimensions plus basses.

Malheureusement, cela reste difficile de parvenir à une bonne implémentation de certaines suites à discrépance faible. Certains praticiens préfèrent acheter un logiciel prêt à l'emploi pour générer des nombres quasi aléatoires.

Références et approfondissement

Barrett, J.W., Moore, G. & Wilmott, P., 1992, « Inelegant efficiency », *Risk magazine* 5 (9), p. 82–84.

Cheyette, O., 1990, Pricing options on multiple assets, *Adv. Fut. Opt. Res. 4*, p. 68–91.

Faure, H., 1969, Résultat voisin d'un théorème de Landau sur le nombre de points d'un réseau dans une hypersphère, *C. R. Acad. Sci. Paris S´er. A 269*, p. 383–386.

Halton, J.H., 1960, « On the efficiency of certain quasi-random sequences of points in evaluating multi-dimensional integrals », *Num. Maths. 2*, p. 84–90.

Hammersley, J.M. & Handscomb, D.C., 1964, *Monte Carlo Methods*, Methuen.

Haselgrove, C.B., 1961, « A method for numerical integration », *Mathematics of Computation 15*, p. 323–337.

Jäckel, P., 2002, *Monte Carlo Methods in Finance*, John Wiley & Sons.

Niederreiter, H., 1992, *Random Number Generation and Quasi-Monte Carlo Methods*, SIAM.

Ninomiya, S. & Tezuka, S., 1996, Toward real-time pricing of complex financial derivatives, *Applied Mathematical Finance 3*, p. 1–20.

Paskov, S.H., 1996, New methodologies for valuing derivatives, in *Mathematics of Derivative Securities* (Eds Pliska, S.R. and Dempster, M.).

Paskov, S.H. & Traub, J.F., 1995, Faster valuation of financial derivatives, *Journal of Portfolio Management*, Fall, p. 113–120.

Press, W.H., Flannery, B.P., Teukolsky, S.A. & Vetterling, W.T., 1992, *Numerical Recipes* in C. Cambridge University Press.

Sloan, I.H. & Walsh, L., 1990, A computer search of rank two lattice rules for multidimensional quadrature, *Mathematics of Computation 54*, p. 281–302.

Sobol', I.M., 1967, On the distribution of points in cube and the approximate evaluation of integrals, *USSR Comp. Maths and Math. Phys. 7*, p. 86–112.

Traub, J.F. & Wozniakowski, H., 1994, Breaking intractability, *Scientific American* Jan, p. 102–107.

Wilmott, P., 2006, *Paul Wilmott On Quantitative Finance*, second edition, John Wiley & Sons.

Chapitre 3

Les distributions de probabilité les plus populaires et leur usage en finance

L es variables aléatoires peuvent être continues ou discrètes (ce dernier cas est repéré ci-dessous par un ★), ou une combinaison. De nouvelles distributions peuvent aussi être fabriquées en utilisant des variables aléatoires tirées de deux distributions ou plus.

Voici une liste de distributions souvent vues en finance (pour la plupart), et quelques mots sur chacune.

Normale ou Gaussienne. Cette distribution n'est pas bornée à gauche ni à droite, et est symétrique par rapport à sa moyenne. Elle a deux paramètres : a, le lieu ; $b > 0$, l'échelle. Sa fonction de densité de probabilité est donnée par :

$$\frac{1}{\sqrt{2\pi}\ b}\,e^{-\frac{(x-a)^2}{2b^2}}.$$

Cette distribution est communément utilisée pour modéliser les rendements des actions, et les variations de nombreuses quantités financières. Les erreurs dans les observations de phénomènes réels sont souvent distribuées normalement. La distribution normale est aussi commune à cause du théorème de la limite centrale.

Moyenne

$$a.$$

Variance

$$b^2.$$

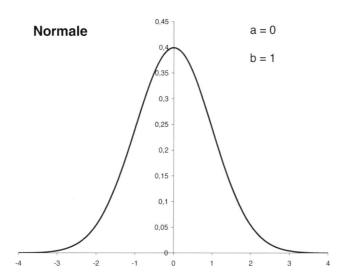

Log-normale. Bornée à gauche, non bornée à droite. Elle a deux paramètres : a, le lieu ; $b > 0$, l'échelle. Sa fonction de densité de probabilité est donnée par :

$$\frac{1}{\sqrt{2\pi}\,bx}\,\exp\left(-\frac{1}{2b^2}(\ln(x)-a)^2\right) \quad x \geq 0.$$

Cette distribution est communément utilisée pour modéliser les prix des actions. La log-normalité des *prix* découle de l'hypothèse de *rendements* normalement distribués.

Moyenne

$$e^{a+\frac{1}{2}b^2}.$$

Variance

$$e^{2a+b^2}(e^{b^2}-1).$$

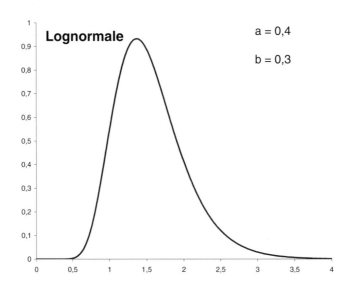

Poisson*. Les variables aléatoires prennent des valeurs entières non négatives seulement. La distribution a un paramètre : $a > 0$. Sa fonction de densité de probabilité est donnée par :

$$\frac{e^{-a}a^x}{x!}, \quad x = 0, 1, 2, 3,$$

Cette distribution est utilisée en modélisation du risque de crédit, représentant le nombre d'événements de crédit à un moment donné.

Moyenne

$$a$$

Variance

$$a$$

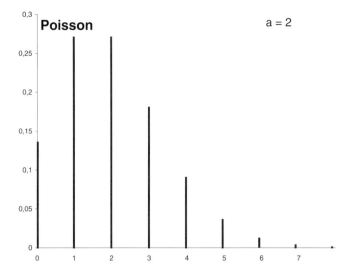

Chi deux. Bornée à gauche et non bornée à droite. Elle a deux paramètres : $a \geq 0$, le lieu ; v, un entier, le nombre de degrés de liberté. Sa fonction de densité de probabilité est donnée par :

$$\frac{e^{-(x+a)/2}}{2^{v/2}} \sum_{i=0}^{\infty} \frac{x^{i-1+v/2} a^i}{2^{2i} j! \Gamma(i+v/2)} \quad x \geq 0,$$

où $\Gamma(.)$ est la fonction Gamma. La distribution du chi deux provient de l'addition des carrés de v variables aléatoires normalement distribuées. La distribution du chi deux à un degré de liberté est la distribution de l'erreur de couverture d'une option qui est couverte seulement discrètement. C'est donc une distribution très importante dans la pratique des options, si ce n'est dans la théorie des options.

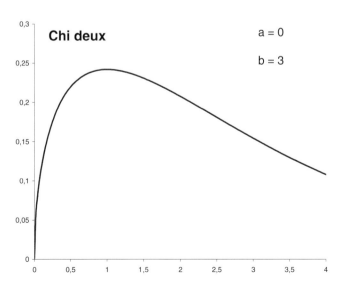

Moyenne

$$v + a.$$

Variance

$$2(v + 2a).$$

Gumbel. Non bornée à gauche et à droite. Elle a deux paramètres : a, le lieu ; $b > 0$ l'échelle. Sa fonction de densité de probabilité est donnée par :

$$\frac{1}{b} e^{\frac{a-x}{b}} e^{-e^{\frac{a-x}{b}}}.$$

La distribution de Gumbel est utile pour modéliser les valeurs extrêmes, représentant la distribution de la valeur maximale parmi un grand nombre de variables aléatoires tirées d'une distribution non bornée.

Moyenne

$$a + \gamma b$$

où γ est la constante d'Euler, 0,577216…

Variance

$$\frac{1}{6} \pi^2 b^2.$$

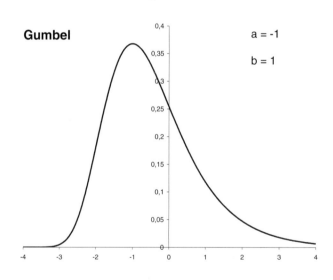

Weibull. Bornée à gauche et non bornée à droite. Elle a trois paramètres : a, le lieu ; $b > 0$, l'échelle ; $c > 0$, la forme. Sa fonction de densité de probabilité est donnée par :

$$\frac{c}{b} \left(\frac{x-a}{b}\right)^{c-1} \exp\left(-\left(\frac{x-a}{b}\right)^c\right), \quad x > a.$$

La distribution de Weibull est aussi utile pour modéliser les valeurs extrêmes, représentant la distribution de la valeur maximale parmi un grand nombre de variables aléatoires tirées d'une distribution bornée. (La figure montre une loi de Weibull « en bosse », mais en fonction des valeurs des paramètres la distribution peut être monotone.)

Moyenne

$$a + b\,\Gamma\left(\frac{c+1}{c}\right).$$

Variance

$$b^2\left(\Gamma\left(\frac{c+2}{c}\right) - \Gamma\left(\frac{c+1}{c}\right)^2\right).$$

où $\Gamma(.)$ est la fonction Gamma.

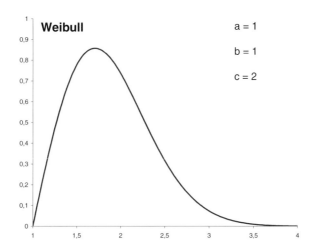

Weibull

a = 1

b = 1

c = 2

t de Student. Non bornée à gauche et à droite. Elle a trois paramètres : a, le lieu ; $b > 0$ l'échelle ; $c > 0$, le nombre de degrés de liberté. Sa fonction de densité de probabilité est donnée par :

$$\frac{\Gamma\left(\frac{c+1}{2}\right)}{b\,\sqrt{\pi c}\,\Gamma\left(\frac{c}{2}\right)}\left(1 + \frac{\left(\frac{x-a}{b}\right)^2}{c}\right)^{-\frac{c+1}{2}},$$

où $\Gamma(.)$ est la fonction Gamma. Cette distribution représente des tirages à faible échantillonnage à partir d'une distribution normale. Elle est aussi utilisée pour représenter les rendements des actions.

Moyenne

$$a$$

Variance

$$\left(\frac{c}{c-2}\right)b^2.$$

Notez que le n-ième moment n'existe que si $c > n$.

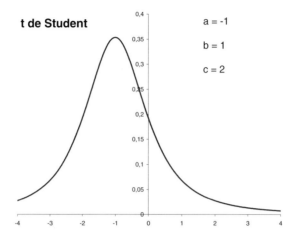

Pareto. Bornée à gauche, non bornée à droite. Elle a deux paramètres : $a > 0$, l'échelle ; $b > 0$, la forme. Sa fonction de densité de probabilité est donnée par :

$$\frac{ba^b}{x^{b+1}} \quad x \ge a.$$

Communément utilisée pour décrire la distribution de la richesse, c'est la distribution classique « puissance » ou « iso-élastique ».

Moyenne

$$\frac{ab}{b-1}.$$

Variance

$$\frac{a^2b}{(b-2)(b-1)^2}.$$

Notez que le n-ième moment n'existe que si $b > n$.

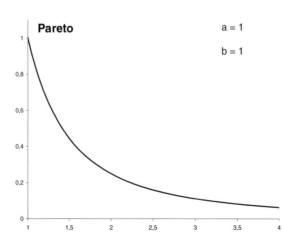

Uniforme. Bornée à gauche et à droite. Elle a deux paramètres de lieu : a et b. Sa fonction de densité de probabilité est donnée par :

$$\frac{1}{b-a}, \quad a < x < b.$$

Moyenne

$$\frac{a+b}{2}.$$

Variance

$$\frac{(b-a)^2}{12}.$$

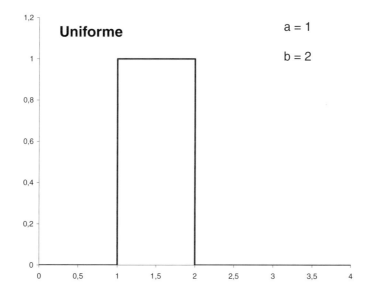

Normale inverse. Bornée à gauche, non bornée à droite. Elle a deux paramètres : $a > 0$, le lieu ; $b > 0$, l'échelle. Sa fonction de densité de probabilité est donnée par :

$$\sqrt{\frac{b}{2\pi x^3}}\, e^{-\frac{b}{2x}\left(\frac{x-a}{a}\right)^2} \quad x \geq 0.$$

Cette distribution modélise le temps pris par un mouvement brownien pour couvrir une certaine distance.

Moyenne

$$a$$

Variance

$$\frac{a^3}{b}.$$

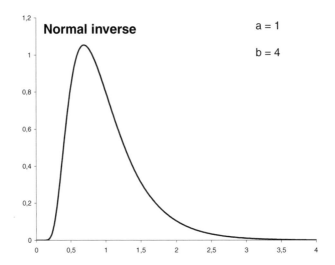

Gamma. Bornée à gauche, non bornée à droite. Elle a trois paramètres : a, le lieu ; $b > 0$, l'échelle ; $c > 0$, la forme. Sa fonction de densité de probabilité est donnée par :

$$\frac{1}{b\,\Gamma(c)}\left(\frac{x-a}{b}\right)^{c-1} e^{\frac{a-x}{b}}, \quad x \ge a,$$

où $\Gamma(.)$ est la fonction Gamma. Quand $c = 1$, c'est la distribution exponentielle, et quand $a = 0$ et $b = 2$, c'est la distribution du chi deux avec $2c$ degrés de liberté.

Moyenne

$$a + bc$$

Variance

$$b^2 c.$$

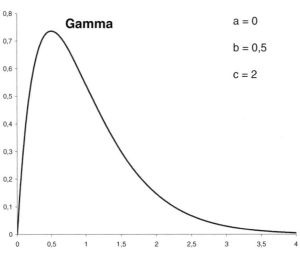

Logistique. Non bornée à gauche et non bornée à droite. Elle a deux paramètres : a, le lieu ; $b > 0$, l'échelle. Sa fonction de densité de probabilité est donnée par :

$$\frac{1}{b} \frac{e^{\frac{x-a}{b}}}{\left(1 + e^{\frac{x-a}{b}}\right)^2}.$$

La distribution logistique modélise la valeur médiane des hauts et bas d'une collection de variables aléatoires, quand le nombre de valeurs échantillonnées devient grand.

Moyenne

$$a$$

Variance

$$\frac{1}{3}\pi^2 b^2.$$

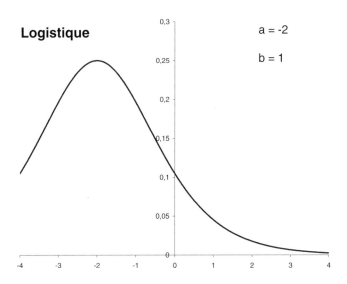

Laplace. Non bornée à gauche et non bornée à droite. Elle a deux paramètres : a, le lieu ; $b > 0$, l'échelle. Sa fonction de densité de probabilité est donnée par :

$$\frac{1}{2b} e^{-\frac{|x-a|}{b}}.$$

Les erreurs d'observations ont habituellement une distribution normale ou de Laplace.

Moyenne

$$a$$

Variance

$$2b^2$$

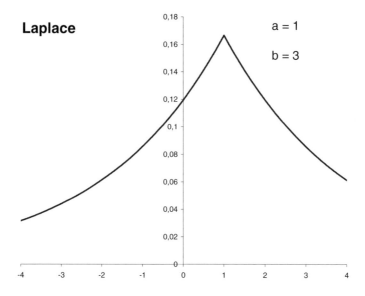

Cauchy. Non bornée à gauche et non bornée à droite. Elle a deux paramètres : a, le lieu ; $b > 0$, l'échelle. Sa fonction de densité de probabilité est donnée par :

$$\frac{1}{\pi b \left(1 + \left(\frac{x-a}{b}\right)^2\right)}.$$

Cette distribution est rarement utilisée en finance. Elle n'a pas de moments finis, mais son mode et sa médiane sont tous deux égaux à a.

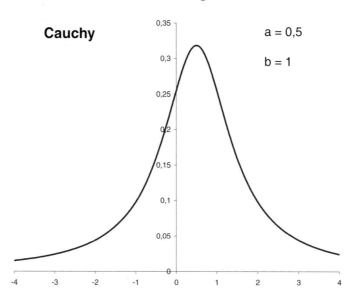

Beta. Bornée à gauche et à droite. Elle a quatre paramètres : a, le lieu de la limite inférieure ; $b > a$, le lieu de la limite supérieure ; $c > 0$ et $d > 0$, la forme. Sa fonction de densité de probabilité est donnée par :

$$\frac{\Gamma(c + d)}{\Gamma(c)\Gamma(d)(b - a)^{c + d - 1}} (x - a)^{c - 1} (b - x)^{d - 1}, \quad a \leq x \leq b,$$

où $\Gamma(.)$ est la fonction Gamma. Cette distribution est rarement utilisée en finance.

Moyenne

$$\frac{ad + bc}{c + d}.$$

Variance

$$\frac{cd (b - a)^2}{(c + d + 1)(c + d)^2}.$$

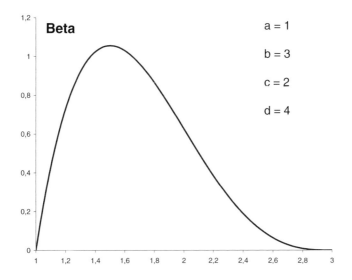

Exponentielle. Bornée à gauche, non bornée à droite. Elle a deux paramètres : a, le lieu ; $b > 0$, l'échelle. Sa fonction de densité de probabilité est donnée par :

$$\frac{1}{b}e^{\frac{a - x}{b}} \quad x \geq a.$$

Cette distribution est rarement utilisée en finance.

Moyenne

$$a + b$$

Variance

$$b^2$$

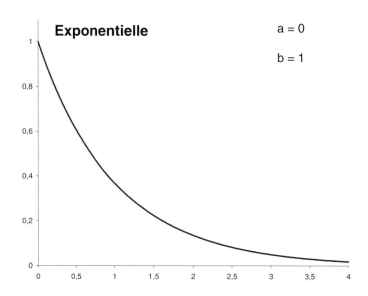

Lévy. Non bornée à gauche et à droite. Elle a quatre paramètres : μ, le lieu (moyenne) ; $0 < \alpha < 2$, le caractère pointu ; $-1 < \beta < 1$, l'asymétrie ; $\nu > 0$, un écart. Cette distribution a été gardée pour la fin parce que sa fonction de densité de probabilité n'a pas d'expression analytique simple. Elle doit être écrite en termes de sa fonction caractéristique. Si $P(x)$ est la fonction de densité de probabilité, la fonction génératrice de moments est donnée par :

$$M(z) = \int_{-\infty}^{\infty} e^{izx} P(x)\ dx,$$

où $i = \sqrt{-1}$. Pour la distribution de Lévy

$$\ln(M(z)) = i\mu z - \nu^{\alpha}|z|^{\alpha}(1 - i\beta \operatorname{sgn}(z)\tan(\pi a/2)),\qquad \text{pour } \alpha \neq 1$$

ou

$$\ln(M(z)) = i\mu z - \nu|z|\left(1 + \frac{2i\beta}{\pi}\operatorname{sgn}(z)\ln(|z|)\right),\qquad \text{pour } \alpha = 1.$$

La distribution normale est un cas spécial de celle-ci avec $\alpha = 2$ et $\beta = 0$, et avec le paramètre ν égal à la moitié de la variance. La distribution de Lévy, ou distribution de Pareto Lévy, est de plus en plus populaire en finance parce qu'elle épouse très bien les données, et a des queues épaisses adaptées. Elle a aussi l'importante propriété théorique d'être une distribution stable, en ce que la somme de nombres aléatoires indépendants tirés de la distribution de Lévy suit elle-même une distribution de Lévy. C'est une propriété utile pour la distribution des rendements. Si l'on ajoute n nombres indépendants tirés de la distribution de Lévy avec les paramètres ci-dessus, on obtiendra un nombre tiré d'une autre distribution de Lévy avec les mêmes α et β mais avec une moyenne de $n^{1/\alpha}\mu$ et un écart de $n^{1/\alpha}\nu$. La queue de la distribution décroît comme $|x|^{-1-\alpha}$.

Moyenne

$$\mu.$$

Variance

Infinie, à moins que $\alpha = 2$, auquel cas elle vaut $2v$.

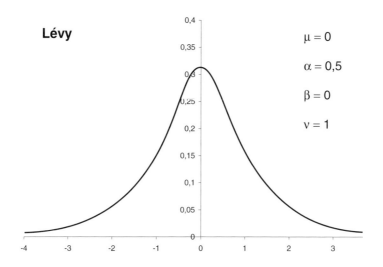

Référence et approfondissement

Spiegel, M.R., Schiller, J.J., Srinivasan, R.A., 2000, *Schaum's Outline of Probability and Statistics*, McGraw–Hill.

Chapitre 4

10 façons différentes de dériver Black-Scholes

Les dix manières différentes de dériver l'équation ou les formules de Black-Scholes qui suivent utilisent des types de mathématiques différents, avec des degrés de complexité et des bagages mathématiques différents. Certaines dérivations sont utiles en ce qu'elles peuvent être généralisées, et certaines sont très spécifiques à un problème. Naturellement, on passera plus de temps sur ces dérivations qui sont les plus utilisées ou qui donnent la meilleure intuition. Les huit premières manières de dériver l'équation et les formules de Black-Scholes sont tirées de l'excellent ouvrage de Jesper Andreason, Bjarke Jensen et Rolf Poulsen (1998).

Dans la plupart des cas, on travaille à l'intérieur d'une structure dans laquelle la trajectoire de l'action est continue, les rendements sont normalement distribués, il n'y a pas de dividendes ni de coûts de transaction, etc. Pour obtenir les formules fermées (les formules de Black-Scholes), on a besoin de supposer que la volatilité est constante, ou peut-être dépendante du temps, mais pour les équations liées aux grecques (l'équation de Black-Scholes) les hypothèses peuvent être plus faibles, si cela nous importe peu de trouver ou non une solution de forme explicite.

Dans de nombreux cas, certaines hypothèses peuvent être relâchées. La dérivation finale, Black-Scholes pour les comptables, utilise peut-être la moindre quantité de mathématiques formelles et est facile à généraliser. Elle a aussi l'avantage de souligner l'une des raisons les plus importantes pour lesquelles le modèle Black-Scholes n'est pas vraiment parfait dans la vraie vie. Je passerai plus de temps sur cette dérivation que sur la plupart des autres.

Je suis curieux de savoir quelle(s) dérivation(s) les lecteurs préfèrent. Je vous en prie, envoyez-moi vos commentaires à paul@wilmott.com. De plus, si vous connaissez d'autres dérivations, je vous propose également de m'en faire part.

La couverture et l'équation aux dérivées partielles

La dérivation originelle de l'équation aux dérivées partielles de Black-Scholes se fait *via* le calcul stochastique, le lemme d'Itô et un argument simple de couverture (Black & Scholes, 1973).

Supposez que le sous-jacent suit une trajectoire aléatoire log-normale :

$$dS = \mu S \text{d}t + \sigma S dX.$$

Soit Π, la valeur d'un portefeuille composé d'une position d'option « long » et d'une position « short » d'une certaine quantité Δ de sous-jacent :

$$\Pi = V(S, t) - \Delta S.$$

Le premier terme à droite est l'option et le second terme est la position « short » en actif.

Demandez-vous comment la valeur du portefeuille varie de l'instant t à $t + dt$. La variation de valeur du portefeuille est partiellement due à la variation de la valeur de l'option, et partiellement à la variation du sous-jacent :

$$d\Pi = dV - \Delta dS.$$

À partir du lemme d'Itô on a :

$$d\Pi = \frac{\partial V}{\partial t} dt + \frac{\partial V}{\partial S} dS + \tfrac{1}{2}\sigma^2 S^2 \frac{\partial^2 V}{\partial S^2} dt - \Delta dS.$$

Le membre de droite contient deux types de termes, déterministes et aléatoires. Les termes déterministes sont ceux avec les dt, et les termes aléatoires sont ceux avec les dS. En supposant pour le moment que l'on connaisse V et ses dérivées, on connaît alors tout du membre de droite sauf *la valeur de dS*, parce qu'elle est aléatoire.

Ces termes aléatoires peuvent être éliminés en choisissant :

$$\Delta = \frac{\partial V}{\partial S}.$$

Après avoir choisi la quantité Δ, on détient un portefeuille dont la valeur change du montant :

$$d\Pi = \left(\frac{\partial V}{\partial t} + \tfrac{1}{2}\sigma^2 S^2 \frac{\partial^2 V}{\partial S^2} \right) dt.$$

Cette variation est complètement *sans risque*. Si l'on a une variation complètement sans risque $d\Pi$ de la valeur du portefeuille Π, elle doit être la même que celle d'un compte d'épargne rémunéré au taux sans risque :

$$d\Pi = r\Pi\, dt.$$

C'est un exemple du «principe de non-arbitrage».

En regroupant toutes ces expressions ci-dessus pour éliminer Π et Δ, on obtient, grâce aux dérivées partielles de V :

$$\frac{\partial V}{\partial t} + \tfrac{1}{2}\sigma^2 S^2 \frac{\partial^2 V}{\partial S^2} + rS \frac{\partial V}{\partial S} - rV = 0,$$

qui est l'équation de Black-Scholes.

Résolvez cette équation de diffusion linéaire relativement simple avec la condition finale :

$$V(S,T) = \max(S - K, 0)$$

et vous obtiendrez la formule de Black-Scholes pour les options d'achat (call).

Cette dérivation de l'équation de Black-Scholes est peut-être la plus utilisée puisqu'elle est facilement généralisable (si elle n'est pas nécessairement toujours traitable analytiquement) à des sous-jacents différents, des modèles plus compliqués, et des contrats exotiques.

Martingales

La méthodologie d'évaluation par martingale a été formalisée par Harrison et Kreps (1979) et Harrison et Pliska (1981).

On commence encore avec :

$$dS_t = \mu S \, dt + \sigma S \, dW_t$$

W_t est un mouvement brownien sous la mesure $\mathbb{P}$. Introduisez maintenant une nouvelle mesure martingale équivalente $\mathbb{Q}$ telle que :

$$\tilde{W}_t = W_t + \eta t,$$

où $\eta = (\mu - r) / \sigma$.

Sous $\mathbb{Q}$ on a :

$$dS_t = rS \, dt + \sigma S \, d\tilde{W}_t.$$

Introduisez :

$$G_t = e^{-r(T-t)} E_t^{\mathbb{Q}}[\max(S_T - K, 0)].$$

La quantité $e^{-r(T-t)}$ est une $\mathbb{Q}$-martingale et donc :

$$d\left(e^{r(T-t)} G_t\right) = \alpha_t e^{r(T-t)} G_t \, d\tilde{W}_t$$

pour un processus α_t. En appliquant le lemme d'Itô,

$$dG_t = (r + \alpha \eta) G_t dt + \alpha G_t \, dW_t.$$

Cette équation différentielle stochastique peut être réécrite comme représentant une stratégie dans laquelle sont achetées une quantité $\alpha G_t / \sigma S$ d'actions et une quantité $(G - \alpha G_t / \sigma) e^{r(T-t)}$ d'une obligation zéro-coupon de maturité T :

$$dG_t = \frac{\alpha G_t}{\sigma S} dS + \frac{G - \frac{\alpha G_t}{\sigma S} S}{e^{-r(T-t)}} d(e^{-r(T-t)}).$$

Une telle stratégie s'autofinance parce que la valeur des positions en action et celle des positions en obligation s'ajoutent pour donner G. À cause de l'existence d'une telle stratégie autofinancée, et à cause du fait qu'à l'instant $t = T$, G_T est le payoff du call, G_t doit être la valeur du call avant l'expiration. Le rôle de la stratégie autofinancée est d'assurer qu'il n'y a pas d'opportunités d'arbitrage.

Par conséquent le prix d'un call est :

$$e^{-r(T-t)} E_t^{\mathbb{Q}}[\max(S_T - K, 0)].$$

L'interprétation est simplement que la valeur de l'option est la valeur actualisée du payoff pour une trajectoire aléatoire risque-neutre.

Pour les autres options, insérez simplement la fonction de payoff dans l'espérance.

Cette dérivation est très utile pour montrer le lien entre la valeur des options et les espérances, puisque c'est le fondement théorique de l'évaluation par simulation de Monte Carlo.

Maintenant que l'on a une représentation de la valeur de l'option en termes d'espérance, on peut formellement calculer cette quantité et donc les formules de Black-Scholes. Sous $\mathbb{Q}$, le logarithme du prix de l'action à l'expiration est normalement distribué avec une moyenne $m = \ln(S_t) + \left(r - \frac{1}{2}\sigma^2\right)(T - t)$ et une variance $v^2 = \sigma^2(T - t)$. Ainsi la valeur du call est :

$$e^{-r(T-t)}\int_{\frac{\ln \frac{K-m}{v}}}^{\infty}(e^{m+vx} - K)\frac{e^{-\frac{1}{2}x^2}}{\sqrt{2\pi}}\,dx.$$

Une simplification de cela par la fonction de répartition de la distribution normale standardisée aboutit à la célèbre formule pour les calls.

Changement de numéraire

Il s'agit ici de la dérivation d'une formule de Black-Scholes pour les calls (ou puts), pas de l'équation, et c'est en réalité juste une ruse pour simplifier l'intégration.

On part du résultat selon lequel la valeur de l'option est :

$$e^{-r(T-t)}E_t^{\mathbb{Q}}[\max(S_T - K, 0)].$$

Ce qui peut encore être écrit :

$$e^{-r(T-t)}E_t^{\mathbb{Q}}[(S_T - K)\mathcal{H}(S - K)],$$

où $\mathcal{H}(S-k)$ est la fonction de Heaviside, égale à zéro pour $S < K$ et 1 pour $S > K$. À présent, définissez une autre mesure martingale équivalente $\mathbb{Q}'$ telle que :

$$\tilde{W}_t' = W_t + \eta t - \sigma t.$$

La valeur de l'option peut ainsi être écrite comme :

$$S_t E_t^{\mathbb{Q}'}\left[\frac{(S_T - K)\mathcal{H}(S - K)}{S_T}\right].$$

où

$$dS_t = (r + \sigma^2)S\,dt + \sigma S d\tilde{W}_t'.$$

Elle peut aussi être exprimée comme une *combinaison* de deux expressions :

$$S_t E_t^{\mathbb{Q}'}\left[\frac{S_T\mathcal{H}(S - K)}{S_T}\right] - Ke^{-r(T-t)}E_t^{\mathbb{Q}}[\mathcal{H}(S - K)].$$

Remarquez que l'on doit mener le même calcul, une espérance de $\mathcal{H}(S-k)$, mais sous deux mesures différentes. On aboutit à la formule de Black-Scholes pour les calls.

Cette méthode est très utile pour simplifier les problèmes de valorisation, peut-être même pour trouver des solutions fermées, en utilisant le contrat négocié le plus adapté en guise de numéraire.

La relation entre le résultat du changement de numéraire et l'approche par équation aux dérivées partielles est très simple et informative.

D'abord, rendons la comparaison entre l'espérance risque-neutre et l'équation de Black-Scholes aussi transparente que possible. Lorsque l'on écrit :

$$e^{-r(T-t)} E_t^{\mathbb{Q}}[\max(S_T - K, 0)]$$

on dit que la valeur de l'option est la valeur actualisée du payoff espéré suivant une trajectoire aléatoire risque-neutre :

$$dS = rS\,dt + \sigma S\,d\tilde{W}_t.$$

L'équation aux dérivées partielles :

$$\frac{\partial V}{\partial t} + \tfrac{1}{2}\sigma^2 S^2 \frac{\partial^2 V}{\partial S^2} + rS \frac{\partial V}{\partial S} - rV = 0$$

signifie exactement la même chose grâce à la relation qui existe entre elle et l'équation de Fokker-Planck. Dans cette équation, le coefficient de diffusion est toujours juste égal à la moitié du carré de l'aléa en dS. Le coefficient de $\partial V/\partial S$ est toujours égal à la dérive risque-neutre rS et le coefficient de V est toujours égal à l'opposé du taux d'intérêt $-r$, et représente l'actualisation de l'expiration à maintenant.

Si l'on écrit la valeur de l'option comme $V = SV'$ alors on peut penser V' comme le nombre d'actions qui équivalent à l'option, en termes de valeur. C'est comme si l'on utilisait l'action comme unité de compte. Mais si l'on réécrit l'équation de Black-Scholes en fonction de V' en utilisant :

$$\frac{\partial V}{\partial t} = S \frac{\partial V'}{\partial t}, \quad \frac{\partial V}{\partial S} = S \frac{\partial V'}{\partial S} + V',$$

et

$$\frac{\partial^2 V}{\partial S^2} = S \frac{\partial^2 V'}{\partial S^2} + 2S \frac{\partial V'}{\partial S},$$

alors on a :

$$\frac{\partial V'}{\partial t} + \tfrac{1}{2}\sigma^2 S^2 \frac{\partial^2 V'}{\partial S^2} + (r + \sigma^2) S \frac{\partial V'}{\partial S} = 0.$$

La fonction V' peut maintenant être interprétée, en utilisant la même comparaison avec l'équation de Fokker-Planck, comme une espérance, mais cette fois par rapport à la marche aléatoire :

$$dS = (r + \sigma^2) S\,dt + \sigma S\,d\tilde{W}'_t.$$

Et il n'y a pas d'actualisation à faire. Puisque, à l'expiration, on a pour le call

$$\frac{\max(S_T - K, 0)}{S_T}$$

on peut écrire la valeur de l'option comme étant :

$$S_t E_t^{Q'} \left[\frac{(S_T - K)\mathcal{H}(S - K)}{S_T} \right]$$

où

$$dS_t = (r + \sigma^2) S \, dt + \sigma S d\tilde{W}_t'.$$

Le changement de numéraire n'est rien de plus qu'un changement de variable dépendante.

Temps local

La dérivation la plus obscure comporte le concept de « temps local » provenant du calcul stochastique. Le temps local est une idée très technique incluant le temps qu'une marche aléatoire passe au voisinage d'un point.

La dérivation est fondée sur l'analyse d'une stratégie stop-loss dans laquelle on tente de couvrir un call en vendant une action à découvert (short) si l'action est au-dessus de la valeur actualisée du prix d'exercice, et en ne détenant rien si l'action est en dessous de la valeur actualisée du prix d'exercice. Bien qu'à l'expiration le payoff du call et la position en actions s'annuleront l'un l'autre exactement, ce n'est pas une stratégie qui élimine le risque. On pourrait penser naïvement que cette stratégie pourrait marcher ; après tout, quand on vend à découvert une action lorsqu'elle passe au-delà de la valeur actualisée du prix d'exercice, on ne gagne ni ne perd d'argent (en supposant qu'il n'y a pas de coûts de transaction). Mais si c'était le cas, une option avec un prix d'exercice initialement au-dessus du prix forward de l'action devrait avoir une valeur nulle. Par conséquent, il y a clairement quelque chose de faux là-dedans.

Pour voir ce qui ne va pas, on doit regarder de plus près ce qui arrive quand l'action va au-delà de la valeur actualisée du prix d'exercice. En particulier, regardons les mouvements discrets du prix de l'action.

Lorsque le prix forward de l'action passe de K à $K + \varepsilon$, vendez une action et achetez K obligations. Et ensuite, chaque fois que l'action tombe en dessous de la valeur actualisée du prix d'exercice, vous renversez la position. Même en l'absence de coûts de transactions, il y aura un dérapage dans ce processus. Et le dérapage total dépendra de la fréquence à laquelle l'action traverse ce point. C'est là que le bât blesse. Cela arrive un nombre infini de fois dans un mouvement brownien continu.

Si $U(\varepsilon)$ est le nombre de fois que le prix forward évolue de K à $K + \varepsilon$, qui sera fini puisque ε est fini, alors le coût de financement de cette stratégie est :

$$\varepsilon U(\varepsilon).$$

À présent, prenons la limite quand $\varepsilon \to 0$, et cela devient une quantité connue sous le nom de temps local. Ce terme de temps local est ce qui explique le paradoxe apparent dans l'exemple ci-dessus du call de valeur nulle.

On se dirige alors vers le monde risque-neutre pour valoriser le terme de temps local, aboutissant finalement à la formule de Black-Scholes.

Cela vaut vraiment la peine de simuler cette stratégie sur un tableur, en utilisant un pas temporel fini et en le laissant diminuer de plus en plus.

Paramètres considérés comme des variables

La dérivation suivante est assez novatrice en ce qu'elle inclut une dérivation de la valeur de l'option par rapport au paramètre « prix d'exercice » K, et à l'expiration T, à la place des dérivations plus habituelles par rapport aux variables S et t. Cela va conduire à une équation aux dérivées partielles qui peut être résolue par les formules de Black-Scholes. Mais encore plus important, cette technique peut être utilisée pour déduire la dépendance de la volatilité par rapport au prix de l'action et au temps, étant donné que les prix de marché des options sont comme des fonctions du prix d'exercice et de l'expiration. Cette idée est due à Dupire (1993) (voir aussi Derman & Kani, 1993, et Rubinstein, 1993, pour le travail lié réalisé dans un cadre discret), et constitue la base des modèles de volatilité déterministe et du calibrage.

On commence avec le résultat pour le call vu précédemment :

$$V = e^{-r(T-t)} E_t^{\mathbb{Q}}[\max(S_T - K, 0)],$$

selon lequel la valeur de l'option est la valeur actualisée du payoff espéré risque-neutre. Cela peut être écrit :

$$\begin{aligned} V(K, T) &= e^{-r(T-t^*)} \int_0^\infty \max(S - K, 0) p(S^*, t^*; S, T) \, dS \\ &= e^{-r(T-t^*)} \int_K^\infty (S - K) p(S^*, t^*; S, T) \, dS, \end{aligned}$$

où $p(S^*, t^*; S, T)$ est la fonction de densité de probabilité de transition pour la trajectoire aléatoire risque-neutre, S^* étant le prix de l'actif aujourd'hui et t^* la date d'aujourd'hui. Notez qu'ici les arguments de V sont les « variables » K et T, prix d'exercice et expiration.

Si l'on différencie cela par rapport à K, on obtient :

$$\frac{\partial V}{\partial K} = - e^{-r(T-t^*)} \int_K^\infty p(S^*, t^*; S, T) \, dS.$$

Après une autre différenciation, on arrive à l'équation suivante pour la fonction de densité de probabilité, exprimée en fonction des prix de l'option :

$$p(S^*, t^*; K, T) = e^{r(T-t^*)} \frac{\partial^2 V}{\partial K^2}.$$

On sait aussi que l'équation forward pour la fonction de densité de probabilité, l'équation de Fokker-Planck, est :

$$\frac{\partial p}{\partial T} = \frac{1}{2} \frac{\partial^2}{\partial S^2} (\sigma^2 S^2 p) - \frac{\partial}{\partial S} (rSp).$$

Ici $\sigma(S,t)$ est évalué à $t = T$. On a aussi :

$$\frac{\partial V}{\partial T} = - rV + e^{-r(T-t^*)} \int_K^\infty (S - K) \frac{\partial p}{\partial T} \, dS.$$

Cela peut être écrit comme :

$$\frac{\partial V}{\partial T} = - rV + e^{-r(T-t^*)} \int_K^\infty \left(\frac{1}{2} \frac{\partial^2(\sigma^2 S^2 p)}{\partial S^2} - \frac{\partial(rSp)}{\partial S} \right) \times (S - K) \, dS,$$

en utilisant l'équation forward. En intégrant cela par parties deux fois, on obtient :

$$\frac{\partial V}{\partial T} = - rV + \tfrac{1}{2} e^{-r(T-t^*)} \sigma^2 K^2 p + r e^{-r(T-t^*)} \int_K^\infty Sp \, dS.$$

Dans cette expression $\sigma(S,t)$ est pour $S = K$ et $t = T$. Après quelques manipulations simples on obtient :

$$\frac{\partial V}{\partial T} = \tfrac{1}{2} \sigma^2 K^2 \frac{\partial^2 V}{\partial K^2} - rK \frac{\partial V}{\partial K}.$$

Cette équation aux dérivées partielles peut maintenant être résolue par les formules de Black-Scholes.

Cette méthode n'est pas utilisée en pratique pour trouver ces formules, mais plutôt, en connaissant le prix négocié des vanilles comme une fonction de K et T, pour transformer cette équation afin de trouver σ, puisque l'analyse ci-dessus est encore valide même si la volatilité est dépendante de l'action et du temps.

Limite en temps continu du modèle binomial

Certaines de nos dix dérivations mènent à l'équation aux dérivées partielles de Black-Scholes, et d'autres mènent à l'idée de la valeur de l'option perçue comme la valeur actualisée du payoff espéré de l'option sous une trajectoire aléatoire risque-neutre. Le modèle simple que voici fait les deux.

Dans le modèle binomial l'actif commence à S, et après un pas temporel δt, soit sa valeur augmente à $u*S$, soit elle tombe à $v*S$, avec $0 < v < 1 < u$. La probabilité d'une hausse est p, et donc celle d'une baisse est $1-p$.

On choisit les trois constantes u, v et p pour donner à la trajectoire binomiale la même dérivée μ, et la même volatilité σ, que l'actif que l'on modélise. Le choix est loin d'être unique, et ici on utilise les choix qui résultent des formules simplissimes :

$$u = 1 + \sigma \sqrt{\delta t},$$
$$v = 1 - \sigma \sqrt{\delta t}$$

et

$$p = \frac{1}{2} + \frac{\mu \sqrt{\delta t}}{2\sigma}.$$

Ayant défini le comportement de l'actif on est prêt à évaluer les options.

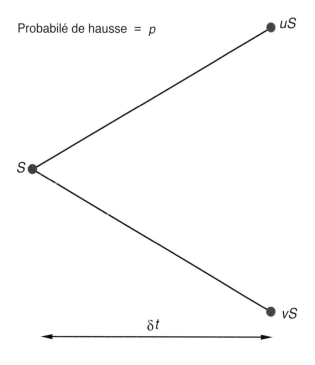

Probabilé de hausse = p

uS

S

vS

δt

Figure 4-1 : le modèle

Supposons que l'on connaisse la valeur de l'option à l'instant $t + \delta t$. Par exemple, cet instant peut être la date d'expiration de l'option. À présent, construisons un portefeuille à l'instant t, constitué d'une option et d'une position short sur une quantité Δ de sous-jacent. À l'instant t, ce portefeuille a la valeur :

$$\Pi = V - \Delta S,$$

où la valeur V de l'option est pour l'instant inconnue. À l'instant $t + \delta t$, l'option prend une des deux valeurs, en fonction de la hausse ou de la baisse de l'actif :

$$V^+ \text{ ou } V^-.$$

En même temps, le portefeuille constitué de l'option et d'actions devient :

$$V^+ - \Delta uS \text{ ou } V^- - \Delta uS.$$

Ayant la liberté de choisir Δ, on peut rendre la valeur de ce portefeuille égale, que l'action monte ou baisse. On réalise cela si l'on prend :

$$V^+ - \Delta uS = V^- - \Delta uS.$$

Cela signifie que l'on devrait choisir :

$$\Delta = \frac{V^+ - V^-}{(u - v)S}$$

pour se couvrir. La valeur du portefeuille est alors :

$$V^+ - \Delta u S = V^+ - \frac{u(V^+ - V^-)}{(u-v)} = V^- - \Delta v S$$
$$= V^- - \frac{v(V^+ - V^-)}{(u-v)}.$$

Appelons cette valeur du portefeuille :

$$\Pi + \delta\Pi$$

C'est juste la valeur originelle du portefeuille plus le changement de valeur. Mais on doit aussi avoir $\delta\Pi + r\Pi\,\delta t$ pour éviter les opportunités d'arbitrage. En consolidant toutes ces expressions pour éliminer Π, et après quelques arrangements, on obtient :

$$V = \frac{1}{1 + r\,\delta t}\left(p'V^+ + (1 - p')V^-\right),$$

où :

$$p' = \frac{1}{2} + \frac{r\,\sqrt{\delta t}}{2\sigma}.$$

C'est une équation exprimant V en fonction de V^+ et V^-, les valeurs de l'option au pas de temps suivant, et des paramètres r et σ.

Le membre de droite de l'équation peut être interprété assez clairement comme la valeur actualisée de la valeur espérée future de l'option, en utilisant les probabilités p' pour un mouvement haussier, et $1-p'$ pour une baisse.

Encore une fois, c'est l'idée de la valeur de l'option comme valeur actualisée du payoff attendu suivant une trajectoire aléatoire risque-neutre. La quantité p' est la probabilité risque-neutre, et c'est elle qui détermine la valeur de l'option, et non la probabilité réelle. En comparant les expressions de p et p', on constate qu'il est équivalent de remplacer la dérive réelle de l'actif μ par le taux de rendement sans risque r.

On peut examiner la limite de l'équation pour V quand $\delta t \rightarrow 0$. On écrit :

$$V = V(S,t),\ V^+ = V(uS,t + \delta t)\ \text{et}\ V^- = V(uS,t + \delta t).$$

En développant ces expressions en séries de Taylor pour un petit δt on trouve que :

$$\Delta \sim \frac{\partial V}{\partial S} \quad \text{as} \quad \delta t \rightarrow 0,$$

et l'équation binomiale d'évaluation de V devient :

$$\frac{\partial V}{\partial t} + \tfrac{1}{2}\sigma^2 S^2 \frac{\partial^2 V}{\partial S^2} + rS \frac{\partial V}{\partial S} - rV = 0.$$

C'est l'équation de Black-Scholes.

MEDAF (CAPM)

Cette dérivation, due à l'origine à Cox & Rubinstein (1985) part du modèle d'évaluation des actifs financiers (Capital Asset Pricing Model) en temps continu. Elle utilise, en particulier, le résultat selon lequel il y a une relation linéaire entre le rendement attendu d'un instrument financier et la covariance de l'actif avec le marché. Cette dernière peut être pensée comme une compensation pour la prise de risque. Mais l'actif et son option sont parfaitement corrélés, par conséquent, la compensation en excès du taux sans risque pour la prise d'un montant de risque unitaire doit être la même pour l'actif et son option.

Pour l'action, le rendement attendu (divisé par dt) est μ. Son risque est σ.

À partir du lemme d'Itô, on a :

$$dV = \frac{\partial V}{\partial t} dt + \tfrac{1}{2}\sigma^2 S^2 \frac{\partial^2 V}{\partial S^2} dt + \frac{\partial V}{\partial S} dS.$$

Par conséquent, le rendement espéré sur cette option est :

$$\frac{1}{V}\left(\frac{\partial V}{\partial t} + \tfrac{1}{2}\sigma^2 S^2 \frac{\partial^2 V}{\partial S^2} + \mu S \frac{\partial V}{\partial S}\right)$$

Et le risque est :

$$\frac{1}{V}\sigma S \frac{\partial V}{\partial S}.$$

Puisque le sous-jacent et l'option doivent tous deux avoir la même compensation, en excès du taux sans risque, pour une unité de risque on a :

$$\frac{\mu - r}{\sigma} = \frac{\frac{1}{V}\left(\frac{\partial V}{\partial t} + \tfrac{1}{2}\sigma^2 S^2 \frac{\partial^2 V}{\partial S^2} + \mu S \frac{\partial V}{\partial S}\right)}{\frac{1}{V}\sigma S \frac{\partial V}{\partial S}}.$$

À présent, réorganisons cette équation. Le μ sort et il nous reste l'équation de Black–Scholes.

Théorie de l'utilité

L'approche par la théorie de l'utilité est probablement l'une des dix méthodes de dérivation les moins utiles, car elle requiert que l'on valorise dans la perspective d'un investisseur ayant une fonction d'utilité qui soit de type puissance. Cette idée a été introduite par Rubinstein (1976).

Les étapes à suivre pour trouver les formules de Black–Scholes sont les suivantes. On travaille sur un modèle à une période, de sorte que le concept de couverture continue, ou même de quoi que ce soit de continu, n'est pas nécessaire. On suppose que le prix de l'action à l'instant final (qui sera aussi l'expiration d'une option) et la consommation, sont tous deux log-normalement distribués avec une certaine corrélation. On choisit une fonction d'utilité qui soit une puissance de la consommation. On en déduit une expression de valorisation. Pour que le marché soit en équilibre, il faut une relation entre les croissances espérées et les volatilités de l'action et de la consommation, la corrélation mentionnée plus haut et le degré d'aversion au risque de la fonction d'utilité. Finalement, on utilise l'expression de valorisation pour une option, avec l'expiration comme instant final. Cette expression de valorisation peut être interprétée comme une espérance, avec l'interprétation habituelle et fréquente que l'on en fait.

Une équation de diffusion

La pénultième dérivation de l'équation différentielle partielle de Black-Scholes est assez peu banale en ce qu'elle utilise juste une réflexion sur la nature du mouvement brownien et deux observations triviales. Sa conclusion rend la dérivation utile à d'autres situations de modélisation.

Elle se déroule comme suit.

Le prix des actions peut être modélisé comme un mouvement brownien, c'est-à-dire qu'il joue le rôle de la position d'une « particule de pollen ». En termes mathématiques, le mouvement brownien est juste un exemple d'équation de diffusion. Par conséquent, écrivons une équation de diffusion pour la valeur d'une option comme une fonction de l'espace et du temps, c'est-à-dire du prix de l'action et du temps, $V(S,t)$. Quelle est l'équation de diffusion linéaire générale ? C'est :

$$\frac{\partial V}{\partial t} + a\frac{\partial^2 V}{\partial S^2} + b\frac{\partial V}{\partial S} + cV = 0.$$

Remarquez les coefficients a, b et c. Pour l'instant, ceux-ci pourraient être n'importe quoi.

À présent, considérons les deux observations triviales.

Premièrement, de l'argent dans une banque doit être une solution de cette équation. Les contrats financiers ne peuvent pas être plus simples que cela. Donc, injectons $V = e^{rt}$ dans cette équation. On trouve :

$$re^{rt} + 0 + 0 + ce^{rt} = 0.$$

Donc, $c = -r$.

Deuxièmement, assurément le prix de l'action lui-même devrait aussi être une solution ? Après tout, on pourrait l'imaginer comme étant un call avec un prix d'exercice nul. Donc, injectons $V = S$ dans l'équation de diffusion générale. On trouve :

$$0 + 0 + b + cS = 0.$$

Donc, $b = -cS = rS$.

En remettant b et c dans l'équation de diffusion générale on trouve :

$$\frac{\partial V}{\partial t} + a\frac{\partial^2 V}{\partial S^2} + rS\frac{\partial V}{\partial S} - rV = 0.$$

C'est l'équation de Black-Scholes risque-neutre. Deux des coefficients (ceux de V et de $\partial V/\partial V$) ont été trouvés de manière exacte sans aucune modélisation. D'accord, cela ne nous dit pas ce qu'est le coefficient du terme en dérivée seconde, mais celui-ci a même une interprétation satisfaisante. Il signifie au moins deux choses intéressantes.

Premièrement, si l'on commence à s'éloigner du monde Black-Scholes, il y a des chances pour que ce soit le coefficient de diffusion que l'on doive modifier de sa forme usuelle $\frac{1}{2}\sigma^2 S^2 \Gamma \, \delta t$ pour s'adapter à de nouveaux modèles.

Deuxièmement, si l'on veut ajuster nos prix d'options, les modéliser pour les aligner sur les prix négociés par exemple, on peut le faire en jouant simplement sur ce coefficient de diffusion, c'est-à-dire ce que l'on sait être maintenant la volatilité. Cette dérivation nous enseigne que notre seul facteur d'ajustement valide est la volatilité.

Black-Scholes pour les comptables

La dernière dérivation de l'équation de Black-Scholes demande des mathématiques très peu compliquées, et n'a même pas besoin d'hypothèses sur les rendements Gaussiens ; tout ce dont on a besoin est que la variance des rendements soit finie.

L'analyse de Black-Scholes requiert de couvrir *en continu*, ce qui est possible en théorie mais impossible, et même indésirable, en pratique. C'est pourquoi, l'on se couvre d'une certaine manière discrète. Supposons que l'on se couvre sur des périodes de temps égales, δt. Et considérons les changements de valeur associés à une option couverte en delta.

- On débute avec zéro cash.
- On achète une option.
- On vend une fraction d'actions à découvert.
- Tout le cash disponible (positif ou négatif) est placé ou emprunté sur un compte sans risque.

On commence en empruntant de l'argent pour acheter l'option. Cette option a un delta, et par conséquent on vend le delta de sous-jacent pour se couvrir. Cela rapporte de l'argent. Le cash de cette transaction est placé à la banque. À ce moment-là, notre valeur nette est nulle.

Notre portefeuille dépend de S comme le montre la figure 4-2.

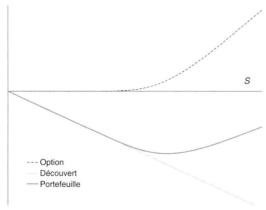

Figure 4-2 : comment notre portefeuille dépend de S

Nous sommes seulement concernés par de petits mouvements de l'action sur une petite période temporelle, par conséquent, on peut zoomer sur la position actuelle en action. Localement, la courbe est approximativement une parabole, voir figure 4-3.

À présent, réfléchissons à la façon dont notre richesse nette va changer entre maintenant et un temps δt plus tard. Il y a trois raisons pour lesquelles elle doit changer sur cette période :

1. la courbe du prix de l'option change ;

2. il y a le paiement d'un intérêt sur l'argent placé à la banque ;

3. l'action évolue.

La valeur de l'option baisse de sa valeur temps, soit le thêta multiplié par le pas de temps :

$$\Theta \times \delta t.$$

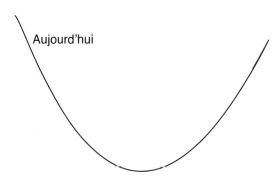

Figure 4-3 : la courbe est approximativement quadratique

Pour calculer le montant des intérêts reçus, on a besoin de savoir la quantité d'argent qui a été placée à la banque. C'était :

$$\Delta \times S.$$

pour la vente d'une fraction d'action et :

$$-V$$

pour l'achat de l'option. Donc, l'intérêt que l'on reçoit est :

$$r(S\Delta - V)\delta t.$$

Finalement, considérons l'argent gagné grâce à la variation de l'action. Puisque le gamma est positif, toute variation du prix de l'action est bonne pour nous. Plus la variation est grande, mieux c'est.

La courbe de la figure 4-3 est localement quadratique, une parabole de coefficient $\frac{1}{2}\Gamma$. La variation de l'action sur une période δt est proportionnelle à trois choses :

   – la volatilité σ ;

   – le prix de l'action S ;

   – la racine carrée du pas de temps.

En multipliant ces trois quantités, en prenant son carré parce que la courbe est parabolique, et en multipliant cela par $\frac{1}{2}\Gamma$, on obtient le profit fait grâce à la variation de l'action :

$$\tfrac{1}{2}\sigma^2 S^2 \Gamma \; \delta t$$

En additionnant ces trois variations de valeur (ignorant le terme δt qui multiplie tous les autres), et en établissant que cette expression vaut 0, pour représenter l'absence d'arbitrage, on obtient :

$$\Theta + \tfrac{1}{2}\sigma^2 S^2 \Gamma + r(S\Delta - V) = 0,$$

l'équation de Black–Scholes.

Maintenant on a un peu triché, puisque la variation du prix de l'action est aléatoire en réalité. Ce que l'on aurait dû dire est que :

$$\tfrac{1}{2}\sigma^2 S^2 \Gamma \; \delta t$$

est le profit fait grâce à la variation de l'action *en moyenne*. Ce qui est crucial, c'est que la variance des rendements soit :

$$\sigma^2 S^2 \delta t,$$

on n'a même pas besoin que les rendements sur l'action soient distribués normalement. Il y a une différence entre le carré de la variation du prix de l'action et sa valeur moyenne, et cela donne naissance à l'erreur de couverture, qui est toujours constatée en pratique. Si l'on se couvre de manière discrète, comme on devrait le faire, alors Black–Scholes ne fonctionne qu'en moyenne. Mais plus on se couvre fréquemment, tendant vers la limite $\delta t = 0$, alors l'erreur de couverture totale tend vers zéro, justifiant ainsi le modèle de Black–Scholes.

Références et approfondissements

Andreason, J., Jensen, B. & Poulsen, R., 1998, « Eight Valuation Methods in Financial Mathematics : The Black–Scholes Formula as an Example », *Math. Scientist* 23, p.18–40.

Black, F. & Scholes, M., 1973, « The pricing of options and corporate liabilities », *Journal of Political Economy* 81, p. 637–59.

Cox, J. & Rubinstein, M., 1985, *Options Markets*, Prentice–Hall.

Derman, E. & Kani, I., 1994, Riding on a smile. *Risk magazine* 7 (2), p. 32–39.

Dupire, B., 1994, Pricing with a smile, *Risk magazine* 7 (1), p.18–20.

Harrison, J.M. & Kreps, D., 1979, « Martingales and arbitrage in multiperiod securities markets », *Journal of Economic Theory* 20, p. 381–408.

Harrison, J.M. & Pliska, S.R., 1981, « Martingales and stochastic integrals in the theory of continuous trading », *Stochastic Processes and their Applications* 11, p. 215–260.

Joshi, M., 2003, *The Concepts and Practice of Mathematical Finance*, CUP.

Rubinstein, M., 1976, The valuation of uncertain income streams and the pricing of options, *Bell J. Econ.* 7, p. 407–425.

Rubinstein, M., 1994, « Implied binomial trees », *Journal of Finance* 69, p. 771–818.

Wilmott, P., 2006, *Paul Wilmott On Quantitative Finance*, second edition, John Wiley & Sons.

Chapitre 5

Modèles et équations

Actions, change et matières premières

La marche aléatoire log-normale

Le modèle le plus commun et le plus simple est la marche aléatoire log-normale :

$$dS + \mu S\, dt + \sigma S\, dX.$$

L'argument de couverture de Black-Scholes conduit à l'équation suivante pour la valeur des contrats non path-dependent :

$$\frac{\partial V}{\partial t} + \tfrac{1}{2}\sigma^2 S^2 \frac{\partial^2 V}{\partial S^2} + (r - D)\,S\frac{\partial V}{\partial S} - rV = 0.$$

Les paramètres sont la volatilité σ, le taux du dividende D et le taux d'intérêt sans risque r. Tous ceux-ci peuvent être des fonctions de S et/ou t, bien que cela n'aurait pas beaucoup de sens que le taux sans risque r soit dépendant de S.

Cette équation peut être interprétée de manière probabiliste. La valeur de l'option est :

$$e^{-\int_t^T r(\tau)\, d\tau}\, E_t^{\mathbb{Q}}[\text{Payoff}(\ S_T)],$$

où S_T est le prix de l'action à l'expiration T, et l'espérance est exprimée en fonction de la trajectoire aléatoire risque-neutre :

$$dS = r(t)\,S\, dt + \sigma(S,t)\,S\, dX.$$

Quand σ, D et r sont seulement dépendants du temps, on peut écrire une formule explicite pour la valeur de toute option non path-dependent sans exercice anticipé (et sans caractéristique de décision) comme :

$$\frac{e^{-\bar{r}(T-t)}}{\bar{\sigma}\sqrt{2\pi(T-t)}} \int_0^\infty$$
$$e^{-\left(\ln(S/S') + \left(\bar{r} - \bar{D} - \frac{1}{2}\bar{\sigma}^2\right)(T-t)\right)^2 / 2\bar{\sigma}^2(T-t)}\ \text{Payoff}(S')\, \frac{dS'}{S'},$$

où

$$\bar{\sigma} = \sqrt{\frac{1}{T-t}\int_t^T \sigma(\tau)^2 d\tau},$$

$$\bar{D} = \frac{1}{T-t}\int_t^T D(\tau)\, d\tau.$$

et

$$\bar{r} = \frac{1}{T-t} \int_t^T r(\tau) \, d\tau.$$

Les paramètres surlignés représentent la « moyenne » des paramètres entre le moment présent et l'expiration. Pour le paramètre de volatilité, la moyenne pertinente est la racine carrée de la moyenne des variances puisque les variances peuvent être sommées mais pas les écarts-types (volatilités).

L'expression ci-dessus est une formule très générale qui peut être grandement simplifiée pour les calls, puts et binaires européens.

Marches aléatoires log-normales multidimensionnelles

Il existe une formule pour la valeur d'une option européenne non path-dependent avec un payoff de payoff$(S_1, \ldots, S_d)$ à l'instant T :

$$V = e^{-r(T-t)} (2\pi(T-t))^{-d/2} (\mathrm{Det}\,\boldsymbol{\Sigma})^{-1/2}(\sigma_1 \cdots \sigma_d)^{-1}$$

$$\int_0^\infty \cdots \int_0^\infty \frac{\mathrm{Payoff}(\ S_1' \cdots S_d')}{S_1' \cdots S_d'}$$

$$\times \exp\left(-\frac{1}{2}\alpha^T \, \boldsymbol{\Sigma}^{-1}\alpha\right) dS_1' \cdots dS_d'$$

où

$$\alpha_i = \frac{1}{\sigma_i(T-t)^{1/2}} \left(\ln\left(\frac{S_i}{S_i'}\right) + \left(r - D_i - \frac{\sigma_i^2}{2}\right)(T-t) \right),$$

$\boldsymbol{\Sigma}$ est la matrice de corrélation et D_i est le taux continu de dividende de chaque actif.

Volatilité stochastique

Si la volatilité risque-neutre est modélisée par :

$$d\sigma = (p - \lambda q) \, dt + q \, dX_2$$

où λ est le prix de marché du risque de volatilité, alors en gardant comme modèle pour l'action :

$$dS = \mu S \, dt + \sigma S \, dX_1$$

avec une corrélation entre les 2 browniens de ρ, l'équation d'évaluation de l'option est :

$$\frac{\partial V}{\partial t} + \tfrac{1}{2}\sigma^2 S^2 \frac{\partial^2 V}{\partial S^2} + \rho\sigma S q \frac{\partial^2 V}{\partial S \partial \sigma} + \tfrac{1}{2}q^2 \frac{\partial^2 V}{\partial \sigma^2} + rS\frac{\partial V}{\partial S}$$

$$+ (p - \lambda q)\frac{\partial V}{\partial \sigma} - rV = 0.$$

Cette équation d'évaluation peut être interprétée comme représentant la valeur actuelle du payoff espéré suivant des trajectoires aléatoires risques-neutres à la fois pour S et σ. Donc pour un call, par exemple, on peut valoriser *via* le payoff espéré :

$$V(S, \sigma, t) = e^{-r(T-t)} E_t^{\mathbb{Q}}[\max(\ S_T - K, 0)].$$

Pour les autres contrats, il faut remplacer la fonction maximum par la fonction de profit pertinente, même path-dependent.

Hull & White (1987). Hull & White ont considéré à la fois des modèles de volatilité généraux et spécifiques. Ils ont montré que lorsque l'action et la volatilité ne sont pas corrélées et que les dynamiques risques-neutres de la volatilité ne sont pas affectées par l'action ($p - \lambda q$) et q sont indépendants de S, alors la fair value d'une option est la moyenne des valeurs de Black-Scholes pour l'option, cette moyenne étant prise sur la distribution de σ^2.

Modèle de la racine carrée/Heston (1993). Dans le modèle de Heston :

$$dv = (a - bv)\,dt + c\sqrt{v}\,dX_2,$$

où $v = \sigma^2$. Il y a une corrélation arbitraire entre le sous-jacent et sa volatilité. Ce modèle est populaire car il y a des solutions en forme fermée pour les options européennes.

Modèle 3/2

$$dv = (av - bv^2)\,dt + cv^{3/2}\,dX_2,$$

où $v = \sigma^2$. Encore une fois, celui-ci a des solutions de forme fermée.

GARCH-diffusion. Sous la forme d'équation différentielle stochastique, le modèle GARCH(1,1) s'écrit :

$$dv = (a - bv)\,dt + cv\,dX_2.$$

Ici $v = \sigma^2$.

Processus de Ornstein-Uhlenbeck. Avec $y = \log(v)$, $v = \sigma^2$:

$$dy = (a - by)\,dt + c\,dX_2.$$

Ce modèle épouse très bien les données réelles, par opposition aux données risques-neutres.

Analyse asymptotique. Si la volatilité de la volatilité est importante et si la vitesse du retour vers la moyenne est rapide dans un modèle de volatilité stochastique :

$$dS = rS\,dt + \sigma S\,dX_1 \quad \text{and} \quad d\sigma = \frac{p - \lambda q}{\epsilon}\,dt + \frac{q}{\sqrt{\epsilon}}\,dX_2$$

avec une corrélation ρ, alors les solutions de forme fermée approximées (solutions asymptotiques) de l'équation de valorisation peuvent être trouvées pour des options simples, pour des fonctions arbitraires $p - \lambda q$ et q. Dans le modèle ci-dessus, le ϵ représente un paramètre infinitésimal. La solution asymptotique est donc une série de puissance en $\epsilon^{1/2}$.

Volatilité implicite stochastique de Schönbucher. Schönbucher part d'un modèle stochastique pour la volatilité implicite et trouve ensuite que la volatilité effective est cohérente, dans le sens d'une absence d'arbitrage, avec ces volatilités implicites. Ce modèle est par définition calibré par rapport aux prix du marché.

Diffusion avec sauts

Étant donné le modèle de diffusion avec sauts :

$$dS = \mu S\,dt + \sigma S\,dX + (J - 1)S\,dq$$

l'équation pour une option est :

$$\frac{\partial V}{\partial t} + \frac{1}{2}\sigma^2 S^2 \frac{\partial^2 V}{\partial S^2} + rS \frac{\partial V}{\partial S} - rV$$
$$+ \lambda E[V(JS,t) - V(S,t)] - \lambda \frac{\partial V}{\partial S} SE[J - 1] = 0.$$

$E[.]$ est la prévision concernant la taille du saut. Si le logarithme de J est distribué normalement avec un écart-type σ', alors le prix d'une option européenne non path-dependent peut être écrit comme :

$$\sum_{n=0}^{\infty} \frac{1}{n!} e^{-\lambda'(T-t)} (\lambda'(T - t))^n V_{BS}(S, t; \sigma_n, r_n),$$

où

$$k = E[J - 1], \quad \lambda' = \lambda(1 + k), \quad \sigma_n^2 = \sigma^2 + \frac{n\sigma'^2}{T - t}$$

et

$$r_n = r - \lambda k + \frac{n \ln(1 + k)}{T - t},$$

et V_{BS} est la formule de Black-Scholes pour la valeur de l'option en l'absence de sauts.

Instruments à taux fixe (Fixed income)

Ici, on utilise la convention des intérêts actualisés en continu. De sorte qu'un dollar placé à la banque à un taux d'intérêt constant r va croître exponentiellement, e^{rt}. C'est la convention utilisée en dehors du monde des taux fixes. Dans celui-ci, où les intérêts sont payés discrètement, la convention est que l'argent croît selon :

$$(1 + r'\tau)^n$$

où n est le nombre de paiements, τ est l'intervalle de temps entre les paiements (ici supposé constant) et r' est le taux d'intérêt annualisé.

Pour passer du discret au continu on utilise :

$$r = \frac{1}{\tau} \ln(1 + r'\tau).$$

Le taux de rendement actuariel (Yield to maturity, YTM) ou taux de rentabilité interne (TRI) (Internal Rate of Return, IRR)

Supposons que l'on ait une obligation zéro-coupon de maturité T, donnant un dollar en T. À l'instant t elle a une valeur $Z(t ; T)$. En appliquant un taux de rendement constant y entre t et T, un dollar reçu à l'instant T a une valeur actualisée de $Z(t ; T)$ à l'instant t, où :

$$Z(t; T) = e^{-y(T-t)}.$$

Il s'ensuit que :

$$y = -\frac{\ln Z}{T - t}.$$

Supposons que l'on ait une obligation à coupons. Actualisons tous les coupons et le principal à l'instant présent en utilisant un taux d'intérêt y. La valeur actualisée de l'obligation, à l'instant t, est donc :

$$V = Pe^{-y(T-t)} + \sum_{i=1}^{N} C_i e^{-y(t_i-t)},$$

où P est le principal, N le nombre de coupons, C_i le coupon payé à la date t_i. Si l'obligation est un titre négocié, on connaît le prix auquel elle peut être achetée. Si c'est le cas on peut calculer le **taux de rendement actuariel** ou **le taux de rentabilité interne** comme étant la valeur y que l'on doit mettre dans la formule ci-dessus pour rendre V égal au prix négocié de l'obligation. Ce calcul doit être réalisé par une procédure itérative (essai et erreur).

Le graphe du taux de rendement actuariel en fonction du temps jusqu'à la maturité est appelé la **courbe des taux**.

Duration. Comme on est souvent intéressé par la sensibilité des instruments au mouvement de certains facteurs sous-jacents, il est naturel de se demander comment le prix d'une obligation varie avec le rendement, et *vice versa*. En première approximation, cette variation peut être quantifiée par une mesure appelée duration.

En dérivant la fonction de valeur par rapport à y, on trouve que :

$$\frac{dV}{dy} = -(T - t)Pe^{-y(T-t)} - \sum_{i=1}^{N} C_i(t_i - t)e^{-y(t_i-t)}.$$

C'est la pente de la courbe prix/rendement. La quantité :

$$-\frac{1}{V}\frac{dV}{dy}$$

est appelée **duration Macaulay**. (La **duration modifiée ou sensibilité – en français –**, est similaire mais utilise le taux actualisé discret). La duration Macaulay est une mesure de la vie moyenne de l'obligation.

Pour de faibles mouvements du rendement, la duration donne une bonne mesure de la variation de la valeur en fonction de la variation du rendement. Pour des mouvements plus grands, on a besoin de considérer des termes plus élevés dans le développement en série de Taylor de $V(y)$.

Convexité. Le développement en série de Taylor de V donne :

$$\frac{dV}{V} = \frac{1}{V}\frac{dV}{dy}\delta y + \frac{1}{2V}\frac{d^2V}{dy^2}(\delta y)^2 + \cdots,$$

où δy est une variation du rendement. Pour de très faibles mouvements sur le rendement, la variation du prix d'une obligation peut être mesurée par la duration.

Pour des mouvements plus importants, on doit prendre en compte la courbure de la relation prix/rendement.

La **convexité dollar** est définie par :

$$\frac{d^2V}{dy^2} = (T-t)^2 P e^{-y(T-t)} + \sum_{i=1}^{N} C_i (t_i - t)^2 e^{-y(t_i - t)}.$$

et la **convexité** est :

$$\frac{1}{V}\frac{d^2V}{dy^2}.$$

Les rendements sont associés aux obligations individuelles. Idéalement, on souhaiterait une théorie des taux d'intérêt cohérente qui pourrait être utilisée simultanément pour tous les instruments financiers. La plus simple d'entre elles suppose une évolution déterministe d'un taux spot.

Le taux spot et les taux forward. Le taux d'intérêt que l'on considère sera ce qui est connu sous le nom de **taux d'intérêt court terme** ou **taux d'intérêt spot** $r(t)$. Cela signifie que le taux $r(t)$ doit s'appliquer à l'instant t. L'intérêt est composé à ce taux à chaque instant, mais *ce taux peut changer*, on suppose généralement qu'il est dépendant du temps.

Les taux forward sont des taux d'intérêt qui sont supposés s'appliquer sur des périodes données *dans le futur* pour *tous* les instruments. Cela contraste avec les rendements qui sont supposés s'appliquer du moment présent jusqu'à la maturité, avec un rendement différent pour chaque obligation.

Supposons que l'on soit dans un monde parfait dans lequel on a une distribution continue d'obligations zéro-coupon ayant toutes les maturités T. Appelons $Z(t;T)$ le prix de celles-ci à l'instant t. Notez l'utilisation de Z pour zéro-coupon.

La courbe des **taux forward implicites** est la courbe d'un taux d'intérêt spot dépendant du temps qui est cohérente avec le prix de marché des instruments. Si ce taux est $r(\tau)$ à l'instant τ, alors il satisfait :

$$Z(t;T) = e^{-\int_t^T r(\tau)d\tau}.$$

En réorganisant et en différenciant, cela donne :

$$r(T) = -\frac{\partial}{\partial T}(\ln Z(t;T)).$$

C'est le taux forward pour l'instant T à la date d'aujourd'hui, l'instant t. Demain la courbe entière (la dépendance de r dans le futur) pourra changer. Pour cette raison, on nomme habituellement $F(t;T)$ le taux forward à l'instant t pour l'instant T dans le futur où :

$$F(t;T) = -\frac{\partial}{\partial T}(\ln Z(t;T)).$$

En écrivant cela en termes de rendements $y(t; T)$, on a :

$$Z(t; T) = e^{-y(t; T)(T-t)}$$

Et donc :

$$F(t; T) = y(t; T) + \frac{\partial y}{\partial T}.$$

C'est la relation entre les rendements et les taux forward quand tout est dérivable par rapport à la maturité.

Dans le monde réel bien loin d'être parfait, on doit seulement se contenter d'un ensemble discret de données. On continue de supposer que l'on a des obligations zéro-coupon, mais maintenant on n'en aura seulement qu'un ensemble discret. On peut toujours trouver une courbe des taux forward implicites de la manière suivante. (Ici, j'ai émis l'hypothèse simplificatrice que les taux sont constants par morceaux. En pratique, on utilise d'autres formes fonctionnelles pour parvenir à lisser.)

On classe les obligations en fonction de leur maturité, en commençant par la plus courte maturité. Le prix de marché des obligations sera noté Z_i^M, où i est le rang de l'obligation dans le classement.

En utilisant seulement la première obligation, on se pose la question : « Quel taux d'intérêt est issu du prix de marché de l'obligation ? » La réponse est donnée par y_1, la solution de :

$$Z_1^M = e^{-r_1(T_1-t)},$$

c'est-à-dire :

$$r_1 = -\frac{\ln(Z_1^M)}{T_1 - t}.$$

Ce taux sera le taux qu'on utilise pour actualiser entre le présent et la date de maturité T_1 de la première obligation. Et il sera appliqué sur *tous* les instruments à chaque fois que l'on veut actualiser sur cette période.

Maintenant, concentrons-nous sur la seconde obligation ayant une date de maturité T_2. On connaît le taux à appliquer entre maintenant et l'instant T_1, mais à quel taux d'intérêt doit-on actualiser entre les instants T_1 et T_2 pour faire coïncider les prix théoriques et ceux du marché de la seconde obligation ? La réponse est r_2 qui résout l'équation :

$$Z_2^M = e^{-r_1(T_1-t)}e^{-r_2(T_2-T_1)},$$

c'est-à-dire :

$$r_2 = -\frac{\ln\left(Z_2^M/Z_1^M\right)}{T_2 - T_1}.$$

Par cette méthode de **bootstrapping**, on peut construire la courbe de taux forward. Notez comment les taux forward sont appliqués entre deux instants, période pendant laquelle j'ai supposé qu'ils sont constants.

Cette méthode peut aisément être étendue aux obligations à coupons. À nouveau, on classe les obligations suivant leur maturité, mais maintenant on a la complexité supplémentaire que l'on peut avoir seulement une valeur de marché pour représenter la somme de plusieurs cash-flows. Par conséquent, on doit souvent émettre certaines hypothèses pour obtenir le nombre d'équations nécessaire au nombre d'inconnues.

Pour évaluer des instruments non linéaires, les options, on a besoin d'un modèle qui capture l'aléa dans les taux.

Black 1976

La pratique de marché avec les dérivés de taux est souvent de les traiter comme s'il y avait un actif sous-jacent qui était log-normal. C'est la méthodologie proposée par Black (1976).

Options sur obligations. Un simple exemple de Black'76 serait une option européenne sur une obligation, tant que la maturité de l'obligation est significativement plus grande que l'expiration de l'option. Les formules pertinentes sont pour un call :

$$e^{-r(T-t)}\left(FN(d_1) - KN(d_2)\right),$$

et pour un put :

$$e^{-r(T-t)}\left(-FN(-d_1) + KN(d-_2)\right),$$

où :

$$d_1 = \frac{\ln(F/K) + \frac{1}{2}\sigma^2(T_i - t)}{\sigma\sqrt{T_i - t}},$$

$$d_2 = \frac{\ln(F/K) - \frac{1}{2}\sigma^2(T_i - t)}{\sigma\sqrt{T_i - t}}.$$

Ici F est le prix forward de l'obligation sous-jacente à la date de maturité de l'option T. La volatilité de ce prix forward est σ. Le taux d'intérêt r est le taux applicable à l'expiration de l'option et K est le prix d'exercice.

Caps et floors. Un cap est fait d'une collection de caplets séparés d'un intervalle de temps régulier. Le résultat pour le i-ième caplet est $\max(r_i - K, 0)$ à l'instant T_{i+1} où r_i est le taux d'intérêt applicable de t_i à t_{i+1} et K est le prix d'exercice.

Chaque caplet est valorisé par Black'76 comme :

$$e^{-r(T_{i+1}-t)}\left(FN(d_1) - KN(d_2)\right),$$

où r est le taux d'intérêt actualisé continûment applicable de t à T_{i+1}, F est le taux forward de l'instant T_i à T_{i+1}, K est le prix d'exercice et :

$$d_1 = \frac{\ln(F/K) + \frac{1}{2}\sigma^2(T_i - t)}{\sigma\sqrt{T_i - t}},$$

$$d_2 = \frac{\ln(F/K) - \frac{1}{2}\sigma^2(T_i - t)}{\sigma\sqrt{T_i - t}},$$

où σ est la volatilité du taux forward.

Le floorlet peut être pensé d'une manière similaire en termes d'un put sur le taux forward, et donc sa formule est :

$$e^{-r(T_{i+1}-t)}\,(KN(-d_2) - FN(-d_1))\,.$$

Swaptions. Une swaption payeuse, qui est le droit de payer un taux fixe et de recevoir un taux flottant, peut être modélisée comme un call sur le taux forward du swap sous-jacent. Sa formule est donc :

$$\frac{1 - \frac{1}{\left(1 + \frac{F}{m}\right)^{\tau m}}}{F}\,e^{-r(T-t)}\,(FN(d_1) - KN(d_2))\,,$$

où r est le taux d'intérêt actualisé continûment applicable de t à T, l'expiration, F est le taux forward du swap, K est le prix d'exercice et :

$$d_1 = \frac{\ln(F/K) + \frac{1}{2}\sigma^2(T-t)}{\sigma\sqrt{T-t}},$$

$$d_2 = \frac{\ln(F/K) - \frac{1}{2}\sigma^2(T-t)}{\sigma\sqrt{T-t}},$$

où σ est la volatilité du taux forward du swap et m est le nombre de paiements du swap par an.

La swaption receveuse est donc :

$$\frac{1 - \frac{1}{\left(1 + \frac{F}{m}\right)^{\tau m}}}{F}\,e^{-r(T-t)}\,(KN(-d_2) - FN(-d_1))\,.$$

Modèles de taux spot

La méthode d'évaluation des dérivés ci-dessus n'est pas entièrement cohérente. Pour cette raison, d'autres modèles de taux d'intérêt ont été développés, qui sont cohérents.

Dans tous les modèles de taux spot ci-dessous, on a :

$$dr = u(r,t)\,dt + \omega(r,t)\,dX$$

comme processus réel pour le taux d'intérêt spot. Le processus risque-neutre qui gouverne la valeur des instruments de taux est :

$$dr = (u - \lambda\omega)\,dt + \omega\,dX$$

où λ est le prix de marché du risque de taux d'intérêt. Dans chaque cas, l'équation différentielle stochastique que l'on décrit concerne le processus du taux spot risque-neutre et non le processus réel.

L'équation différentielle gouvernant la valeur des contrats non path-dependent est :

$$\frac{\partial V}{\partial t} + \frac{1}{2}w^2\frac{\partial^2 V}{\partial r^2} + (u - \lambda w)\frac{\partial V}{\partial r} - rV = 0.$$

La valeur des dérivés de taux peut aussi être interprétée comme :

$$E_t^Q \, [\, \text{Present value of cashflows} \,]$$

où l'espérance est calculée sous la probabilité risque-neutre.

Vasicek. Dans ce modèle, le processus risque-neute est :

$$dr = (a - br)dt + c \, dX,$$

avec a, b et c constants. Dans ce modèle, r peut prendre des valeurs négatives.

Il y a une solution pour les obligations de la forme $\exp(A(t \, ; \, T)\text{-}B(t \, ; \, T)r)$.

Cox, Ingersoll et Ross. Dans ce modèle, le processus risque-neutre est :

$$dr = (a - br)dt + cr^{1/2} \, dX,$$

avec a, b et c constants. Tant que a est suffisamment grand, ce processus ne peut pas prendre de valeurs négatives.

Il y a une solution pour les obligations de la forme $\exp(A(t; \, T)\text{-}B(t; \, T)r)$.

Ho et Lee. Dans ce modèle, le processus risque-neutre est :

$$dr = a(t)dt + c \, dX,$$

avec c constant. Dans ce modèle, r peut prendre des valeurs négatives.

Il y a une solution pour les obligations de la forme $\exp(A(t; \, T)\text{-}B(t; \, T)r)$.

Le paramètre dépendant du temps $a(t)$ est choisi de telle sorte que la courbe de taux théorique coïncide initialement avec la courbe de taux du marché. C'est le calibrage.

Hull et White. Les modèles précédents ont leurs versions Hull et White. Elles prennent la forme :

$$dr = (a(t) - b(t)r)dt + c(t)dX,$$

ou

$$dr = (a(t) - b(t)r)dt + c(t)r^{1/2}dX.$$

Les fonctions du temps permettent d'épouser des données de marché variées, ou de calibrer par rapport à elles.

Il y a des solutions pour les obligations de la forme $\exp(A(t; \, T)\text{-}B(t; \, T)r)$.

Black-Karasinski. Dans ce modèle, le processus risque-neutre pour le taux spot est :

$$d(\text{In } r) = (a(t) - b(t) \text{ In } r)dt + c(t)dX.$$

Il n'y a pas de solutions en forme fermée pour les obligations simples.

Modèles à deux facteurs

Dans les modèles à deux facteurs il y a deux sources d'aléa, permettant une structure plus riche des courbes de taux théoriques que celle que permettent les modèles à facteur unique. Souvent, mais pas toujours, un des facteurs est encore le taux spot.

Brennan et Schwartz. Dans le modèle de Brennan et Schwartz, le processus risque-neutre pour le taux spot est :

$$dr = (a_1 - b_2(l - r)dt + \sigma_1 r \, dX_1.$$

et le taux long satisfait :

$$dl = l(a_2 - b_2 r + c_2 l)dt + \sigma_2 l \, dX_2.$$

Fong et Vasicek. Fong et Vasicek considèrent le modèle suivant pour les variables risques-neutres :

$$dr = a(\bar{r} - r)dt + \sqrt{\xi} \, dX_1$$

et

$$d\xi = b(\bar{\xi} - \xi)dt + c\sqrt{\xi} \, dX_2.$$

Par conséquent ils modélisent le taux spot, et ξ la racine carrée de la variance du taux spot.

Longstaff et Schwartz. Longstaff et Schwartz considèrent le modèle suivant pour les variables risques-neutres :

$$dx = a(\bar{x} - x)dt + \sqrt{x} \, dX_1$$

et

$$dy = b(\bar{y} - y)dt + \sqrt{y} \, dX_2,$$

où le taux d'intérêt spot est donné par :

$$r = cx + dy.$$

Hull et White. Le modèle risque-neutre :

$$dr = (\eta(t) - u - \gamma r)dt + c \, dX_1.$$

et

$$du = -au \, dt + b \, dX_2.$$

est une version à deux facteurs du modèle Hull & White à un facteur. La fonction $\eta(t)$ est utilisée pour ajuster la courbe de taux initiale.

Tous les modèles ci-dessus, excepté celui de Brennan et Schwartz, ont des solutions de forme fermée pour les obligations simples, de la forme de l'exponentielle d'une fonction linéaire des deux variables.

Le prix de marché du risque comme facteur aléatoire. Supposons que l'on ait les deux trajectoires aléatoires *réelles* :

$$dr = u \, dt + w \, dX_1.$$

et

$$d\lambda = p \, dt + q \, dX_2.$$

où λ est le prix de marché du risque r. L'équation d'évaluation d'une obligation zéro-coupon est donc :

$$\frac{\partial Z}{\partial t} + \frac{1}{2}w^2 \frac{\partial^2 Z}{\partial r^2} + \rho wq \frac{\partial^2 Z}{\partial r \partial \lambda} + \frac{1}{2}q^2 \frac{\partial^2 Z}{\partial \lambda^2}$$
$$+ (u - \lambda w)\frac{\partial Z}{\partial r} + (p - \lambda_\lambda q)\frac{\partial Z}{\partial \lambda} - rZ = 0.$$

Puisque le prix de marché du risque est lié à la pente de la courbe de taux sur sa partie court terme, seul λ_λ est inobservable dans cette équation.

SABR

Le modèle SABR (Stochastique, α, β, ρ) de Hagan, Kumar, Leniewski et Woodward (2002) est un modèle pour un taux forward F, et sa volatilité α, les deux étant stochastiques :

$$dF = \alpha F^\beta \, dX_1 \text{ et } d\alpha = v\alpha \, dX_2.$$

Il y a trois paramètres, β, v et une corrélation ρ. Le modèle est spécifique parce qu'il est défini pour un cas spécial où la volatilité α et la volatilité de la volatilité, v, sont toutes deux petites. Dans ce cas, il y a des approximations de forme fermée relativement simples (solutions asymptotiques). Le modèle est donc plus pertinent pour des marchés de taux que pour les marchés actions. Les marchés actions ont typiquement une grande volatilité, rendant le modèle peu utile.

Le modèle se calibre bien par rapport aux instruments de taux simples à maturité spécifiée, et si les paramètres peuvent être dépendants du temps, une structure par termes peut aussi convenir.

Heath, Jarrow et Morton

Dans le modèle de Heath, Jarrow et Morton (HJM) l'évolution de la courbe de taux forward entière est modélisée. La courbe de taux forward risque-neutre évolue selon :

$$dF(t; T) = m(t; T) \, dt + v(t; T) \, dX.$$

Les obligations zéro-coupon ont donc leur valeur donnée par :

$$Z(t; T) = e^{-\int_t^T F(t;s)\,ds},$$

le principal étant ici normé à 1 \$ à la maturité. Un argument de couverture montre que la dérive du processus risque-neutre pour F ne peut pas être spécifiée indépendamment de sa volatilité, et donc :

$$m(t, T) = v(t, T)\int_t^T v(t, s)\,ds.$$

Cela équivaut à dire que les prix des obligations, qui sont négociées, croissent en moyenne au taux spot sans risque.

Une version multifacteurs de cela donne le processus risque-neutre suivant pour la courbe de taux forward :

$$dF(t, T) = \left(\sum_{i=1}^{N} \mathbf{v}_i(t, T) \int_t^T \mathbf{v}_i(t, s) \ ds \right) \ dt + \sum_{i=1}^{N} \mathbf{v}_i(t, T) \ dX_i.$$

Ici les dX_i ne sont pas corrélés entre eux.

Brace, Gatarek et Musiela

Le modèle de Brace, Gatarek et Musiela (BGM) est une version discrète du modèle HJM où seules les obligations négociées sont modélisées, plutôt que la courbe de taux continue entière, assez irréaliste.

Si $Z_i(t) = Z(t \ ; \ T_i)$ est la valeur d'une obligation zéro-coupon, de maturité T_i, à l'instant t, alors le taux forward applicable entre T_i et T_{i+1} est donné par :

$$F_i = \frac{1}{\tau} \left(\frac{Z_i}{Z_{i+1}} - 1 \right),$$

où $\tau = T_{i+1} - T_i$. En supposant égales les périodes temporelles entre chaque maturité que l'on a, les processus risques-neutres pour les taux forward sont donnés par :

$$dF_i = \left(\sum_{j=1}^{i} \frac{\sigma_j F_j \tau \rho_{ij}}{1 + \tau F_j} \right) \ \sigma_i F_i \ dt + \sigma_i F_i \ dX_i.$$

Modéliser les taux d'intérêt est donc une question de formes fonctionnelles pour les volatilités des taux forward σ_i et les corrélations entre eux, ρ_{ij}.

Les prix comme espérances

Pour tous les modèles ci-dessus, la valeur des dérivés de taux peut être interprétée comme :

$$E_t^Q \ [\text{Present value of cashflows}],$$

où l'espérance est par rapport au(x) processus risque(s)-neutre(s). La valeur actualisée est ici calculée par trajectoire. Si vous réalisez une simulation dans un objectif de valorisation, vous devez actualiser les cash-flows pour chaque trajectoire, en utilisant le facteur d'actualisation cohérent pour cette trajectoire.

Crédit

Les modèles de risque de crédit se partagent en deux variétés principales, la forme structurelle et la forme réduite.

Modèles structurels

Les modèles structurels essaient de modéliser le comportement d'une entreprise de manière à représenter son défaut ou sa banqueroute de la façon la plus réaliste possible. Les travaux de référence dans ce domaine sont ceux de Robert Merton qui a montré comment penser la valeur d'une entreprise comme une option d'achat sur ses actifs, le prix d'exercice de l'option étant la dette existante.

Merton suppose que les actifs de l'entreprise A suivent une trajectoire aléatoire :

$$dA = \mu A \, dt + \sigma A \, dX.$$

Si V est la valeur actuelle de la dette, source du risque de défaut, alors la valeur de l'action est égale aux actifs moins le passif :

$$S = A - V.$$

Ici S est la valeur de l'action. A la maturité de cette dette :

$$S(A, T) = \max(A - D, 0) \text{ et } V(A, T) = \min(D, A),$$

où D est le montant de la dette, devant être remboursé à la date T.

Si l'on peut couvrir la dette avec une quantité d'actions variant dynamiquement, l'argument de couverture de Black-Scholes s'applique et l'on trouve que la valeur actuelle de la dette, V, satisfait :

$$\frac{\partial V}{\partial t} + \tfrac{1}{2}\sigma^2 A^2 \frac{\partial^2 V}{\partial A^2} + rA \frac{\partial V}{\partial A} - rA = 0$$

avec :

$$V(A, T) = \min(D, A),$$

L'action S de l'entreprise satisfait exactement la même équation aux dérivées partielles avec :

$$S(A, T) = \max(A - D, 0).$$

Le problème pour S est exactement celui d'une option d'achat, mais maintenant on a S au lieu de la valeur de l'option, la variable sous-jacente est la valeur de l'actif A et le prix d'exercice est la dette D. La formule pour la valeur de l'action est la valeur de Black-Scholes pour une option d'achat.

Forme réduite

L'approche la plus populaire de la modélisation du risque de crédit consiste à utiliser un risque de défaut instantané ou taux de défaut (**hazard rate**). Cela signifie que si l'entreprise n'a pas fait défaut à l'instant t, la probabilité de défaut entre les instants t et $t = dt$ est pdt. C'est simplement le même processus de Poisson que celui des modèles de diffusion avec sauts. Si p est constant, cela donne la probabilité que l'entreprise existe encore à l'instant T, en supposant qu'il n'y avait pas faillite à l'instant t, simplement exprimée par :

$$e^{-p(T-t)}.$$

Si le rendement d'une obligation sans risque, c'est-à-dire une obligation d'État, de maturité T, est r, alors sa valeur est :

$$e^{-r(T-t)}.$$

Si l'on dit qu'une obligation équivalente sur l'entreprise risquée payera 1 si l'entreprise ne fait pas faillite et zéro autrement, la valeur actualisée du résultat espéré provient de la multiplication de la valeur d'une obligation sans risque par la probabilité que l'entreprise ne soit pas en défaut, et l'on obtient :

$$e^{-r(T-t)}. e^{-p(T-t)} = e^{-(r+p)(T-t)}.$$

Donc, pour représenter la valeur d'une obligation risquée, il faut juste ajouter un spread de crédit de p au rendement de l'obligation sans risque équivalente. Ou inversement, en connaissant les rendements sur les obligations sans risque et risquées, on peut estimer p, le risque de défaut implicite.

C'est une manière populaire de modéliser le risque de crédit parce qu'elle est très simple, et les mathématiques sont identiques à celles des modèles de taux d'intérêt.

Références et approfondissement

Black F., 1976, « The pricing of commodity contracts », *Journal of Financial Economics* 3, p. 167–79.

Black, F. & Scholes, M., 1973, « The pricing of options and corporate liabilities », *Journal of Political Economy* 81, p. 637–59.

Brace, A., Gatarek, D. & Musiela, M., 1997, « The market model of interest rate dynamics », *Mathematical Finance* 7, p. 127–154.

Cox, J., Ingersoll, J. & Ross, S., 1985, « A theory of the term structure of interest rates », *Econometrica* 53, p. 385–467.

Hagan, P., Kumar, D., Lesniewski, A. & Woodward, D., 2002, « Managing smile risk », *Wilmott magazine*, September.

Haug, E.G., 1997, *The Complete Guide to Option Pricing Formulas*, McGraw–Hill.

Heath, D., Jarrow, R. & Morton, A., 1992, « Bond pricing and the term structure of interest rates : a new methodology », *Econometrica* 60, p. 77–105.

Heston, S., 1993, « A closed-form solution for options with stochastic volatility with application to bond and currency options », *Review of Financial Studies* 6, p. 327–343.

Ho, T. & Lee, S., 1986, « Term structure movements and pricing interest rate contingent claims », *Journal of Finance* 42, p. 1129–1142.

Hull, J.C. & White, A., 1987, « The pricing of options on assets with stochastic volatilities ». *Journal of Finance* 42, p. 281–300.

Hull, J.C. & White, A., 1990, « Pricing interest rate derivative securities », *Review of Financial Studies* 3, p. 573–592.

Lewis, A., 2000, *Option valuation under Stochastic Volatility*, Finance Press.

Merton, R.C., 1973, « Theory of rational option pricing », *Bell Journal of Economics and Management Science* 4, p. 141–183.

Merton, R.C., 1974, « On the pricing of corporate debt : the risk structure of interest rates », *Journal of Finance* 29, p. 449–470.

Merton, R.C., 1976, « Option pricing when underlying stock returns are discontinuous », *Journal of Financial Economics* 3, p. 125–144.

Rasmussen, H. & Wilmott, P., 2002, « Asymptotic analysis of stochastic volatility models », in *New Directions in Mathematical Finance*, Ed. Wilmott, P. & Rasmussen, H., John Wiley & Sons.

Schönbucher, P.J., 1999, « A market model for stochastic implied volatility », *Phil. Trans. A* 357, p. 2071–2092

Schönbucher, P.J., 2003, *Credit Derivatives Pricing Models*, John Wiley & Sons.

Vasicek, O.A., 1977, « An equilibrium characterization of the term structure », *Journal of Financial Economics* 5, p. 177–188

Wilmott, P., 2006, *Paul Wilmott On Quantitative Finance*, second edition, John Wiley & Sons.

Chapitre 6

Les formules de Black-Scholes et les grecques

Dans les formules qui vont suivre :

$$N(x) = \frac{1}{\sqrt{2\pi}} \int_{-\infty}^{x} e^{-\frac{1}{2}\phi^2} d\phi,$$

$$d_2 = \frac{\ln(S/K) + (r - D - \frac{1}{2}\sigma^2)(T - t)}{\sigma\sqrt{T - t}}$$

et

$$d_1 = \frac{\ln(S/K) + (r - D + \frac{1}{2}\sigma^2)(T - t)}{\sigma\sqrt{T - t}}$$

les formules sont aussi valides pour σ, D et r dépendants du temps, utilisez juste la bonne « moyenne » comme cela est expliqué dans le chapitre précédent.

Avertissement

Les grecques qui sont surlignées en gris dans ce qui suit peuvent parfois induire en erreur. Ce sont ces Grecques qui sont des dérivées partielles par rapport à un paramètre (σ, r ou D) par opposition à une variable (S et t) *et* qui ne sont pas d'un seul signe (c'est-à-dire toujours positives ou toujours négatives). Dériver par rapport à un paramètre, qui a été supposé constant de telle sorte que l'on puisse trouver une solution de forme fermée, est intrinsèquement incohérent. Par exemple, $\partial V/\partial \sigma$ est la sensibilité du prix de l'option par rapport à la volatilité, mais si la volatilité est constante, comme supposé dans la formule, pourquoi mesurer la sensibilité par rapport à elle ? Cela peut ne pas être gênant si la dérivée partielle par rapport au paramètre est d'un seul signe, comme $\partial V/\partial \sigma$ pour les calls et les puts. Mais si la dérivée partielle change de signe il peut y avoir des problèmes. Par exemple, le call binaire a un Vega positif pour les prix d'action bas, et un Vega négatif pour les prix d'action élevés, et au milieu le Vega est faible, et même nul à un point. Cependant, cela ne signifie pas que le call binaire n'est pas sensible à la volatilité au milieu. C'est précisément au milieu que la valeur du call binaire est très sensible à la volatilité, mais non au niveau de volatilité, mais plutôt à l'asymétrie de la volatilité.

Table 6.1 : Formules pour un call européen

Call	
Payoff	$\max(S - K, 0)$
Value V Valeur de Black-Scholes	$Se^{-D(T-t)} N(d_1) - Ke^{-r(T-t)} N(d_2)$
Delta $\frac{\partial V}{\partial S}$ Sensibilité au sous-jacent	$e^{-D(T-t)} N(d_1)$
Gamma $\frac{\partial^2 V}{\partial S^2}$ Sensibilité du delta au sous-jacent	$\dfrac{e^{-D(T-t)} N'(d_1)}{\sigma S \sqrt{T-t}}$
Theta $\frac{\partial V}{\partial t}$ Sensibilité au temps	$-\dfrac{\sigma S e^{-D(T-t)} N'(d_1)}{2\sqrt{T-t}} + DSN(d_1)e^{-D(T-t)}$ $- rKe^{-r(T-t)} N(d_2)$
Speed $\frac{\partial^3 V}{\partial S^3}$ Sensibilité du gamma au sous-jacent	$-\dfrac{e^{-D(T-t)} N'(d_1)}{\sigma^2 S^2 (T-t)} \times \left(d_1 + \sigma \sqrt{T-t} \right)$
Charm $\frac{\partial^2 V}{\partial S \, \partial t}$ Sensibilité du delta au temps	$De^{-D(T-t)} N(d_1) + e^{-D(T-t)} N'(d_1)$ $\times \left(\dfrac{d_2}{2(T-t)} - \dfrac{r-D}{\sigma \sqrt{T-t}} \right)$
Colour $\frac{\partial^3 V}{\partial S^2 \, \partial t}$ Sensibilité du gamma au temps	$\dfrac{e^{-D(T-t)} N'(d_1)}{\sigma S \sqrt{T-t}}$ $\times \left(D + \dfrac{1 - d_1 d_2}{2(T-t)} - \dfrac{d_1(r-D)}{\sigma \sqrt{T-t}} \right)$
Vega $\frac{\partial V}{\partial \sigma}$ Sensibilité à la volatilité	$S \sqrt{T-t}\, e^{-D(T-t)} N'(d_1)$
Rho (r) $\frac{\partial V}{\partial r}$ Sensibilité au taux dintérêt	$K(T-t) e^{-r(T-t)} N(d_2)$
Rho (D) $\frac{\partial V}{D}$ Sensibilité au rendement du dividende	$-(T-t) Se^{-D(T-t)} N(d_1)$
Vanna $\frac{V}{\partial S \, \partial \sigma}$ Sensibilité du delta à la volatilité	$-e^{-D(T-t)} N'(d_1) \dfrac{d_2}{\sigma}$
Volga/Vomma $\frac{\partial^2 V}{\partial \sigma^2}$ Sensibilité du vega à la volatilité	$S \sqrt{T-t}\, e^{-D(T-t)} N'(d_1) \dfrac{d_1 d_2}{\sigma}$

Table 6.2 : Formules pour un put européen

	Put
Payoff	$\max(K - S, 0)$
Value V Valeur de Black-Scholes	$-Se^{-D(T-t)}N(-d_1) + Ke^{-r(T-t)}N(-d_2)$
Delta $\frac{\partial V}{\partial S}$ Sensibilité au sous-jacent	$e^{-D(T-t)}(N(d_1) - 1)$
Gamma $\frac{\partial^2 V}{\partial S^2}$ Sensibilité du delta au sous-jacent	$\dfrac{e^{-D(T-t)}N'(d_1)}{\sigma S\sqrt{T-t}}$
Theta $\frac{\partial V}{\partial t}$ Sensibilité au temps	$-\dfrac{\sigma Se^{-D(T-t)}N'(-d_1)}{2\sqrt{T-t}} - DSN(-d_1)e^{-D(T-t)}$ $+ rKe^{-r(T-t)}N(-d_2)$
Speed $\frac{\partial^3 V}{\partial S^3}$ Sensibilité du gamma au sous-jacent	$-\dfrac{e^{-D(T-t)}N'(d_1)}{\sigma^2 S^2(T-t)} \times \left(d_1 + \sigma\sqrt{T-t}\right)$
Charm $\frac{\partial^2 V}{\partial S\,\partial t}$ Sensibilité du delta au temps	$De^{-D(T-t)}(N(d_1) - 1) + e^{-D(T-t)}N'(d_1)$ $\times \left(\dfrac{d_2}{2(T-t)} - \dfrac{r-D}{\sigma\sqrt{T-t}}\right)$
Colour $\frac{\partial^3 V}{\partial S^2\,\partial t}$ Sensibilité du gamma au temps	$\dfrac{e^{-D(T-t)}N'(d_1)}{\sigma S\sqrt{T-t}}$ $\times \left(D + \dfrac{1-d_1 d_2}{2(T-t)} - \dfrac{d_1(r-D)}{\sigma\sqrt{T-t}}\right)$
Vega $\frac{\partial V}{\partial \sigma}$ Sensibilité à la volatilité	$S\sqrt{T-t}\,e^{-D(T-t)}N'(d_1)$
Rho (r) $\frac{\partial V}{\partial r}$ Sensibilité au taux d'intérêt	$-K(T-t)e^{-r(T-t)}N(-d_2)$
Rho (D) $\frac{\partial V}{\partial D}$ Sensibilité au rendement du dividende	$(T-t)Se^{-D(T-t)}N(-d_1)$
Vanna $\frac{\partial^2 V}{\partial S\,\partial \sigma}$ Sensibilité du delta à la volatilité	$-e^{-D(T-t)}N'(d_1)\dfrac{d_2}{\sigma}$
Volga/Vomma $\frac{\partial^2 V}{\partial \sigma^2}$ Sensibilité du vega à la volatilité	$S\sqrt{T-t}\,e^{-D(T-t)}N'(d_1)\dfrac{d_1 d_2}{\sigma}$

Table 6.3 : Formules pour un call binaire européen

Call Binaire

Payoff	1 if $S > K$ otherwise 0
Value V	$e^{-r(T-t)} N(d_2)$
Valeur de Black-Scholes	
Delta $\frac{\partial V}{\partial S}$	$\dfrac{e^{-r(T-t)} N'(d_2)}{\sigma S \sqrt{T-t}}$
Sensibilité au sous-jacent	
Gamma $\frac{\partial^2 V}{\partial S^2}$	$-\dfrac{e^{-r(T-t)} d_1 N'(d_2)}{\sigma^2 S^2 (T-t)}$
Sensibilité du delta au sous-jacent	
Theta $\frac{\partial V}{\partial t}$	$re^{-r(T-t)} N(d_2) + e^{-r(T-t)} N'(d_2)$
Sensibilité au temps	$\times \left(\dfrac{d_1}{2(T-t)} - \dfrac{r-D}{\sigma \sqrt{T-t}} \right)$
Speed $\frac{\partial^3 V}{\partial S^3}$	$-\dfrac{e^{-r(T-t)} N'(d_2)}{\sigma^2 S^3 (T-t)} \times \left(-2d_1 + \dfrac{1 - d_1 d_2}{\sigma \sqrt{T-t}} \right)$
Sensibilité du gamma au sous-jacent	
Charm $\frac{\partial^2 V}{\partial S \, \partial t}$	$\dfrac{e^{-r(T-t)} N'(d_2)}{\sigma S \sqrt{T-t}} \times \left(r + \dfrac{1 - d_1 d_2}{2(T-t)} + \dfrac{d_2(r-D)}{\sigma \sqrt{T-t}} \right)$
Sensibilité du delta au temps	
Colour $\frac{\partial^3 V}{\partial S^2 \, \partial t}$	$-\dfrac{e^{-r(T-t)} N'(d_2)}{\sigma^2 S^2 (T-t)} \times \left(rd_1 + \dfrac{2d_1 + d_2}{2(T-t)} - \dfrac{r-D}{\sigma \sqrt{T-t}} \right)$
Sensibilité du gamma au temps	$\times \, d_1 d_2 \left(\dfrac{d_1}{2(T-t)} - \dfrac{r-D}{\sigma \sqrt{T-t}} \right)$
Vega $\frac{\partial V}{\partial \sigma}$	$-e^{-r(T-t)} N'(d_2) \dfrac{d_1}{\sigma}$
Sensibilité à la volatilité	
Rho (r) $\frac{\partial V}{\partial r}$	$-(T-t)e^{-r(T-t)} N(d_2)$
Sensibilité au taux d'intérêt	$+\dfrac{\sqrt{T-t}}{\sigma} e^{-r(T-t)} N'(d_2)$
Rho (D) $\frac{\partial V}{\partial D}$	$-\dfrac{\sqrt{T-t}}{\sigma} e^{-r(T-t)} N'(d_2)$
Sensibilité au rendement du dividende	
Vanna $\frac{\partial^2 V}{\partial S \, \partial \sigma}$	$-\dfrac{e^{-r(T-t)}}{\sigma^2 S \sqrt{T-t}} N'(d_2) \left(1 - d_1 d_2 \right)$
Sensibilité du delta à la volatilité	
Volga/Vomma $\frac{\partial^2 V}{\partial \sigma^2}$	$\dfrac{e^{-r(T-t)}}{\sigma^2} N'(d_2) \left(d_1^2 d_2 - d_1 - d_2 \right)$
Sensibilité du vega à la volatilité	

Table 6.4 : Formules pour un put binaire européen

Put Binaire

Payoff	1 if $S < K$ otherwise 0
Value V	$e^{-r(T-t)}(1 - N(d_2))$
Valeur de Black-Scholes	
Delta $\frac{\partial V}{\partial S}$	$-\dfrac{e^{-r(T-t)}N'(d_2)}{\sigma S \sqrt{T-t}}$
Sensibilité au sous-jacent	
Gamma $\frac{\partial^2 V}{\partial S^2}$	$\dfrac{e^{-r(T-t)}d_1 N'(d_2)}{\sigma^2 S^2 (T-t)}$
Sensibilité du delta au sous-jacent	
Theta $\frac{\partial V}{\partial t}$	$re^{-r(T-t)}(1 - N(d_2)) - e^{-r(T-t)}N'(d_2)$
Sensibilité au temps	$\times \left(\dfrac{d_1}{2(T-t)} - \dfrac{r-D}{\sigma\sqrt{T-t}} \right)$
Speed $\frac{\partial^3 V}{\partial S^3}$	$\dfrac{e^{-r(T-t)}N'(d_2)}{\sigma^2 S^3 (T-t)} \times \left(-2d_1 + \dfrac{1-d_1 d_2}{\sigma\sqrt{T-t}} \right)$
Sensibilité du gamma au sous-jacent	
Charm $\frac{\partial^2 V}{\partial S \partial t}$	$-\dfrac{e^{-r(T-t)}N'(d_2)}{\sigma S \sqrt{T-t}} \times \left(r + \dfrac{1-d_1 d_2}{2(T-t)} + \dfrac{d_2(r-D)}{\sigma\sqrt{T-t}} \right)$
Sensibilité du delta au temps	
Colour $\frac{\partial^3 V}{\partial S^2 \partial t}$	$\dfrac{e^{-r(T-t)}N'(d_2)}{\sigma^2 S^2 (T-t)} \times \left(rd_1 + \dfrac{2d_1 + d_2}{2(T-t)} - \dfrac{r-D}{\sigma\sqrt{T-t}} \right)$
Sensibilité du gamma au temps	$d_1 d_2 \left(\dfrac{d_1}{2(T-t)} - \dfrac{r-D}{\sigma\sqrt{T-t}} \right)$
Vega $\frac{\partial V}{\partial \sigma}$	$e^{-r(T-t)}N'(d_2)\dfrac{d_1}{\sigma}$
Sensibilité à la volatilité	
Rho (r) $\frac{\partial V}{\partial r}$	$-(T-t)e^{-r(T-t)}(1 - N(d_2))$
Sensibilité au taux d'intérêt	$-\dfrac{\sqrt{T-t}}{\sigma}e^{-r(T-t)}N'(d_2)$
Rho (D) $\frac{\partial V}{\partial D}$	$\dfrac{\sqrt{T-t}}{\sigma}e^{-r(T-t)}N'(d_2)$
Sensibilité au rendement du dividende	
Vanna $\frac{\partial^2 V}{\partial S \partial \sigma}$	$-\dfrac{e^{-r(T-t)}}{\sigma^2 S \sqrt{T-t}}N'(d_2)\left(1 - d_1 d_2\right)$
Sensibilité du delta à la volatilité	
Volga/Vomma $\frac{\partial^2 V}{\partial \sigma^2}$	$\dfrac{e^{-r(T-t)}}{\sigma^2}N'(d_2)\left(d_1^2 d_2 - d_1 - d_2\right)$
Sensibilité du vega à la volatilité	

Chapitre 7

Contrats communs

Points à surveiller dans les contrats exotiques

I l y a six caractéristiques importantes auxquelles il faut faire attention dans les contrats exotiques. Comprendre ces points vous aidera à évaluer un contrat. Ces caractéristiques sont les suivantes :

1. Dépendance au temps.
2. Cash-flows (flux de trésorerie).
3. Path-dependence.
4. Dimensionnalité.
5. Ordre.
6. Inclusion de caractéristiques décisionnelles.

Si vous classez un contrat exotique selon ces caractéristiques vous serez capable de déterminer :

  – quel type de méthode d'évaluation il est préférable d'utiliser ;
  – si vous pouvez réutiliser un vieux code ;
  – combien de temps cela vous prendra de le programmer ;
  – avec quelle rapidité il donnera le résultat.

La dépendance au temps est lorsque les termes d'un contrat exotique précisent des dates ou périodes spéciales auxquelles ou durant lesquelles quelque chose survient, comme un cash-flow, un exercice anticipé, ou un événement qui est déclenché. La dépendance au temps est à la première place de notre liste, car c'est un concept très fondamental.

  – La dépendance au temps dans un contrat d'option signifie que notre discrétisation numérique peut devoir être ajustée pour coïncider avec des instants ou des périodes auxquels/pendant lesquelles quelque chose survient.
  – Cela signifie que notre code devra garder la trace des instants, dates, etc. Cela n'est pas difficile, juste ennuyeux.

Les cash-flows désignent les moments où l'argent change de mains pendant la vie du contrat (par opposition à une prime initiale ou un payoff final). Quand il y a un cash-flow, la valeur du contrat change instantanément du montant du cash-flow.

  – Quand un contrat a des cash-flows payés discrètement, vous devez vous attendre à appliquer des conditions de saut. Cela signifie aussi que le contrat a une dépendance au temps, voir ci-dessus.
  – Des cash-flows payés continûment impliquent une modification, bien qu'assez simple, de l'équation directrice.

La path-dependence est quand une option a un payoff qui dépend de la trajectoire prise par l'actif sous-jacent, et pas juste de la valeur de l'actif à l'expiration. La path-dependence existe sous deux formes, forte et faible.

Les contrats à path-dependence forte ont des payoffs qui dépendent de certaines propriétés de la trajectoire du sous-jacent en plus de la valeur actuelle du sous-jacent ; dans le langage des options sur actions, on ne peut pas écrire la valeur $V(S,t)$. La valeur du contrat est une fonction d'au moins une variable indépendante supplémentaire. La path-dependence forte se présente sous deux formes, **échantillonnée discrètement** ou **continûment**, selon que l'on utilise un sous-ensemble discret ou bien une distribution continue de prix d'actifs.

– La path-dependence forte signifie que l'on doit travailler dans des dimensions élevées. Cela a, entre autres, pour conséquence que notre programme peut mettre plus de temps à tourner.

La path-dependence faible est lorsqu'un contrat dépend de la trajectoire du sous-jacent mais ne requiert pas une variable d'état supplémentaire. L'exemple le plus évident est celui d'une option barrière.

– La path-dependence faible signifie que l'on n'a pas à travailler dans les dimensions élevées, donc notre code devrait être très rapide.

La dimensionnalité fait référence au nombre de variables indépendantes sous-jacentes. L'option vanille a deux variables indépendantes, S et t, elle est donc bidimensionnelle. Les contrats à path-dependence faible ont le même nombre de dimensions que leurs cousins non path-dependent.

On peut avoir deux types de problèmes tridimensionnels. Le premier type de problème tridimensionnel est le contrat à path-dependence forte. Typiquement, la nouvelle variable indépendante est une mesure de la quantité path-dependent à laquelle l'option est contingente. Dans ce cas, les dérivées de la valeur de l'option par rapport à cette nouvelle variable sont seulement du premier ordre. Par conséquent, la nouvelle variable joue plus comme une variable de type temps.

Le second type de problème tridimensionnel survient quand on a une seconde source d'aléa, comme un second actif sous-jacent. Dans l'équation directrice, on voit une dérivée seconde de la valeur de l'option par rapport à chaque actif. On dit qu'il y a diffusion dans deux dimensions.

– Les dimensions élevées signifient un temps de calcul plus long.
– Le nombre de dimensions que l'on a nous dit aussi quelle sorte de méthode numérique utiliser. Les dimensions élevées signifient que l'on va probablement utiliser Monte Carlo, les basses les différences finies.

L'ordre d'une option fait référence aux options dont le payoff, et donc la valeur, est contingente à la valeur *d'une autre option*. L'exemple le plus évident d'options du second ordre sont les options composées, par exemple, un call qui donne au détenteur le droit d'acheter un put.

– Quand une option est du second ordre ou plus, on doit d'abord résoudre l'option du premier ordre. On a donc un mille-feuille, on doit travailler sur les niveaux inférieurs et leurs résultats alimentent les niveaux supérieurs.
– Cela signifie que l'on doit résoudre numériquement plus d'un problème pour résoudre notre option.

Il y a des caractéristiques décisionnelles quand le détenteur ou le vendeur a un certain contrôle sur le payoff. Ils peuvent être capables d'exercer prématurément, comme dans les options américaines, ou bien l'émetteur peut être capable de rappeler le contrat à un prix spécifié.

Quand un contrat a des *caractéristiques décisionnelles*, vous avez besoin d'un algorithme pour décider comment prendre cette décision. Cet algorithme revient à supposer que le détenteur du contrat agit pour *rendre la valeur de l'option aussi haute que possible pour le vendeur se couvrant en delta*. L'algorithme de valorisation équivaut donc à chercher parmi toutes les stratégies possibles de décision pour le détenteur, celle qui maximise la valeur de l'option. Cela semble difficile, mais *via* une approche correcte c'est en fait remarquablement direct, surtout si vous utilisez la méthode des différences finies. La justification de la recherche de la stratégie qui maximise la valeur, c'est que le vendeur ne peut pas se permettre de vendre l'option moins cher que cela, sans quoi il serait exposé au « risque de décision ». Quand le vendeur ou l'émetteur de l'option est celui qui doit prendre la décision, la valeur est fondée sur la recherche de la stratégie qui minimise la valeur.

- Les caractéristiques décisionnelles impliquent que l'on voudrait vraiment valoriser par différences finies.
- Le code contiendra une ligne dans laquelle on cherchera le meilleur prix, donc guettez les signes $\geq$ ou $\leq$.

Exemples

Coupon couru (accrual) est un terme générique appliqué aux contrats dans lesquels un montant se construit graduellement jusqu'à ce qu'il soit remboursé d'un seul coup. Un exemple pourrait être une accrual range note (« corridor ») dans laquelle chaque jour où un sous-jacent est à l'intérieur d'un intervalle spécifié, on accumule un montant spécifié, qui sera finalement remboursé en une seule fois à un jour spécifié. Tant qu'il n'y a pas de caractéristiques décisionnelles dans le contrat, on traite facilement ce contrat par simulation de Monte Carlo. Si l'on veut prendre une approche de modélisation par équation aux dérivées partielles, une variable d'état supplémentaire sera souvent requise pour garder la trace des montants qui ont été accumulés.

Une option américaine est une option où le détenteur a le droit d'exercer à tout moment avant l'expiration, et d'en toucher le bénéfice. De nombreux contrats ont de telles caractéristiques américaines d'exercice prématuré. Mathématiquement, un exercice prématuré revient à la conversion d'une obligation convertible. Ces contrats sont évalués en supposant que le détenteur exerce de telle sorte à conférer au contrat sa valeur maximale. Par conséquent, on doit comparer la valeur de l'option en supposant que le détenteur n'exerce pas, et ce qu'il obtiendrait s'il exerçait immédiatement. Cela fait des différences finies une méthode numérique bien plus naturelle que Monte Carlo pour évaluer de tels contrats.

Une option asiatique est une option dont le bénéfice dépend de la valeur moyenne du sous-jacent durant une certaine période de la vie de l'option. La moyenne peut être définie de nombreuses manières, arithmétique ou géométrique par exemple, et peut utiliser un grand nombre de données dans une asiatique échantillonnée continûment, ou seulement un ensemble plus petit dans une asiatique échantillonnée discrètement. Dans la queue de distribution d'une option asiatique, la moyennisation ne se fait que très peu de temps avant l'expiration de l'option. Il existe des formules de forme fermée pour certaines des options asiatiques les plus simples fondées sur des moyennes géométriques, et des approximations pour d'autres. Autrement, elles peuvent être évaluées en utilisant des méthodes de Monte Carlo, ou parfois par différences finies. À cause du fait que la moyenne de la trajectoire du prix d'un actif est moins volatile que la trajectoire de l'actif elle-même, ces options peuvent être moins chères que leurs équivalents vanilles, mais cela dépendra évidemment de la nature du payoff. Ces contrats sont très communs sur les marchés de matières premières parce que les utilisateurs des matières premières tendent à être exposés aux prix sur de longues périodes, et donc leur exposition est par rapport au prix moyen.

Un asset swap est l'échange d'un actif contre des paiements d'intérêts pendant une période spécifiée.

Une option balloon est une option où la quantité d'options achetées va croître si certaines conditions sont réunies, comme des déclenchements de barrières.

Une option barrière a un bénéfice qui dépend de l'atteinte ou pas d'un niveau spécifié de sous-jacent avant l'expiration. Dans une option « out », si le niveau est atteint (déclenché) l'option perd immédiatement sa valeur. Dans une option « in » le contrat perd sa valeur sauf si le niveau est atteint avant l'expiration. Une option « up » est une option où le seuil de déclenchement est au-dessus du prix initial du sous-jacent, et une option « down » est une option où le seuil de déclenchement est au-dessous du prix initial du sous-jacent. Ainsi, on parle de contrats comme le « up-and-in call » qui aura le même bénéfice qu'un call, mais seulement si la barrière est touchée par en dessous. Dans ces contrats on doit spécifier le niveau de la barrière, si elle est « in » ou « out », et le payoff à l'expiration. Une option à double barrière a à la fois une barrière haute et une barrière basse. Ces contrats sont achetés par ceux qui ont une vision très précise de la direction du sous-jacent, et de sa probabilité de toucher la barrière. Ces contrats sont faiblement path-dependent. Il existe des formules pour de nombreux types d'options barrières, supposant que la volatilité est constante. Pour les contrats barrière plus compliqués, ou quand la volatilité n'est pas constante, ces contrats doivent être valorisés par des méthodes numériques. On peut utiliser Monte Carlo et les différences finies, cette dernière méthode étant souvent préférable.

Un basis swap est un échange de paiements au taux d'intérêt flottant sur une durée (tenor), contre le paiement au taux d'intérêt flottant d'une autre durée (tenor), par exemple un taux à six mois contre un taux à deux ans. Puisque les deux paiements bougeront ensemble généralement si la courbe des taux subit des translations, le basis swap donne de l'exposition aux mouvements non parallèles de la courbe des taux, comme un écrasement de la pente ou un raidissement. Plus généralement, le basis swap fait référence à tout échange dans lequel les deux taux flottants sont très liés, et donc hautement corrélés.

Une basket option a un payoff qui dépend de plus d'un sous-jacent. Un exemple simple pourrait être celui d'une option qui vous donne à l'expiration la valeur de l'action la plus performante parmi deux. Un autre exemple serait celui d'un contrat qui paye la moyenne des valeurs de 20 actions à l'expiration, à condition que cette valeur soit au-dessus d'un niveau de prix d'exercice spécifié. Ces contrats peuvent être valorisés directement par simulations de Monte Carlo tant qu'il n'y a pas de caractéristique d'exercice prématuré. On n'utilisera pas les méthodes de différences finies à cause de la haute dimensionnalité. Si le contrat est européen, non path-dependent, avec tous les sous-jacents suivant des trajectoires aléatoires log-normales avec des paramètres constants, il existe une formule de forme fermée pour la valeur du contrat, et elle peut être calculée par intégration numérique (quadrature). Les basket options sont populaires sur le marché des changes pour ceux qui sont exposés à de multiples taux de change. Elles peuvent aussi être utilisées comme des options sur votre propre indice. Bien que la valorisation de ces contrats puisse être théoriquement directe, elle dépend de manière cruciale des corrélations entre les sous-jacents. Ces corrélations peuvent être très difficiles à estimer puisqu'elles sont assez instables.

Une option bermuda est une option où le détenteur a le droit d'exercer à certaines dates et périodes, plutôt que seulement à l'expiration (exercice européen) ou à tout instant (exercice américain). Les bermuda ne peuvent valoir moins que leur équivalent européen ni plus que leur équivalent américain.

L'option binaire a un payoff discontinu. Par exemple, un call binaire paie un montant spécifié si le sous-jacent termine au-dessus du prix d'exercice à l'expiration, et sinon ne vaut rien. Une option « one-touch » paie le montant spécifié dès que le prix d'exercice est atteint, elle peut être vue comme la version américaine d'une option binaire européenne. Ces options sont aussi appelées « digitales ».

Un forward annulable (break/cancellable) est un contrat forward, habituellement de change, où le détenteur peut mettre fin au contrat à certaines dates s'il le souhaite.

Une coupe option est une option périodique dans laquelle le prix d'exercice s'ajuste sur le pire des sous-jacents et le prix d'exercice précédent. Similaire à une option à cliquet, mais moins chère.

Une option d'achat (call) est une option permettant d'acheter l'actif sous-jacent à un prix spécifié, le prix d'exercice (strike), à (européen) ou avant (américain) une date spécifiée, l'expiration. Le sous-jacent peut être n'importe quel titre. Les calls sont achetés pour bénéficier des mouvements de hausse sur le sous-jacent, ou si on pense que la volatilité sera plus élevée que la volatilité implicite. Dans ce dernier cas, l'acheteur couvre l'option en delta pour éliminer l'exposition à la direction. Les calls sont vendus pour des raisons opposées, bien sûr. Ainsi, le détenteur de l'action sous-jacente peut vendre un call pour gagner une prime dans un marché où l'action ne bouge pas beaucoup. Cela est appelé « covered call writing ». L'achat de l'action et la vente simultanée d'un call est une stratégie achat-vente. Pour les calls sur des sous-jacents log-normaux dans des mondes de volatilité constante ou dépendante du temps, il existe des expressions de forme fermée pour les prix. Avec des sous-jacents ou des modèles de volatilité plus compliqués, ces contrats peuvent être évalués par Monte Carlo ou différences finies, cette dernière méthode étant plus adaptée s'il y a un exercice prématuré.

D'autres contrats peuvent avoir des caractéristiques de rappel (call) ou un call inclus. Par exemple, une obligation peut avoir une clause de remboursement anticipé (rappel) permettant à l'émetteur de la racheter sous certaines conditions à des dates déterminées. Si l'émetteur a ce droit supplémentaire, cela abaisse la valeur du contrat, qui sera donc inférieure à la valeur d'un contrat équivalent sans cette caractéristique de rappel. Parfois, l'addition d'une caractéristique de rappel n'affecte pas la valeur du contrat, cela arrive quand il n'est théoriquement jamais optimal d'exercer l'option de rachat. L'exemple le plus simple en est celui d'un call européen et d'un call américain sur une action sans dividendes. Ils ont tous deux la même valeur théorique puisqu'il n'est jamais optimal d'exercer le call américain prématurément.

Un cap est une option de taux d'intérêt dans laquelle le détenteur reçoit un paiement quand le taux d'intérêt sous-jacent dépasse un certain niveau, le strike. Ce paiement est égal au taux d'intérêt moins le strike. Ces paiements arrivent régulièrement, mensuellement, trimestriellement, etc. comme spécifié dans le contrat, et le taux d'intérêt sous-jacent sera habituellement de la même durée (tenor) que cet intervalle. La vie du cap sera de plusieurs années. La pratique de marché est de coter les prix des caps en utilisant le modèle Black'76. Un contrat avec un seul paiement comme décrit ci-dessus est appelé un caplet.

Une option chooser est une option sur une option, donc une option du second ordre. Le détenteur a le droit de décider d'obtenir un call ou un put, par exemple, à une date déterminée. L'expiration de ces options sous-jacentes est postérieure. D'autres contrats similaires peuvent facilement être imaginés. La clé pour valoriser de tels contrats est de réaliser que les deux (ou plus) options sous-jacentes doivent d'abord être valorisées, puis on valorise l'option sur l'option. Cela signifie que les méthodes des différences finies ne sont pas la solution la plus naturelle pour ce type de contrat. Il y a certaines formules fermées pour les choosers simples quand la volatilité est au mieux dépendante du temps.

Une option cliquet est un contrat dépendant du temps dans lequel les montants sont verrouillés par intervalles, habituellement liés à la rentabilité d'un certain sous-jacent. Ces montants sont ensuite accumulés et remboursés à l'expiration. Il y a des caps et/ou des floors dans les montants verrouillés localement et dans le payoff total. De tels contrats peuvent être vus comme localement plafonnés avec un plancher global, par exemple. Ces contrats sont populaires chez les investisseurs car ils ont l'avantage, toujours très apprécié, d'offrir une participation à la hausse et une protection contre la baisse, *via* l'exposition aux rentabilités, le verrouillage des revenus et un plancher global. À cause du verrouillage des rentabilités et du plancher/plafond global sur la somme des rentabilités, ces contrats sont fortement path-dependent. Typiquement, il y a quatre dimensions, qui peuvent être réduites à trois dans des cas spéciaux par une réduction par similarité. Cela met la solution numérique à la frontière de Monte Carlo et des différences finies. Aucune n'est idéale, mais aucune n'est réellement inefficiente non plus. Parce que ces contrats ont un gamma qui change de signe, la sensibilité n'est pas facilement représentée par un simple calcul de vega. Par conséquent, pour être prudent, ces contrats devraient être évalués en utilisant une variété de modèles de volatilité de façon à observer la vraie sensibilité au modèle.

Un Constant Maturity Swap (CMS) est un swap de taux d'intérêt. Dans le swap vanille la patte flottante est un taux de même maturité que la période entre les paiements. Cependant, dans le CMS la patte flottante est d'une maturité plus longue.

Cette différence apparemment triviale transforme le swap, faisant d'un instrument simple, qui peut être évalué à partir d'obligations sans recours à aucun modèle, un instrument dépendant du modèle.

Une Collateralized Debt Obligation (CDO) est un pool d'instruments de dette titrisé en un seul instrument financier. Le pool peut contenir des centaines d'instruments de dette individuels. Ils sont exposés au risque de crédit, tout comme au risque d'intérêt, des instruments sous-jacents. Les CDO sont émis en plusieurs tranches qui divisent le pool de dette en instruments de degrés d'exposition variés au risque de crédit. On peut acheter différentes tranches pour gagner de l'exposition à différents niveaux de perte.

La perte agrégée est la somme de toutes les pertes dues aux défauts. Plus le nombre d'entreprises qui font défaut augmente, plus la perte agrégée augmente. Les tranches sont spécifiées par niveaux, en pourcentage du notionnel. Par exemple, il peut y avoir la tranche 0-3 %, la tranche 3-7 %, etc. Au fur et à mesure que la perte agrégée augmente et dépasse chacun des seuils 3 %, 7 %, etc. le propriétaire de chaque tranche commencera à recevoir une compensation, au même rythme que celui de l'empilement des pertes. Vous obtiendrez seulement une compensation une fois que votre point d'attache a été atteint, et jusqu'au point de détachement. L'évaluation de ces contrats requiert un modèle pour la relation entre les défauts de chacun des instruments sous-jacents. Une approche commune est d'utiliser les copules. Cependant, pour représenter la relation entre les sous-jacents, les corrélations, il est aussi usuel de faire des hypothèses simplificatrices. De telles simplifications pourraient être de faire l'hypothèse d'un seul facteur aléatoire commun représentant le défaut, et d'un seul paramètre représentant toutes les corrélations.

Une Collateralized Debt Obligation Squared (CDO²) est un contrat de type CDO dans lequel les sous-jacents sont d'autres CDO au lieu d'être de simples obligations risquées.

Une Collateralized Mortgage Obligation (CMO) est un pool de crédits hypothécaires titrisé en un seul instrument financier. Comme pour les CDO, il y a différentes tranches permettant aux investisseurs d'obtenir des parties différentes des cash-flows. Les cash-flows dans un crédit hypothécaire sont l'intérêt et le principal, et les CMO peuvent participer à l'un, l'autre ou aux deux en fonction de la structure. Les différentes tranches peuvent correspondre aux maturités différentes des crédits hypothécaires sous-jacents, par exemple. Les risques associés aux CMO sont le risque de taux d'intérêt et le risque de remboursement anticipé, donc il est important d'avoir un modèle représentant le remboursement anticipé.

Une option composée est une option sur option, comme un call sur un put qui donnerait au détenteur le droit d'acheter un put déterminé à une certaine date à un montant spécifié. La nature de l'option sous-jacente (call ou put) est définie à l'avance.

Une contingent premium option est payée à l'expiration, seulement si l'option expire dans la monnaie, et non pas au début comme les vanilles (« up front »). Si l'option expire en dessous du prix d'exercice, pour un call, alors rien n'est payé, mais rien n'est perdu. Si l'actif est juste faiblement dans la monnaie, la prime convenue est payée, signifiant une perte pour le détenteur. Si le sous-jacent termine dans la monnaie de façon significative, la prime convenue est petite par rapport au payoff et donc le détenteur réalise un profit. Ce contrat peut être évalué comme un portefeuille d'une option européenne vanille et un digital européen de même prix d'exercice. Ce contrat a un gamma négatif en dessous du prix d'exercice (pour un call) et un gamma positif au prix d'exercice et au-dessus, donc sa dépendance à la volatilité est subtile. Le détenteur veut clairement que l'action termine soit sous le prix d'exercice (pour un call), soit très loin dans la monnaie. Une asymétrie négative abaissera le prix de ce contrat.

Une obligation convertible est une obligation émise par une entreprise qui peut, au gré du détenteur, être convertie en un nombre d'actions déterminé. À la conversion, l'entreprise émettra de nouvelles actions. Ces contrats sont des instruments hybrides, étant à mi-chemin entre la dette et l'action. Elles sont attrayantes pour l'émetteur puisqu'elles peuvent être émises avec un coupon inférieur à celui de la dette directe, et pourtant ne diluent pas le rendement par action. Si elles sont converties en action, c'est parce que l'entreprise se porte bien. Elles sont attrayantes pour l'acheteur par leur potentiel haussier et la protection contre la baisse. Bien sûr, cette protection contre la baisse peut être limitée parce que ces instruments sont exposés au risque de crédit. En cas de défaut, l'obligation convertible se classe au même niveau que la dette, et au-dessus des actions.

Ces instruments sont mieux évalués par les méthodes de différences finies qui prennent en compte assez facilement l'instant de conversion optimal. On doit avoir un modèle de volatilité et aussi un modèle de risque de défaut. Il est commun de rendre le risque de défaut dépendant de la valeur de l'actif, donc plus le prix de l'action est bas, plus grande est la probabilité de défaut.

Le Credit Default Swap (CDS) est un contrat utilisé en assurances contre un événement de crédit. Une partie paye un intérêt à une autre pour une période prescrite ou jusqu'au défaut de l'instrument sous-jacent. En cas de défaut, la contrepartie paye alors le principal en retour. Le CDS est le dérivé de crédit dominant sur le marché du crédit structuré. La prime est habituellement payée périodiquement (cotée en points de base du notionnel). La prime peut être un paiement « up-front » (au début), pour la protection court terme. Au moment de l'événement de crédit, le règlement peut être la livraison de l'actif de référence en échange du paiement contingent, ou bien un règlement en cash (c'est-à-dire la valeur de l'instrument avant le défaut moins la valeur après, la valeur de recouvrement). La valeur mark-to-market des CDS dépend des variations des spreads de crédit. Par conséquent, ils peuvent être utilisés pour obtenir une exposition aux variations des spreads de crédit ou se couvrir contre eux. Pour évaluer ces contrats, on a besoin d'un modèle pour le risque de défaut. Cependant, communément, on rapatrie un risque de défaut implicite à partir des prix des CDS négociés.

Un diff(erential) swap est un swap de taux d'intérêt d'un flottant contre un taux fixe ou un taux flottant, où l'une des pattes flottantes est un taux d'intérêt étranger. L'échange des paiements est défini en termes d'un notionnel domestique. Par conséquent, il y a un aspect quanto dans cet instrument. On doit modéliser les taux d'intérêt et le taux de change, et comme généralement avec les quantos, la corrélation est importante.

Une option digitale est une option binaire.

Une/un extendible option/swap est un contrat dont la date d'expiration peut être étendue. La décision d'extension peut être au gré de l'émetteur, du détenteur ou des deux. Si le détenteur a le droit d'étendre l'expiration, cela ajoute de la valeur au contrat, mais si l'émetteur peut étendre l'expiration cela abaisse la valeur. Il peut donc y avoir ou pas une prime additionnelle à payer lors de l'extension de l'expiration. Ces contrats sont mieux évalués par des méthodes de différences finies car ils contiennent une caractéristique décisionnelle.

Un floating rate note (obligation à taux flottant) est une obligation avec des coupons liés à un taux d'intérêt variable, émise par une entreprise. Le coupon a typiquement un écart de taux en excès d'un taux d'intérêt d'État, et cet écart dépend du risque de crédit. Les coupons peuvent aussi avoir un plafond et/ou un plancher. La mesure la plus commune d'un taux d'intérêt flottant est le LIBOR, London Interbank Offer Rate. Le LIBOR se présente sous plusieurs maturités, un mois, trois mois, six mois, etc. et c'est le taux d'intérêt offert entre les banques de la zone euro pour les dépôts à terme.

Un floor est une option de taux dans laquelle le détenteur reçoit un paiement quand le taux d'intérêt tombe en dessous d'un niveau déterminé, le strike. Ce paiement égale le strike moins le taux d'intérêt. Ces paiements arrivent régulièrement, mensuellement, trimestriellement, etc. comme spécifié dans le contrat, et le taux d'intérêt sous-jacent sera habituellement de la même durée (tenor) que cet intervalle. La vie du floor est typiquement de plusieurs années. On les achète pour se protéger contre la chute des taux d'intérêt. La pratique de marché est de coter les prix des floors en utilisant le modèle Black'76. Un contrat avec un seul paiement est appelé un Floorlet.

Un forward est un accord pour acheter ou vendre un sous-jacent, par exemple une matière première, à une date future déterminée. Le détenteur est obligé de négocier à la date future. Cela contraste avec une option, où le détenteur en a le droit mais pas l'obligation. Les forwards sont des contrats de gré à gré. Ils sont linéaires par rapport au sous-jacent et donc leur convexité est zéro, ce qui signifie que la volatilité du sous-jacent ne compte pas et qu'un modèle dynamique n'est pas requis. Le prix forward provient d'un argument simple, statique de non-arbitrage.

Un Forward Rate Agreement (FRA) est un accord entre deux parties pour qu'un taux d'intérêt déterminé s'applique à un principal déterminé sur une période future déterminée. La valeur de cet échange au moment où le contrat est effectif n'est généralement pas nulle et donc, il y a un transfert de cash d'une partie vers l'autre à la date de départ.

Une option forward-start est une option dont la vie commence à un certain moment dans le futur. Le prix d'exercice de cette option est donc habituellement la valeur du sous-jacent à la date (future) de départ, de sorte qu'elle commence sa vie comme une option à la monnaie. Il est également possible d'avoir des contrats qui commencent dans ou hors de la monnaie avec une profondeur déterminée. Bien que l'option soit censée débuter à une date déterminée dans le futur, elle est généralement payée dès que le contrat est conclu. Dans un univers Black-Scholes, même avec une volatilité dépendante du temps, ces contrats ont des formules fermées pour leurs valeurs. À condition que le prix d'exercice soit ajusté pour être une certaine fraction du sous-jacent à la date de départ, la valeur d'un call ou put vanille à la date de départ est linéaire par rapport au prix du sous-jacent, et donc avant la date de départ il n'y a pas de convexité. Cela signifie que les options Forward-start sont une manière de verrouiller une exposition à la volatilité depuis la date de départ de l'option jusqu'à l'expiration.

Un future est un accord pour acheter ou vendre un sous-jacent, par exemple une matière première, à une date future déterminée. Le détenteur est obligé de négocier à la date future. La différence entre un forward et un future est que les forwards sont de gré à gré et les futures sont négociés sur des marchés organisés. Par conséquent, les futures ont des termes contractuels standards et sont aussi marked to market sur une base quotidienne. Comme ils sont négociés sur des marchés, ils ne comportent pas non plus d'exposition au risque de crédit.

Une option hawaïenne est un croisement d'une asiatique et d'une américaine.

Une option himalayenne est une option multi-actifs pour laquelle l'action dont la performance est la meilleure est sortie du panier à des dates déterminées, laissant juste un actif à la fin, sur lequel le payoff est basé. Il y a de nombreuses autres options « montagnardes » similaires.

HYPER option. Les options High Yielding Performance Enhancing Reversible sont comme des options américaines mais que l'on peut exercer encore et encore. À chaque exercice, l'option passe d'un call à un put et *vice versa*. Elles peuvent être évaluées en introduisant une fonction de prix pour l'état « call » et une pour l'état « put ». L'équation aux dérivées partielles de Black-Scholes est résolue pour chacune, soumise à certaines contraintes d'optimalité.

Un index amortizing rate swap (swap à amortissement) est juste comme un swap vanille, un accord entre deux parties pour échanger des paiements d'intérêts sur un certain principal ; usuellement, un paiement est à taux fixe et l'autre à taux flottant. Cependant, dans l'index amortizing rate swap, la taille du principal décroît, ou s'amortit, selon la valeur d'une certaine quantité financière ou indice tout au long de la vie du swap. Le niveau de ce principal peut être déterminé par le niveau d'un taux d'intérêt aux dates de paiement. Ou bien le principal peut être déterminé par un indice autre qu'un indice de taux. Dans le premier exemple, on a seulement besoin d'un modèle de taux d'intérêt, dans le second, on a aussi besoin d'un modèle pour cette autre quantité, et sa corrélation aux taux d'intérêt. Dans un index amortizing rate swap le principal peut typiquement s'amortir à chaque date de paiement. Aux dernières dates de paiement ce principal peut ensuite être amorti à nouveau, partant de son niveau actuel à la précédente date de paiement et *non* pas de son niveau originel. Cela rend ce contrat très path-dependent. Le contrat peut être évalué soit avec une structure d'équation aux dérivées partielles fondée sur un modèle de taux à un ou deux facteurs, soit en utilisant des simulations de Monte Carlo et un modèle de marché de type LIBOR.

Un swap de taux d'intérêt est un contrat entre deux parties pour échanger des intérêts sur un principal déterminé. L'échange peut être fixe contre flottant ou un flottant d'une échéance donnée contre un flottant d'une autre échéance (« basis » swap, alors) Les swaps « fixe contre flottant » sont particulièrement communs. Ces instruments sont utilisés pour convertir un emprunt à taux fixe en emprunt à taux variable, ou *vice versa*. Habituellement, l'intervalle entre les échanges est établi pour être le même que l'échéance de la patte flottante. De plus, la patte flottante est établie à la date de paiement précédente. Cela signifie que chaque patte flottante équivaut à un dépôt avec un intervalle égal à la durée entre chaque paiement flottant. Par conséquent, toutes les pattes flottantes peuvent être sommées pour donner un dépôt au début de la vie du swap et un remboursement à la maturité. Cela signifie que les swaps peuvent être évalués directement à partir de la courbe des taux, sans modèle dynamique. Quand le contrat est conclu, la patte fixe est ajustée de sorte que le swap ait une valeur nulle. La patte fixe du swap est ensuite appelée « le taux "par" du swap » et c'est un taux communément coté. Ces contrats sont si liquides qu'ils définissent la fin de la courbe des taux (maturités longues) plutôt que l'inverse.

Un inverse floater est un contrat de taux flottant où les coupons diminuent au fur et à mesure que les taux d'intérêt augmentent. La relation est linéaire (jusqu'à un certain plancher ou plafond) et *non* pas inverse.

Les knock-in/out options sont des types d'options barrière pour lesquelles le payoff est contingent à l'atteinte ou non d'un niveau barrière avant l'expiration.

Le LIBOR-in-arrrears swap est un swap de taux d'intérêt mais pour lequel la patte flottante est payée en même temps qu'elle est établie (terme à échoir), plutôt qu'à l'échéance (terme échu). Cette petite différence signifie qu'il n'y a pas de relation exacte entre le swap et le prix des obligations, et donc un modèle dynamique est nécessaire. Cela revient à évaluer la convexité subtile de ce produit.

Une option lookback est un contrat dépendant du temps dont le payoff dépend de la valeur maximale ou minimale atteinte par le sous-jacent sur une certaine période de la vie de l'option. Le maximum/minimum peut être observé continûment ou discrètement, dans ce dernier cas en utilisant seulement un sous-ensemble de prix d'actif sur la vie de l'option. Ces contrats peuvent être assez chers à cause de la nature extrême du revenu. Il existe des formules pour certaines des lookbacks les plus simples, avec l'hypothèse d'une trajectoire aléatoire log-normale pour le sous-jacent et une volatilité non dépendante de l'actif. Autrement, elles peuvent être valorisées *via* une solution de différences finies d'une équation aux dérivées partielles path-dependent à deux ou trois dimensions, ou par simulation de Monte Carlo.

Un Mortgage Backed Security (MBS) est un pool de crédits hypothécaires qui ont été titrisés. Tous les cash-flows sont donnés aux investisseurs, contrairement au CMO, plus complexe. Les risques inhérents aux MBS sont le risque de taux d'intérêt et le risque de remboursement anticipé, puisque les détenteurs de crédits hypothécaires ont le droit de rembourser par anticipation. À cause de ce risque, le rendement des MBS devrait être plus élevé que le rendement sans risque de remboursement anticipé. Le risque de remboursement anticipé est habituellement modélisé statistiquement, peut-être avec un certain effet taux d'intérêt. Les détenteurs de crédits hypothécaires ont toutes sortes de raisons de rembourser par anticipation, certaines rationnelles et faciles à modéliser, d'autres irrationnelles et plus difficiles à modéliser mais qui peuvent néanmoins être interprétées statistiquement.

Une option de surperformance est une option dont le détenteur obtient le sous-jacent le plus performant parmi deux ou plus à l'expiration. Cette option peut être théoriquement valorisée dans un univers de trajectoire aléatoire log-normale et de paramètre constant, puisqu'elle n'est pas path-dependent, et il y a une solution de forme fermée de type intégrale multiple (du même nombre de dimensions qu'il y a de sous-jacents). Cela revient à un problème de quadrature numérique qui peut être aisément résolu par des méthodes de Monte Carlo ou quasi Monte Carlo. La théorie peut être simple mais la pratique ne l'est pas, puisque le prix dépend des corrélations entre tous les sous-jacents, et ces paramètres sont habituellement assez inconstants.

Une option parisienne est une option barrière pour laquelle la caractéristique barrière (activante ou désactivante) est déclenchée seulement après que le sous-jacent a passé une certaine période prescrite au-delà de la barrière. L'effet de ce critère de déclenchement très rigoureux est le lissage de la valeur de l'option (et de delta et gamma) près de la barrière, ce qui rend la couverture plus facile. Cela rend aussi la manipulation du déclenchement, en manipulant l'actif sous-jacent, plus difficile. Dans le contrat parisien classique, l'horloge mesurant le temps en dehors de la barrière est remise à zéro quand l'actif retourne à l'intérieur de la barrière. Dans le contrat parisien «cumulatif», l'horloge n'est pas remise à zéro mais continue à tourner tant que le sous-jacent est au-delà de la barrière[1]. Ces contrats sont fortement path-dependent et peuvent être évalués soit par simulations de Monte Carlo, soit par une solution de différences finies d'une équation aux dérivées partielles à trois dimensions.

Le pass through est un titre qui collectionne les paiements de titres sous-jacents variés puis donne les montants aux investisseurs. Ils sont émis par des SPV (Spécial Purpose Vehicles) et peuvent être conçus de manière à éviter d'apparaître dans les bilans. Cela satisfait une grande variété d'objectifs, certains étant assez malfaisants.

Une option passeport est un call sur le compte de trading d'un trader individuel, donnant au détenteur le montant de ce compte à la fin de l'horizon s'il est positif, ou zéro s'il est négatif. Pour des raisons évidentes ils sont aussi appelés «perfect trader options». Les termes du contrat précisent quel sous-jacent le négociateur a le droit de traiter, sa position maximale long et short, la fréquence à laquelle il peut traiter et pendant combien de temps. L'évaluation de ces contrats requiert une certaine connaissance de la théorie du contrôle stochastique. L'équation aux dérivées partielles directrice est facilement résolue par différences finies. Monte Carlo serait assez difficile à implémenter. Puisque le trader passe très rapidement dans ou, plus communément, hors de la monnaie, l'option est habituellement couverte avec des options vanille après un certain temps.

Un put est le droit de vendre l'action sous-jacente. Voir «call» puisque les commentaires sur la méthodologie d'évaluation, les caractéristiques inhérentes, etc. sont également applicables. Les puts largement hors de la monnaie sont communément achetés comme protection contre de grands mouvements baissiers des actions individuelles ou contre des krachs de marché. Ces puts hors de la monnaie tendent donc à être plus chers en termes de volatilité, bien que très peu chers en termes d'argent.

Un quanto est tout contrat dans lequel les cash-flows sont calculés à partir d'un sous-jacent dans une devise, puis convertis en un paiement dans une autre devise. Ils

1. N.D.C. : ce qui rend plus élevée la probabilité d'exercice.

peuvent être utilisés pour éliminer toute exposition au risque de devise lors d'une spéculation sur une action ou un indice étranger. Par exemple, vous pouvez avoir une vue sur une entreprise britannique mais basée à Tokyo. Si vous achetez l'action, vous serez exposé au taux de change sterling/yen. Dans un quanto, le taux de change serait fixé. Le prix du quanto dépendra généralement de la volatilité sur le sous-jacent et le taux de change, et de la corrélation entre les deux.

Une rainbow option (multi-sous-jacents) est tout contrat sur de multiples sous-jacents. La partie la plus difficile de l'évaluation d'une telle option est d'habitude de savoir comment traiter les corrélations.

Une range note est un contrat dans lequel les paiements sont conditionnés au fait qu'un sous-jacent reste à l'intérieur ou en dehors d'un intervalle spécifique de valeurs.

Un ratchet (cliquet) est une caractéristique qui verrouille périodiquement le profit.

Un repo est un repurchase agreement (comme une pension livrée). C'est un accord consistant à vendre un titre à une autre partie et à le racheter à une date fixée pour un montant fixé. Le prix auquel le titre est racheté est plus grand que le prix de vente et la différence induit un taux d'intérêt appelé taux repo. Les Repos peuvent être utilisés pour verrouiller des taux d'intérêt futurs.

Un reverse repo est l'emprunt d'un titre pour une courte période à un taux d'intérêt fixé.

Un straddle (stellage) est un portefeuille composé d'un call long et d'un put long de mêmes prix d'exercice et expiration. Un tel portefeuille est constitué lorsque l'on a une opinion sur un intervalle de valeurs du sous-jacent ou de la volatilité.

Un strangle est un portefeuille composé d'un call et d'un put, le call ayant un prix d'exercice plus grand que le put. C'est un pari sur la volatilité comme le straddle, mais moins cher. En même temps, pour que le détenteur fasse un profit, le sous-jacent doit bouger plus que pour un straddle.

Le STRIPS (obligation démembrée) signifie Separate Trading of Registered Interest and Principal of Securities. Les coupons et le principal d'obligations normales sont séparés, créant des obligations zéro-coupon artificielles de maturité plus longues que les instruments de taux à court terme, qui ne seraient pas disponibles autrement.

Un swap est un terme général pour un contrat de gré à gré dans lequel il y a des échanges de cash-flows entre deux parties. On a par exemple un taux fixe contre un taux flottant, ou l'échange du rendement d'une action contre celui d'une obligation, etc.

Une swaption est une option sur un swap. C'est l'option de contracter un swap à une certaine date d'expiration, le swap ayant des caractéristiques prédéfinies. De tels contrats sont très communs dans l'univers des taux où une swaption typique serait sur un swap de taux fixe contre flottant. Le contrat peut être européen où le swap ne peut être activé qu'à une certaine date, ou américain, où le swap peut être activé avant une certaine date, ou bermuda s'il y a des dates déterminées auxquelles l'option peut être exercée.

Un Total Return Swap (TRS) est l'échange de tous les profits ou pertes d'un titre contre le paiement d'un intérêt à taux fixe ou flottant. Périodiquement, une partie transfère à l'autre partie les cash-flows augmentés de tout changement de valeur positif d'un actif de référence, incluant les paiements d'intérêts, les plus-values, les coupons, etc. pendant que l'autre partie paye un taux fixe ou flottant, probablement avec un certain spread. La différence entre un TRS et un default swap est qu'un default swap transfère simplement du risque de crédit, en référence à un certain actif désigné, alors qu'un TRS transfère tous les risques liés à la possession de l'actif désigné. Les TRS faisaient partie des premiers dérivés de crédits. Ils existaient avant les default swaps, mais maintenant ces derniers sont les instruments les plus communément négociés. La maturité est typiquement moindre que celle de l'instrument sous-jacent. Un TRS fournit donc un moyen de regrouper et de transférer *tous* les risques associés à une obligation de référence, incluant le risque de crédit. Les TRS sont plus souples que les transactions sur les sous-jacents. Par exemple, faire varier les termes du contrat de swap permet la création d'actifs synthétiques qui peuvent ne pas être disponibles autrement. Le receveur du swap n'a jamais à payer de frais pour acheter le titre. Même après avoir consigné le collatéral et payé une marge élevée, le levier résultant et le rendement amélioré sur le capital réglementaire peuvent être importants.

Un variance swap est un swap dans lequel une patte est la variance du sous-jacent réalisée sur la vie du contrat et l'autre patte est fixe. Cette variance est typiquement mesurée en utilisant des données régulièrement espacées selon la formule de calcul de la variance qui est spécifiée dans le contrat. Le contrat est populaire à la fois auprès des acheteurs et des vendeurs. Pour les acheteurs, le contrat est une façon simple de gagner de l'exposition à la variance d'un actif sans avoir à se préoccuper de tous les problèmes liés à la couverture dynamique en delta des options vanilles. Et pour les vendeurs, il est populaire car il est étonnamment très facile de le couvrir de façon statique avec des options vanilles, de sorte à presque éliminer le risque de modèle. Le fait de couvrir un variance swap avec des vanilles est la fameuse « règle de l'inverse du strike au carré » (« one over strike squared rule »). Le variance swap est couvert avec un continuum d'options vanilles, la quantité d'options étant inversement proportionnelle au carré de leurs prix d'exercice. En pratique, il n'existe pas de continuum de prix d'exercices, et il n'y a pas de prix d'exercice tendant vers zéro.

Le swap de volatilité est d'un principe similaire, sauf que le revenu est linéaire par rapport à la volatilité, qui est la racine carrée de la variance. Ce contrat n'est pas aussi facile à couvrir avec des vanilles. La différence de prix entre un swap de volatilité et un variance swap peut être interprétée *via* l'inégalité de Jensen comme un ajustement de convexité à cause de la volatilité de la volatilité. L'indice de volatilité VIX est une représentation de la volatilité implicite du SP500 sur trente jours, inspirée par la « règle de l'inverse du strike au carré ».

Chapitre 8

Livres de quant populaires

L es livres suivants représentent la douzaine de livres de « quant » les plus popu-laires de la librairie de wilmott.com depuis décembre 2001.

Paul Wilmott introduces Quantitative Finance, par Paul Wilmott[1]

« Le style est pédagogique et pourtant très vivant et facile à suivre. Comme seuls les grands professeurs savent le faire, Wilmott rend les mathématiques les plus obtuses faciles et intuitives. » Marco Avellaneda

Éditeur John Wiley & Sons

Date de publication 2001

Format Livre de poche + CD

ISBN 0471498629

Un texte préliminaire pour les étudiants, fondé sur le livre de niveau recherche en trois volumes PWOQF2, voir ci-dessous. Le livre couvre la plupart des notions fondamentales nécessaires aux étudiants qui abordent le sujet dans une perspective de mathématicien. Il y a des chapitres sur les dérivés, la gestion de portefeuille, les actions et les taux, tout comme les méthodes numériques des simulations de Monte Carlo, la méthode binomiale et les méthodes des différences finies.

Paul Wilmott on Quantitative Finance, par Paul Wilmott[2]

Cette seconde édition est bien meilleure que son inégalable première édition. Il combine la perspicacité d'un théoricien incisif avec son expérience pratique consi-dérable. Son style d'enseignement est clair et divertissant. Je recommande ce livre à quiconque fait partie de la communauté "quant", du novice à l'expert, à la fois pour apprendre et comme ouvrage de référence. » Ed Thorp

Éditeur John Wiley & Sons

Date de publication 2006

Format Relié, trois volumes dans un coffret + CD

ISBN 0470018704

Un livre de niveau recherche contenant les techniques éprouvées, l'analyse de modèles et de données, et une documentation à la pointe du savoir. Contient des modèles et de la recherche qui ne peuvent être trouvés dans d'autres manuels.

---

1. « Paul Wilmott présente la finance quantitative ».
2. « Paul Wilmott à propos de la finance quantitative ».

Advanced Modelling in Finance, par Mary Jackson et Mike Staunton[1]

Éditeur John Wiley & Sons
Date de publication 2001
Format Relié + CD
ISBN 0471499226

Le livre adopte une approche pas à pas pour comprendre les aspects sophistiqués des macros Excel et de la programmation en VBA, en montrant comment ces techniques de programmation peuvent être utilisées pour modéliser et manipuler des données financières, comme les actions, les obligations et les options. Le livre est essentiel pour les praticiens de la finance qui ont besoin de développer l'ensemble de leurs compétences en modélisation financière, alors que l'on constate un accroissement du besoin d'analyser et de développer des scenarios toujours plus complexes.

Option Valuation under Stochastic Volatility, par Alan Lewis[2]

« Ce livre excitant est le premier à souligner le rôle omniprésent de la volatilité stochastique dans l'évaluation d'options. Comme les options existent au premier chef comme mécanisme fondamental de trading de volatilité, les étudiants ès valorisation d'options sont encouragés à se jeter sur ce livre. » Peter Carr

Éditeur Finance Press
Date de publication 2000
Format Livre de poche
ISBN 0967637201

Ce livre fournit un traitement avancé de l'évaluation d'options pour les négociateurs, les gérants d'actifs, et les chercheurs. Fournissant à foison une recherche originale qui ne serait pas disponible ailleurs, il couvre la nouvelle génération de modèles d'options où, à la fois, le prix de l'actif et sa volatilité suivent des processus de diffusion.

Ces nouveaux modèles aident à expliquer les caractéristiques importantes du vrai monde de l'évaluation d'options qui ne sont pas capturées par le modèle de Black-Scholes. Ces caractéristiques incluent le « smile » et la structure par terme de la volatilité implicite. Le livre inclut le code Mathematica pour les formules les plus importantes et de nombreuses illustrations.

The Concepts and Practice of Mathematical Finance, par Mark Joshi[3]

« L'ouvrage de Mark Joshi est l'un des livres les plus profonds que je connaisse en finance appliquée. Il est à la fois intuitif et mathématiquement correct, et il aborde

1. « Modélisation financière avancée en Excel et VBA ».
2. « Évaluation d'options avec une volatilité stochastique ».
3. « Les concepts et la pratique de la finance mathématique ».

des concepts très pointus en évaluation des dérivés, tout en traitant le sujet simplement et de manière facilement compréhensible. » Ricardo Rebonato

Éditeur Cambridge University Press
Date de publication 2003
Format Livre relié
ISBN 0521823552

Unique en son genre, ce livre inclut une explication extensive des idées soustendant les modèles, et il est impartial en ce qu'il examine des approches variées du sujet. Par conséquent, chaque problème d'évaluation est résolu en utilisant plusieurs méthodes. Des exemples tirés du réel et des exercices, avec leurs réponses, sont fournis en très grand nombre, et des projets de programmation sont donnés pour de nombreux problèmes. L'auteur apporte à ce livre un mélange d'expérience pratique et de contexte mathématique rigoureux, et fournit ici la connaissance pratique nécessaire pour devenir un bon analyste quantitatif.

C++ Design and Derivatives Pricing, par Mark Joshi[1]

« Ce livre est intellectuellement stimulant et gratifiant. Même pour le programmeur le moins expérimenté, la présentation est facilement accessible, et les exemples codés peuvent être utilisés directement pour résoudre des problèmes réels. » *Journal of the American Statistics Association*, Ana-Maria Matache

Éditeur Cambridge University Press
Date de publication 2004
Format Livre relié
ISBN 0521832357

Ces structures sont le paradigme d'avant-garde pour programmer en langage orienté objet. Ici, elles sont expliquées pour la première fois dans un livre, dans le contexte de l'implémentation de modèles financiers en C++.

Avec seulement une connaissance basique de C++ et des mathématiques financières, le lecteur apprend comment produire des programmes bien conçus, structurés, réutilisables *via* des exemples concrets. Chaque exemple est traité en profondeur, en examinant avec sérieux le pourquoi et le comment de la méthode de résolution choisie.

Heard on the Street, par Timothy Crack[2]

Éditeur Timothy Crack
Date de publication 2004
Format Livre de poche
ISBN 0970055234

---

1. « Programmation en C++ et évaluation des dérivés ».
2. « Entendu à Wall Street ».

Le livre contient plus de 140 questions quantitatives collectées à partir d'interviews réalisées dans les métiers actuels de la banque d'investissement, la gestion de porte-feuille et la négociation d'options. Les interviewers utilisent les mêmes questions année après année, et les voici enfin! Ces questions proviennent de tous types d'interviews (corporate finance, négociation et vente, recherche quantitative, etc.), mais elles sont surtout probables dans les interviews des métiers quantitatifs sur les marchés de capitaux. Les questions proviennent de tous les niveaux d'interviews (licence, maîtrise, doctorat), mais elles sont surtout pertinentes si vous avez, ou avez presque, une maîtrise en gestion. Les questions couvrent la logique pure, les mathématiques quantitatives, l'économie financière, les dérivés, et les statistiques. Chaque question quantitative du livre est accompagnée d'une solution très détaillée et de conseils d'une aide précieuse.

La dernière édition inclut aussi quelque 120 questions d'interviews réelles non quantitatives.

Monte Carlo methods in Finance, par Peter Jäckel[1]

«Peu de praticiens experts ont aussi l'expertise académique suffisante pour rejoindre celle de Peter Jäckel dans ce domaine, sans parler de prendre la peine d'écrire un texte si accessible, compréhensible et pourtant complet.» Carol Alexander

Éditeur John Wiley & Sons
Date de publication 2002
Format Livre relié
ISBN 047149741X

Ce livre adopte une approche pragmatique tout au long de l'ouvrage, en mettant l'accent sur la modélisation financière et l'évaluation des dérivés. De nombreux exemples réels aident le lecteur à promouvoir une compréhension intuitive des techniques mathématiques et numériques requises pour résoudre des problèmes financiers particuliers. En même temps, le livre essaie de donner une explication détaillée des fondements théoriques des différentes méthodes et algorithmes qui sont présentés.

Credit Derivatives Pricing Models, par Philipp Schönbucher[2]

«Philipp Schönbucher est l'un des chercheurs les plus talentueux de sa génération. Il a bouleversé le monde des dérivés de crédit.» Paul Wilmott

Éditeur John Wiley & Sons
Date de publication 2003
Format Livre relié
ISBN 0470842911

---

1. « Méthodes de Monte-Carlo en finance ».
2. « Modèles d'évaluation de dérivés de crédit ».

Ce livre donne un panorama extrêmement complet des plus grands sujets d'actualité de la modélisation du risque de crédit appliqués à l'évaluation des dérivés de crédit. L'un des premiers livres à se consacrer uniquement à l'évaluation, ce titre est aussi un excellent complément à d'autres livres sur l'application des dérivés de crédit. Fondé sur des techniques prouvées qui ont été testées encore et encore, ce livre est une source inépuisable qui fournit au lecteur le guide et les connaissances nécessaires pour pouvoir utiliser de manière effective les modèles d'évaluation des dérivés de crédit.

Financial Engineering, par Salih Neftci[1]

« C'est la première introduction pragmatique complète à l'ingénierie financière. Neftci est plaisant à lire, et trouve un équilibre naturel entre théorie et pratique. » Darrell Duffie

Éditeur Academic Press
Date de publication 2004
Format Livre relié
ISBN 0125153945

Sur un sujet où existe déjà un volume substantiel de publications, Salih Neftci réussit à présenter une introduction fraîche, originale, informative et à jour à l'ingénierie financière. Le livre offre des liens clairs entre intuition et mathématiques sous-jacentes, et un mélange exceptionnel de perception du marché et d'éléments mathématiques. Il inclut également des exercices en fin de chapitre et des études de cas.

Options, Futures and Others Derivavatives, par John Hull[2]

Éditeur Prentice Hall
Date de publication 2005
Format Livre relié
ISBN 0131499084

Pour des cours de licence ou de maîtrise en gestion, économie, et ingénierie financière sur les dérivés, options et futures, ou gestion du risque. Conçu pour combler l'écart entre théorie et pratique, ce livre à succès continue d'être une référence pour les étudiants et est perçu comme « la Bible » dans les salles de marché du monde entier. Cette édition a été complètement retravaillée du début à la fin pour améliorer la présentation, effectuer des mises à jour, et refléter les développements récents du marché. Bien que les éléments mathématiques non essentiels aient été soit éliminés, soit relégués dans des annexes en fin de chapitre, les concepts qui sont supposés novateurs pour de nombreux lecteurs ont été expliqués avec attention, et sont illustrés par de nombreux exemples numériques.

1. « Principes d'ingénierie financière ».
2. « Options, futures et autres dérivés ».

The Complete Guide to Option Pricing Formulas, par Espen Gaarder Haug[1]

« La vérité sur le sujet est que si je suis si positive à propos de ce livre, c'est parce que je sais avec certitude qu'il a sauvé bien des vies plus d'une fois. » Alireza Javaheri

Éditeur McGraw-Hill Professional
Date de publication 1997
Format Livre relié
ISBN 0786312408

Quand on évalue des options sur les marchés très dynamiques d'aujourd'hui, l'expérience et l'intuition ne sont plus suffisantes. Pour protéger vos positions calculées avec attention, vous avez besoin de faits précis et d'informations testées qui ont été prouvées encore et encore.

Ce livre est la première et la seule référence officielle à contenir tous les outils d'options dont vous avez besoin, tenant tous dans un seul volume pratique : Black-Scholes, arbres binomiaux à deux actifs, arbres trinomiaux implicites, Vasicek, exotiques.

De nombreuses formules importantes d'évaluation d'options sont accompagnées par un programme informatique pour aider à leur utilisation, leur compréhension et leur implémentation.

1. « Le guide complet des formules d'évaluation d'options ».

Chapitre 9

Les mots et phrases clés les plus populaires sur wilmott.com

Ci-après sont listés les mots ou phrases les plus fréquemment utilisés dans le moteur de recherche de wilmott.com, avec quelques commentaires. Si d'autres personnes cherchent à savoir quelque chose à leur propos, peut-être le devriez-vous également.

American option/option américaine. Une option qui peut être exercée à tout instant au choix du détenteur avant l'expiration. Voir page 195.

Arbitrage. C'est le fait de réaliser un profit totalement exempt de risque en excès du taux de rendement sans risque. Voir page 23.

Asian option/option asiatique. C'est une option dont le payoff dépend de la valeur moyenne de l'actif sous-jacent sur une certaine période précédant l'expiration. Voir page 195.

Asset swap. L'échange de deux investissements, ou des cash-flows de ces investissements, entre deux parties.

Barrier option/option barrière. Une option qui prend naissance ou qui perd toute sa valeur si le prix spécifié est atteint par l'actif sous-jacent avant l'expiration. Voir page 196.

Base correlation/corrélation de base. Une corrélation utilisée dans un modèle de CDO pour représenter la relation entre tous les sous-jacents de 0 à un point de détachement déterminé. Par exemple, les tranches 0-3 % et 3-6 % sont des instruments séparés mais par elles on peut évaluer une tranche 0-6 % et ainsi retrouver une corrélation implicite pour 0-6 %, qui est la corrélation de base. Voir page 199.

Basket/panier. Une collection d'instruments financiers. Dans une option panier le payoff dépend du comportement de tous les sous-jacents. Voir page 196.

Bermudan swaption/swaption bermuda. Une option de contracter un swap qui peut être exercée à n'importe laquelle d'un certain nombre de dates déterminées.

C++. Une version améliorée du langage de programmation C développé par Bjarne Stroustrup en 1983. Les améliorations incluent des classes, des fonctions virtuelles, des héritages multiples, des icônes, etc.

Calibrage. C'est le fait de déterminer des paramètres (potentiellement dépendants du temps et de l'état) tels que les prix théoriques rejoignent les prix négociés. Aussi appelé «fitting». C'est un processus statique utilisant un ensemble de prix à un instant donné. Le calibrage n'implique pas forcément de regarder les dynamiques ou les séries temporelles du sous-jacent. Voir page 119.

Callable. Un contrat que l'émetteur ou le vendeur peut rappeler (call). Le montant qu'il doit payer et les dates auxquelles il peut exercer son droit sont déterminés dans le contrat.

Cap. Un contrat de taux qui paye le détenteur quand le taux d'intérêt sous-jacent dépasse un niveau déterminé. Voir page 198.

CDO. Une Collateralized Debt Obligation est un pool d'instruments de dette titrisés en un seul instrument financier. Voir page 199.

CDS. Un Credit Default Swap est un contrat utilisé comme une assurance contre un événement de crédit. Une des parties paye un intérêt à l'autre pendant une période prescrite ou jusqu'au défaut de l'instrument sous-jacent. Voir page 200.

CFA Chartered Financial Analyst. Une certification professionnelle offerte par le CFA Institute après avoir réussi avec succès trois examens. Les cours incluent des aspects de corporate finance et de finance quantitative, d'économie et d'éthique.

CMS. Un Constant Maturity Swap est un swap de taux d'intérêt dans lequel une patte est un taux flottant d'une maturité constante (à partir de la date à laquelle il est payé). Un ajustement de convexité est requis pour l'évaluation de ces instruments. Voir page 198.

Convertible. Un instrument qui peut être échangé contre un autre d'un type différent. Une obligation convertible est une obligation qui peut être transformée en actions à une date choisie par le détenteur. Cela confère un élément d'optionalité à un instrument simple. Voir page 200.

Convexity/convexité. Liée à la courbure de la valeur d'un dérivé (ou de son payoff) par rapport à son sous-jacent. Une conséquence de l'inégalité de Jensen pour les fonctions convexes, et du caractère aléatoire d'un sous-jacent, est que la convexité ajoute de la valeur à un dérivé. Une convexité positive par rapport à un sous-jacent ou des paramètres aléatoires augmente la valeur du dérivé, une convexité négative diminue cette valeur. Pour les dérivés actions, la convexité est connue sous le nom de Gamma.

Copula/copule. Une fonction utilisée pour combiner de nombreuses distributions univariées pour faire une seule distribution multivariée. Souvent utilisée pour modéliser les relations entre de nombreux sous-jacents de dérivés de crédit. Voir page 131.

Correlation/corrélation. Covariance entre deux variables aléatoires divisée par le produit de leurs deux écarts-types. C'est un nombre compris entre moins un et plus un (inclus) qui mesure le degré de relation linéaire entre les deux variables. La corrélation est un paramètre de la plupart des modèles d'évaluation d'options dans lesquels il y a deux facteurs aléatoires ou plus. Cependant, ce paramètre est souvent hautement instable.

CQF. Certificate in Quantitative Finance, une qualification à temps partiel offerte par Wilmott et 7city Learning, qui enseigne les aspects les plus pratiques de la finance quantitative, incluant la modélisation, l'analyse de données, l'implémentation de modèles et qui se concentre de manière cruciale sur la désignation des bons modèles et de ceux qui ne le sont pas.

Default Probability/probabilité de défaut. La probabilité qu'une entité fasse défaut ou faillite. Un concept utilisé couramment en modélisation du risque de crédit, où l'on suppose que le défaut est un concept probabiliste, plutôt qu'une décision de gestion. Évaluer des instruments de crédit devient alors un exercice de modélisation de la probabilité de défaut, et du taux de recouvrement. Voir page 183.

Delta. La sensibilité d'une option à l'actif sous-jacent. Voir page 72.

Digital(e). Une option avec un payoff discontinu. Voir page 201.

Dispersion. La mesure de l'indépendance entre les payoffs d'un actif, typiquement une action. Un dispersion trade met en jeu un panier d'options sur des actions individuelles contre la position opposée sur une option sur un panier d'actions (un indice).

Duration. La sensibilité d'une obligation à un taux d'intérêt ou un rendement. Elle peut être reliée à la durée de vie moyenne de l'obligation.

Exotic/exotique. Un contrat qui est fait sur mesure pour un client et qui n'existe pas en tant que produit listé. Puisqu'il n'est pas négocié sur un marché, il doit être évalué en utilisant un modèle mathématique. Voir page 193.

Expected loss/perte attendue. La perte moyenne une fois qu'un seuil déterminé a été dépassé. Utilisé comme une mesure de la value at risk. Voir page 36.

Finite differences/différences finies. Une méthode numérique pour résoudre des équations différentielles dans lesquelles les dérivées sont approximées par des différences. L'équation différentielle devient donc une équation différence qui peut être résolue numériquement, usuellement par un processus itératif.

Gamma. La sensibilité du delta d'une option au sous-jacent. Par conséquent c'est la dérivée seconde du prix d'une option par rapport au sous-jacent. Voir page 72.

GARCH. Generalized Auto Regressive Conditional Heteroscedasticity, un modèle économétrique pour la volatilité dans lequel la variance actuelle dépend des incréments aléatoires précédents.

Hedge/couverture. Pour réduire le risque en exploitant les corrélations entre instruments financiers. Voir page 51.

Hybrid/hybride. Un instrument qui montre à la fois des caractéristiques action et obligation, et même de risque de crédit. Comme exemple, on peut prendre une obligation convertible. L'évaluation de tels instruments requiert la connaissance de modèles de différents domaines de la finance quantitative.

Implicit/implicite. Utilisé comme adjectif pour les paramètres financiers, signifiant qu'ils ont été déduits des prix négociés. Par exemple, quelle est la volatilité qui, mise dans la formule de Black-Scholes, donne un prix théorique égal au prix du marché ? C'est la volatilité implicite. Intimement liée au calibrage.

Lévy. Une distribution de probabilité, aussi connue comme une distribution stable. Elle a la propriété selon laquelle la somme de variables aléatoires indépendantes identiquement distribuées issues de cette distribution, a la même distribution. La distribution normale en est un cas spécifique. Elle présente un intérêt en finance parce que les données de rendements suivent assez bien cette distribution. Voir page 141.

LIBOR. London Interbank Offered Rate. Un taux d'intérêt auquel les banques offrent de prêter des fonds à d'autres banques sur le marché monétaire interbancaire de Londres. Il est coté à des maturités différentes. Étant un taux de référence standard, il est souvent le taux d'intérêt sous-jacent des contrats de taux de gré à gré.

Market maker. Quelqu'un qui donne les prix auxquels il va acheter ou vendre des instruments, dans l'espoir de faire un profit sur la différence entre les prix de l'offre et de la demande. On dit qu'il ajoute de la liquidité au marché.

MBS. Un Mortgage Backed Security est un pool de crédits hypothécaires qui ont été titrisés. Voir page 203.

Mean reversion/retour à la moyenne. Le fait qu'une quantité retourne à un niveau moyen. C'est le fait de nombreux modèles de taux d'intérêt populaires et de modèles de volatilité, quantités qui peuvent montrer de l'aléa mais ne s'éloignent jamais trop loin d'une certaine moyenne.

Monte Carlo. Un nom donné à de nombreuses méthodes pour résoudre des problèmes mathématiques en utilisant des simulations. Le lien entre un concept probabiliste, comme une moyenne, et des simulations, est clair. Il peut aussi y avoir des liens entre un problème déterministe et une simulation. Par exemple, vous pouvez estimer π en lançant des flèches sur un carré, uniformément distribuées, et compter combien ont atterri à l'intérieur du cercle inscrit. Cela devrait être $\pi/4$ fois le nombre lancé. Pour obtenir π avec une précision de six décimales, vous devriez lancer approximativement 10^{12} flèches, et c'est cela l'inconvénient des méthodes de Monte Carlo, elles peuvent être lentes.

Normal Distribution/distribution normale. Une distribution de probabilité communément utilisée pour modéliser des quantités financières. Voir page 125.

PDE/EDP. Équation aux dérivées partielles. Comme son nom le suggère, c'est une équation (il doit y avoir le signe « égal ») incluant des dérivées par rapport à deux variables ou plus. En finance, presque toutes les EDP sont du type parabolique, qui inclut la fameuse équation de la chaleur ou équation de la diffusion. Voir page 21.

Quantlib. Définition prise sur www.quantlib.org : « Quantlib est une bibliothèque open-source gratuite pour la modélisation, la négociation, et la gestion des risques dans la vraie vie. »

Quanto. Tout contrat dans lequel les cash-flows sont calculés à partir d'un sous-jacent en une devise, puis convertis en paiements en une autre devise. Voir page 204.

Regression/régression. Relie une variable dépendante à une ou plusieurs variables indépendantes par une fonction relativement simple.

Risk/risque. La possibilité d'une perte financière associée à des investissements. Voir page 30.

Risk Neutral/risque-neutre. Indifférent au risque dans le sens où un payoff en excès du taux sans risque n'est pas requis par un investisseur risque-neutre qui prend des risques. Pour évaluer les dérivés on peut s'imaginer dans un monde où les investisseurs sont risques-neutres. Les options sont ensuite évaluées pour être cohérentes avec les prix de marché du sous-jacent et les états futurs du monde. La raison en est que la prime de risque sur l'action est déjà incorporée dans son prix actuel, et le prix du risque pour l'option devrait être le même que pour son sous-jacent. Travailler dans un monde risque-neutre est un raccourci vers ce résultat. Voir page 68.

SABR. Un modèle de taux d'intérêt, par Pat Hagan, Deep Kumar, Andrew Lesniewski et Diane Woodward, qui exploite l'analyse asymptotique pour rendre facile à gérer un problème ingérable autrement. Voir page 182.

Skew/asymétrie. La pente du graphe de la volatilité implicite en fonction du prix d'exercice. Une asymétrie négative, c'est-à-dire une pente qui baisse de gauche à droite, est commune pour les options sur actions.

Smile. Le profil de courbure tourné vers le haut du graphe de la volatilité implicite en fonction du prix d'exercice (« sourire »). Un profil de courbure tourné vers le bas serait un « chagrin ».

Sobol'. Un mathématicien russe responsable de la plupart des avancées importantes sur les suites à discrépance faible, désormais utilisées couramment pour les simulations en finance. Voir page 135 et www.broda.co.uk.

Stochastic/stochastique aléatoire. Cette branche des mathématiques impliquant l'évolution aléatoire d'une quantité, habituellement en temps continu, est fréquemment associée à des modèles de marchés financiers et de dérivés. À opposer à « déterministe ».

Structured Products/produits structurés. Contrats conçus pour satisfaire aux critères d'investissement spécifiques d'un client, en termes d'opinion sur le marché, de risque et de payoff.

Swap. Un terme général pour un contrat de gré à gré dans lequel il y a des échanges de cash-flows entre deux parties. Voir page 205.

Swaptions. Une option sur un swap. Ils ont souvent un exercice de type bermuda. Voir page 205.

VaR. Value at Risk, une estimation de la perte potentielle sur un investissement. Voir page 36.

Variance swap. Un contrat dans lequel il y a un échange de la variance réalisée sur une période spécifique contre un montant fixe. Voir page 206.

Volatility/volatilité. L'écart-type annualisé des rendements d'un actif. La quantité la plus importante dans l'évaluation des dérivés. Difficile à estimer et à prévoir, il existe de nombreux modèles concurrents pour le comportement de la volatilité. Voir page 96.

Yield Curve/courbe des taux. Un graphe des taux de rendement actuariels en fonction de la maturité (ou de la duration). Par conséquent, c'est une façon de visualiser comment les taux d'intérêt varient avec le temps. Chaque obligation traitée a son propre point sur la courbe.

Et finalement, quelques mots ou phrases de recherche un peu plus exotiques, sans description :

Art of War ; *Atlas Shrugged* ; Background check ; Bloodshed ; Bonus ; Deal or no deal ; Death ; Depression ; Drug test ; Female ; Gay ; How to impress ; James Bond ; Lawsuit ; Lonely ; Sex ; Suit ; Test ; The ; Too old.

À partir de cette liste finale on devrait être capable de construire un profil de personnalité du quant typique.

Chapitre 10

Casse-tête

Les casse-tête suivants ont tous été tirés de www.wilmott.com. Ce sont tous les types de questions auxquels vous pourriez facilement avoir à faire face pendant un entretien d'embauche. Certaines de ces questions sont de simples exercices de calcul, souvent de nature probabiliste, reflétant l'importance de la compréhension des concepts probabilistes, d'autres comportent une « astuce »; si vous pouvez repérer l'astuce vous pouvez les résoudre, sinon vous pataugerez. Et certains requièrent une réflexion latérale, hors des sentiers battus.

Les questions

Roulette russe. Je possède un revolver qui peut contenir jusqu'à six balles. Il y a deux balles dans l'arme, dans des compartiments adjacents. Je m'apprête à jouer à la roulette russe (de mon plein gré !), je fais tourner le barillet de sorte que je ne sais pas où se trouvent les balles, et puis j'appuie sur la gâchette. En supposant que je ne me tue pas moi-même dans cette première tentative, suis-je maintenant plus à même d'appuyer sur la gâchette une seconde fois sans refaire tourner le barillet ?

(Merci à pusher.)

Anniversaires simultanés. Vous êtes dans une pièce pleine de monde, et vous leur demandez la date de leur anniversaire. Combien de personnes doit-il y avoir en tout, pour qu'il y ait plus de 50 % de chances qu'au moins deux personnes partagent le même anniversaire ?

(Merci à baghead.)

Un autre problème d'anniversaires. Dans un cinéma on annonce qu'un billet gratuit sera donné à la première personne de la queue dont l'anniversaire tombe le même jour que quelqu'un de la queue qui a déjà acheté son ticket. Vous avez l'option d'entrer dans la queue à n'importe quelle position. En supposant que vous ne connaissez pas les anniversaires des autres, et que les anniversaires sont uniformément distribués sur une année de 365 jours, quelle position dans la queue vous donne la meilleure chance d'être le premier anniversaire dupliqué ?

(Merci à amit7ul.)

Pièces biaisées. Vous avez n pièces biaisées, où la k-ième pièce a la probabilité $1/(2k + 1)$ d'arriver sur le côté « face ». Quelle est la probabilité d'obtenir un nombre impair de « face » au total ?

(Merci à FV.)

Deux « face ». En lançant une pièce non biaisée, combien de temps vous faut-il attendre en moyenne avant d'obtenir deux « face » d'affilée ? Et plus généralement, combien de temps avant d'obtenir n « face » d'affilée ?

(Merci à Mike M.)

Balles dans un sac. Dix balles sont mises dans un sac en fonction du résultat des lancers d'une pièce non biaisée. Si la pièce présente le côté « face », on met une balle noire, si c'est « pile », on met une balle blanche. Quand le sac contient dix balles on le donne à quelqu'un qui n'a pas vu les couleurs sélectionnées. Demandez-lui de tirer dix balles hors du sac, une à la fois en replaçant la balle tirée dans le sac. Si les dix balles examinées sont blanches, quelle est la probabilité que les dix balles du sac soient toutes blanches ?

(Merci à mikebell.)

Somme de variables aléatoires uniformes. Les variables aléatoires x_1, x_2, x_3... sont indépendantes et uniformément distribuées entre zéro et un. On additionne n d'entre elles jusqu'à ce que la somme dépasse 1. Quelle est la valeur espérée de n ?

(Merci à balaji.)

Corrélation minimale et maximale. Si X, Y et Z sont trois variables aléatoires telles que X et Y ont une corrélation de 0,9, et Y et Z ont une corrélation de 0,8, quelles sont les corrélations minimales et maximales que X et Z peuvent avoir ?

(Merci à jiantao.)

Airforce One. Une centaine de personnes font la queue pour monter à bord d'Airforce One. Il y a exactement 100 sièges dans l'avion. Chaque passager a un billet. Chaque billet assigne le passager à une place spécifique. Les passagers montent à bord de l'avion un par un. GW est le premier à monter à bord. Il ne sait pas lire, et ne sait pas quel siège est le sien, donc il choisit un siège au hasard et prétend que c'est son propre siège.

Les passagers restants montent à bord un par un. Si l'un d'entre eux trouve son siège vide, il s'y assoit. S'il trouve que son siège est déjà pris, il choisit un siège au hasard. Ainsi de suite jusqu'à ce que tout le monde soit monté à bord et ait pris un siège.

Quelle est la probabilité que la dernière personne à monter à bord s'asseye dans son propre siège ?

(Merci à Wilbur.)

Taxi et délit de fuite. Il y a eu un accident de taxi avec délit de fuite, dans une ville où 85 % des taxis sont verts et les 15 % restants sont bleus. Il y avait un témoin qui prétend que le taxi en question était bleu. Malheureusement, ce témoin n'a raison que 80 % du temps. Quelle est la probabilité pour que ce soit réellement un taxi bleu qui ait commis l'accident ?

(Merci à orangeman44.)

Rendements annuels. Chaque jour un négociateur gagne 50 % avec une probabilité 0,6 ou perd 50 % avec une probabilité de 0,4. Quelle est la probabilité pour que le négociateur soit gagnant après un an, soit 260 jours de négociation ? Après quel nombre de jours le négociateur a-t-il le maximum de probabilité de gagner de l'argent ?

(Merci à Aaron.)

Jeu de dés. Vous démarrez sans argent et jouez à un jeu dans lequel vous jetez un dé encore et encore. À chaque lancer, si le 1 apparaît vous gagnez 1 \$, si le 2 apparaît vous gagnez 2 \$, etc. mais si le 6 apparaît vous perdez tout votre argent et le jeu s'arrête. Quel est l'instant optimal pour arrêter de jouer, et quels sont vos gains espérés ?

(Merci à ckc226.)

100 kg de fruits des bois. Vous avez 100 kg de fruits des bois. 99 % du poids des fruits des bois est de l'eau. Le temps passe et une certaine quantité d'eau s'évapore, de sorte que vos fruits sont constitués maintenant de 98 % d'eau. Quel est le poids des fruits maintenant ?

Faites cela de tête.

(Merci à NoDoubts.)

Planning urbain. Il y a quatre villes situées aux quatre coins d'un carré. Les villes doivent être reliées par un système de routes qui minimise la longueur totale de route. Quelle est la forme de la route ?

(Merci à quantie.)

Plus près du centre ou du bord ? Vous avez un carré et une variable aléatoire qui prend un point aléatoire dans le carré en suivant une distribution uniforme. Quelle est la probabilité qu'un point sélectionné au hasard soit plus près du centre que du bord ?

(Merci à OMD.)

Flocon de neige. Démarrez avec un triangle équilatéral. Maintenant collez au milieu de chaque côté des triangles équilatéraux d'un côté égal au tiers du côté du triangle original. Cela vous donne une étoile de David, avec six pointes. Maintenant ajoutez sur les côtés des six triangles des triangles encore plus petits, dont les côtés font le tiers du côté du triangle « parent » et ainsi de suite à l'infini. Quels sont le périmètre et l'aire du flocon de neige final ?

(Merci à Gerasimos.)

Les portes. Il y a une centaine de portes fermées dans un corridor. La première personne qui marche dans le corridor ouvre toutes les portes. La deuxième personne change l'état d'une porte sur deux en partant de la deuxième porte, en ouvrant les portes closes et en fermant les portes ouvertes. La troisième personne qui passe change l'état d'une porte sur trois en partant de la troisième porte. Cela continue jusqu'à la 100e personne. À la fin, combien de portes sont fermées et combien sont ouvertes ?

(Merci à zilch.)

Deux tiers de la moyenne. Chaque personne d'un groupe paye 1 \$ pour participer à la compétition suivante. Chacun doit écrire en secret sur une feuille un nombre de zéro à 100 inclus. Calculez la moyenne de tous ces nombres et puis prenez-en deux tiers. Le gagnant, qui obtient toutes les mises, est la personne qui a donné le nombre le plus proche de ce nombre final. Les joueurs connaissent la règle pour déterminer le gagnant, et ne sont pas autorisés à communiquer entre eux. Quel nombre devriez-vous écrire ?

(Merci à knowtorious et au *Financial Times*.)

Des un et des zéros. Montrez que tout nombre naturel a un multiple dont la représentation décimale contient seulement les chiffres 0 et 1. Par exemple, si le nombre est 13, on obtient $13 \times 77 = 1\,001$.

(Merci à idgregorio.)

Vers de livre. Il y a un livre en deux volumes posé sur une étagère, les volumes étant côte à côte, le premier puis le second. Les pages de chaque volume sont épaisses de deux centimètres et chaque couverture est épaisse de deux millimètres. Un vers a grignoté l'ensemble, perpendiculairement aux pages, depuis la première page du premier volume à la dernière page du second. Quelle est la longueur du chemin qu'il a grignoté ?

(Merci à Vito.)

Rémunération. Un certain nombre de quants sont à un dîner, et commencent à discuter de rémunération. Ils veulent calculer la rémunération moyenne parmi eux, mais sont trop embarrassés pour dévoiler leur propre salaire. Comment peuvent-ils déterminer la rémunération moyenne de leur groupe ? Ils n'ont pas de crayons ni de papier ni aucun moyen d'écrire leur salaire.

(Merci à Arroway.)

Casse-tête d'Einstein. Il y a cinq maisons de cinq couleurs différentes. Dans chaque maison vit une personne de nationalité différente. Ces cinq personnes boivent des boissons différentes, fument des cigarettes de marques différentes et ont un animal domestique différent.

On sait que :

- L'Anglais vit dans une maison rouge.
- Le Suédois a un chien.
- Le Danois boit du thé.
- La maison verte est sur la gauche de la blanche.
- La personne qui vit dans la maison verte boit du café.
- La personne qui fume des Pall Mall élève des oiseaux.
- Le propriétaire de la maison jaune fume des Dunhill.
- L'homme qui vit dans la maison du milieu boit du lait.
- Le Norvégien vit dans la première maison.
- L'homme qui fume des Blends vit à côté de celui qui a des chats.
- L'homme qui élève des chevaux vit à côté de celui qui fume des Dunhill.
- L'homme qui fume des Bluemaster boit de la bière.
- L'Allemand fume des Prince.
- Le Norvégien vit à côté de la maison bleue.
- L'homme qui fume des Blends est le voisin de celui qui boit de l'eau.

Question : qui a un poisson ?

(Merci à NoDoubts.)

Question de genre. Un pays se prépare à une guerre potentielle. La tradition de ce pays est d'envoyer seulement les hommes au combat et donc ils veulent augmenter la proportion d'hommes dans la population en régulant les naissances. Une loi passe et exige que chaque couple marié ait des enfants, et qu'il doit continuer jusqu'à ce qu'il ait un garçon.

D'après vous, quel effet cette loi va-t-elle avoir sur la composition de la population ?

(Merci à Wilbur.)

Blindage d'avion. À quel endroit devriez-vous renforcer le blindage d'un bombardier ? Vous ne pouvez pas le faire partout parce que cela rendrait l'avion trop lourd. Supposez que vous ayez des données sur tous les impacts que portent les avions qui rentrent de mission, comment devriez-vous utiliser cette information pour décider de l'endroit où renforcer le blindage ?

(Merci à Aaron.)

L'âge de trois enfants. Un recenseur se rend dans une maison, une femme lui ouvre la porte et dit qu'elle a trois enfants. Le recenseur demande leur âge et elle répond que si l'on multiplie leurs âges, on obtient 36. Il dit qu'il a besoin de plus d'informations, elle lui répond donc que le total de leurs âges correspond à l'adresse du bâtiment d'à côté. Il y va, regarde puis revient et dit qu'il a encore besoin d'informations. Elle lui dit qu'elle ne répondra plus à aucune question parce que son enfant le plus âgé dort à l'étage et elle ne veut pas le réveiller.

Quels sont les âges des enfants ?

(Merci à tristanreid.)

Fourmis sur un cercle. Vous avez un cercle avec un certain nombre de fourmis éparpillées dessus à des points distincts. Chaque fourmi commence à marcher à la même vitesse mais potentiellement dans des directions différentes, dans le sens horaire ou dans le sens anti-horaire. Quand deux fourmis se rencontrent elles changent immédiatement de direction, et puis continuent à la même vitesse que précédemment. Les fourmis se retrouveront-elle simultanément dans les mêmes positions que lorsqu'elles ont commencé ?

(Merci à OMD.)

Quatre interrupteurs et une ampoule. À l'extérieur d'une pièce il y a quatre interrupteurs, et à l'intérieur il y a une ampoule. Un des interrupteurs contrôle la lumière. Votre tâche est de trouver lequel. Vous ne pouvez voir l'ampoule ni distinguer si c'est allumé ou éteint de l'extérieur de la pièce. Vous pouvez actionner chaque interrupteur autant de fois que vous voulez. Mais vous ne pourrez entrer dans la pièce qu'une seule fois.

(Merci à Tomfr.)

Retournement. Dans une pièce sombre il y a une table, et sur cette table il y a 52 cartes, 19 « face dévoilée », 33 « face cachée ». Votre tâche est de diviser les cartes en deux groupes, de sorte que dans chaque groupe il y ait le même nombre de cartes « face dévoilée ». Vous ne pouvez allumer de lumière, demander de l'aide à un ami, tout vous est refusé. Est-ce possible ?

(Merci à golftango et Bruno Dupire.)

Visages boueux. Un groupe d'enfants joue dehors et certains ont de la boue sur le front. Un enfant ne peut pas dire s'il a de la boue sur son propre front, bien qu'il puisse voir la boue sur le front de chacun de ses camarades. Un adulte vient chercher les enfants et annonce qu'au moins l'un des enfants a de la boue sur le front, puis demande à ceux-ci de lever la main s'ils pensent qu'ils ont de la boue sur le front. Comment chaque enfant peut-il déterminer si son front est sale ou non, sans communiquer avec personne d'autre ?

(Merci à weaves.)

Puzzle pirate. Il y a 10 pirates dans un canot. Leur bateau vient de couler mais ils ont réussi à sauver 1 000 doublons d'or. Étant des brigands cupides ils veulent chacun tout le butin pour eux-mêmes, mais ils sont aussi démocrates et veulent rendre la répartition de l'or aussi équitable que possible. Mais comment ?

Chacun tire un nombre entre 1 et 10, d'un chapeau. Chaque personne à son tour, en partant de celui qui a le nombre 1, décide comment répartir le trésor entre les pirates du bateau. Puis ils votent. Si la majorité des pirates approuve l'allocation, le trésor est réparti selon celle-ci, sinon le pirate qui a décidé l'allocation est jeté par-dessus bord dans la mer infestée de requins. Dans ce dernier cas, le pirate qui a tiré le numéro suivant tente sa chance pour répartir le trésor. La même règle s'applique, et soit la répartition de ce satané magot obtient la majorité des votes, soit le pauvre malheureux se noie misérablement.

Question : comment le premier pirate devrait-il partager le butin pour à la fois garantir sa survie et obtenir une partie décente du trésor ?

Les réponses

Roulette russe

Je possède un revolver qui peut contenir jusqu'à six balles. Il y a deux balles dans l'arme, dans des compartiments adjacents. Je m'apprête à jouer à la roulette russe (de mon plein gré !), je fais tourner le barillet de sorte que je ne sais pas où se trouvent les balles, et puis j'appuie sur la gâchette. En supposant que je ne me tue pas moi-même dans cette première tentative, suis-je maintenant plus à même d'appuyer sur la gâchette une seconde fois sans refaire tourner le barillet ?

(Merci à pusher.)

Solution

C'est un casse-tête de probabilités simple et très typique. Il ne requiert pas de réflexion sophistiquée ou connexe. Juste du pur calcul.

À chaque fois que vous tournez le barillet vous avez clairement deux chances sur six, ou une chance sur trois d'atterrir sur un compartiment contenant une balle.

Si vous tournez le barillet et appuyez sur la gâchette sur un compartiment vide, quelles sont les chances que le compartiment suivant contienne une balle ? Il y a autant de probabilités d'être sur chacun des quatre compartiments vides, mais seulement le dernier de ceux-ci jouxte un compartiment contenant une balle. Donc, il y a maintenant une chance sur quatre pour que le prochain appui sur la gâchette soit fatal. La conclusion est que vous *ne* devriez *pas* refaire tourner le barillet. Après avoir survécu à deux appuis sur la gâchette sans faire tourner le barillet, la probabilité devient à nouveau d'une chance sur trois, et cela n'a pas d'importance de faire tourner ou pas le barillet (cela n'a pas d'importance au moins dans une optique probabiliste). Après avoir survécu à ce troisième « tir » les chances de survie au prochain sont maintenant de 50 %, et si vous survivez quatre fois de suite, alors le prochain tir vous sera définitivement fatal.

Anniversaires simultanés

Vous êtes dans une pièce pleine de monde, et vous leur demandez la date de leur anniversaire. Combien de personnes doit-il y avoir en tout, pour qu'il y ait plus de 50 % de chances qu'au moins deux personnes partagent le même anniversaire ?

(Merci à baghead.)

Solution

C'est une question probabiliste classique et simple, qui est conçue pour montrer la pauvreté de la perception des probabilités chez la plupart des gens.

Comme pour beaucoup de questions de ce type, il est plus facile de chercher le nombre de chances pour que deux personnes *n'aient pas* le même anniversaire. Supposez donc qu'il n'y a que les deux personnes dans la pièce, quelles sont les chances pour qu'elles n'aient pas le même anniversaire ? Il y a 364 jours sur 365 que la seconde personne pourrait avoir comme anniversaire, donc la probabilité est de 364/365. S'il y a trois personnes dans la pièce la deuxième doit avoir son anniversaire l'un des 364 jours parmi 365, et l'anniversaire de la troisième personne doit tomber sur un des 363 jours restants sur 365. Donc la probabilité est alors $364 \times 363/365^2$. Et ainsi de suite. S'il y a n personnes dans la pièce la probabilité que deux personnes ne partagent pas un anniversaire est :

$$\frac{364!}{(365 - n)!\,365^{\,n-1}}.$$

Donc la question devient : « Quel est le plus petit n pour lequel cette probabilité est inférieure à 0,5 ? » Et la réponse est 23.

Un autre problème d'anniversaires

Dans un cinéma on annonce qu'un billet gratuit sera donné à la première personne de la queue dont l'anniversaire tombe le même jour que quelqu'un de la queue qui a déjà acheté son ticket. Vous avez l'option d'entrer dans la queue à n'importe quelle position. En supposant que vous ne connaissez pas les anniversaires des autres, et que les anniversaires sont uniformément distribués sur une année de 365 jours, quelle position dans la queue vous donne la meilleure chance d'être le premier anniversaire dupliqué ?

(Merci à amit7ul.)

Solution

Ce problème est résolu par une application du théorème de Bayes :

$$\text{Prob } A \cap B = \text{Prob } (A|B)\,\text{Prob } (B)$$

Vous avez besoin de calculer deux probabilités, d'abord la probabilité d'avoir le même anniversaire qu'une personne devant vous dans la queue, étant donné qu'aucune d'entre elles n'a le même anniversaire, et ensuite la probabilité qu'aucune des personnes devant vous n'ait le même anniversaire. S'il y a n personnes devant vous, alors on sait d'après le problème d'anniversaires précédent que la seconde probabilité est :

$$\frac{364!}{(365-n)!\,365^{n-1}}.$$

La première probabilité est simplement $n/365$. Donc vous souhaitez maximiser :

$$\frac{n\,364!}{(365-n)!\,365^{n}}.$$

Cela est illustré ci-dessous comme une fonction de n. Elle est maximisée pour $n = 19$, donc vous devriez être placé à la 20e place. Cela maximise vos chances, mais elles restent faibles à seulement 3,23 %.

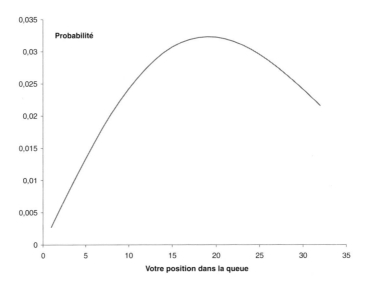

Pièces biaisées

Vous avez n pièces biaisées, où la k-ième pièce a la probabilité $1/(2k+1)$ d'arriver sur le côté « face ». Quelle est la probabilité d'obtenir un nombre impair de « face » au total ?

(Merci à FV.)

Solution

Je pose ce problème car c'est un exemple classique de la méthode d'induction. On utilise p_n pour nommer la probabilité requise.

Après n-1 lancers il y a une probabilité p_{n-1} d'avoir obtenu un nombre impair de « face ». Et par conséquent une probabilité $1 - p_{n-1}$ d'avoir obtenu un nombre pair de « face ». Pour obtenir la probabilité d'un nombre pair de « face » après un autre lancer, n au total, vous multipliez la probabilité d'avoir un nombre impair jusque-là par la probabilité que la prochaine pièce tombe sur « pile », et vous ajoutez cela au produit de la probabilité d'un nombre pair et de la probabilité d'avoir « face » au prochain coup :

$$p_n = p_{n-1}\left(1 - \frac{1}{2n+1}\right) + (1 - p_{n-1})\frac{1}{2n+1}.$$

Cela devient :

$$p_n = p_{n-1}\frac{2n-1}{2n+1} + \frac{1}{2n+1}.$$

Maintenant on a juste à résoudre cette équation différence, avec une valeur initiale correspondant au fait qu'avant tout lancer on a zéro probabilité de faire un nombre impair, donc $p_0 = 0$. Si l'on écrit $p_n = a_n/(2n+1)$, l'équation différence pour a_n devient l'expression très simple :

$$a_n = a_{n+1} + 1.$$

La solution de cela avec $a_n = 0$ est juste n et donc la probabilité cherchée est :

$$p_n = \frac{n}{2n+1}.$$

Deux « face »

En lançant une pièce non biaisée, combien de temps vous faut-il attendre en moyenne avant d'obtenir deux « face » d'affilée ? Et plus généralement, combien de temps avant d'obtenir n « face » d'affilée ?

(Merci à Mike M.)

Solution

Il se trouve que vous avez intérêt sans doute à résoudre directement le problème général pour n « face » d'affilée. Soit N_n le nombre de lancers nécessaires pour obtenir n « face » d'affilée. Il satisfait la relation de récurrence :

$$N_n = \tfrac{1}{2}(N_{n-1} + 1) + \tfrac{1}{2}(N_{n-1} + 1 + N_n).$$

En effet, avec la probabilité 1/2 on obtient « face », et avec la probabilité 1/2 on obtient « pile » et on devra tout recommencer à nouveau. Par conséquent, on obtient :

$$N_n = 2N_{n-1} + 2.$$

Cela a pour solution :

$$N_n = 2N^{n+1} - 2.$$

Cela signifie six lancers en moyenne pour obtenir deux « face » d'affilée.

Balles dans un sac

Dix balles sont mises dans un sac en fonction du résultat des lancers d'une pièce non biaisée. Si la pièce présente le côté « face », on met une balle noire, si c'est pile, on met une balle blanche. Quand le sac contient dix balles on le donne à quelqu'un qui n'a pas vu les couleurs sélectionnées. Demandez-lui de tirer dix balles hors du sac, une à la fois en replaçant la balle tirée dans le sac. Si les dix balles examinées sont blanches, quelle est la probabilité que les dix balles du sac soient toutes blanches ?

(Merci à mikebell.)

Solution

Ceci est un test de votre compréhension des probabilités conditionnelles et du théorème de Bayes à nouveau. Tout d'abord une expression du théorème de Bayes :

$$\text{Prob}(A|B) = \frac{\text{Prob}(B|A)\text{Prob}(A)}{\text{Prob}(B)}.$$

Prob(A) est la probabilité de A, sans aucune information sur B, c'est une probabilité inconditionnelle. Prob($A|B$) signifie la probabilité de A avec une condition supplémentaire concernant B, c'est une probabilité conditionnelle.

Dans l'exemple des balles, A est l'événement selon lequel toutes les balles *dans* le sac sont blanches, B est l'événement que les balles *tirées* du sac sont toutes blanches. On veut trouver Prob($A|B$).

Clairement, Prob(A) est juste $\frac{1}{2}^{10} = 0,000976563$. De façon triviale Prob($B|A$) est 1. La probabilité de tirer 10 balles blanches du sac est un peu plus difficile. On doit regarder la probabilité d'avoir n balles blanches d'abord, puis de tirer, avec replacement dans le sac, 10 balles blanches. C'est alors Prob(B). Elle est calculée comme suit :

$$\sum_{n=0}^{10} \frac{10!}{n!(10-n)!} \frac{1}{2^{10}} \left(\frac{n}{10}\right)^{10} = 0,01391303.$$

Et donc la probabilité recherchée est $0,000976563/0,01391303 = 0,0701905$. Juste au-dessus de 7 %.

Somme de variables aléatoires uniformes

Les variables aléatoires $x1$, $x2$, $x3$, ... sont indépendantes et uniformément distribuées entre zéro et un. On additionne n d'entre elles jusqu'à ce que la somme dépasse 1. Quelle est la valeur espérée de n ?

(Merci à balaji.)

Solution

Il y a deux étapes pour trouver la solution. Premièrement, quelle est la probabilité que la somme de n telles variables aléatoires soit inférieure à 1. Deuxièmement, quelle est l'espérance attendue.

Il y a plusieurs manières d'approcher la première étape. L'une d'elle, peut-être la plus directe, consiste simplement à calculer la probabilité en intégrant des intégrandes unitaires sur le domaine du quadrant droit supérieur entre le point $(0,0,\ldots,0)$ et le plan $x_1 + x_2 + \ldots + x_n = 1$. C'est juste :

$$\int_0^1 \int_0^{1-x_1} \int_0^{1-x_1-x_2} \ldots \int_0^{1-x_1-x_2-\ldots-x_{n-1}} 1 \; dx_n \ldots dx_3 \; dx_2 \; dx_1.$$

Après avoir calculé plusieurs des intégrales vous trouverez que la réponse est simplement $\dfrac{1}{n!}$.

Il s'ensuit que la probabilité que la somme dépasse 1 pour la première fois à la n-ième variable aléatoire est :

$$\left(1 - \frac{1}{n!}\right) - \left(1 - \frac{1}{(n-1)!}\right) = \frac{n-1}{n!}.$$

L'espérance recherchée est la somme de $n(n-1)/n! = 1/(n-2)!$ de 2 à l'infini, ou de manière équivalente, la somme de $1/n!$ pour n de 0 à l'infini. Et notre réponse est e.

Corrélation minimale et maximale

Si X, Y et Z sont trois variables aléatoires telles que X et Y ont une corrélation de 0,9, et Y et Z ont une corrélation de 0,8, quelles sont les corrélations minimales et maximales que X et Z peuvent avoir ?

(Merci à jiantao.)

Solution

La matrice de corrélation

$$\begin{pmatrix} 1 & \rho_{XY} & \rho_{XZ} \\ \rho_{XY} & 1 & \rho_{YZ} \\ \rho_{XZ} & \rho_{YZ} & 1 \end{pmatrix}$$

doit être semi-définie positive. En jouant un peu autour de ce concept, on trouvera les contraintes suivantes :

$$-\sqrt{(1 - \rho_{XY}^2)(1 - \rho_{YZ}^2)} + \rho_{XY}\rho_{YZ}$$
$$\leq \rho_{XZ} \leq \sqrt{(1 - \rho_{XY}^2)(1 - \rho_{YZ}^2)} + \rho_{XY}\rho_{YZ}.$$

Pour cet exemple particulier on a $0,4585 \leq \rho_{XZ} \leq 0,9815$. C'est intéressant de voir comme la corrélation peut être faible, moins de 50 %, étant donné le caractère élevé des deux autres corrélations. Bien sûr, si l'une des deux corrélations vaut exactement 1, cela force la troisième corrélation à être égale à l'autre.

Airforce One

Une centaine de personnes font la queue pour monter à bord d'Airforce One. Il y a exactement 100 sièges dans l'avion. Chaque passager a un billet. Chaque billet assigne le passager à une place spécifique. Les passagers montent à bord de l'avion un par un. GW est le premier à monter à bord. Il ne sait pas lire, et ne sait pas quel siège est le sien, donc il choisit un siège au hasard et prétend que c'est son propre siège.

Les passagers restants montent à bord un par un. Si l'un d'entre eux trouve son siège vide, il s'y assoit. S'il trouve que son siège est déjà pris, il choisit un siège au hasard. Ainsi de suite jusqu'à ce que tout le monde soit monté à bord et ait pris un siège.

Quelle est la probabilité que la dernière personne à monter à bord s'asseye dans son propre siège ?

(Merci à Wilbur.)

Solution

Cela paraît réellement compliqué, à cause de toutes les personnes qui auraient pu s'asseoir dans le siège de la dernière personne avant leur tour. Commencez par considérer juste deux personnes, GW et vous. Si GW s'assoit dans son propre siège, ce qu'il fera une fois sur deux, alors vous êtes certain d'avoir votre propre siège. Mais s'il s'assoit dans votre siège, encore avec 50 % de chances, alors vous êtes certain de ne pas obtenir le bon siège. Donc le résultat *a priori* est 50 % de chances. Maintenant s'il y a trois personnes, GW s'assoit dans son siège, dans le vôtre ou bien dans celui de l'autre personne. Les chances pour qu'il s'asseye dans son propre siège ou le vôtre sont les mêmes, et dans le premier cas vous êtes certain d'avoir votre siège, et dans le dernier vous êtes certain de ne pas l'avoir. Donc ces deux cas s'équivalent. S'il s'assoit dans le siège de l'autre personne, tout dépend alors du fait que l'autre personne prenne votre siège ou celui de GW. Les deux cas sont équiprobables, donc le résultat est encore 50-50. Vous pouvez poursuivre ainsi par induction pour obtenir le simple résultat que la probabilité est de 50 % pour que vous vous asseyiez ou pas dans votre propre siège.

Taxi et délit de fuite

Il y a eu un accident de taxi avec délit de fuite, dans une ville où 85 % des taxis sont verts et les 15 % restants sont bleus. Il y avait un témoin qui prétend que le taxi en question était bleu. Malheureusement ce témoin n'a raison que 80 % du temps. Quelle est la probabilité pour que ce soit réellement un taxi bleu qui ait commis l'accident ?

(Merci à orangeman44.)

Solution

Une question probabiliste classique qui a des conséquences importantes pour les professions juridiques et médicales.

Supposez que l'on ait 100 incidents identiques. Le taxi aura été vert 85 fois, et bleu 15 fois, en se fondant juste sur une sélection aléatoire de la couleur des taxis. Dans les cas où le taxi est vert, le témoin dira faussement qu'il était bleu 20 % du temps, c'est-à-dire 17 fois. Dans les 15 cas où le taxi est bleu, le témoin dira la vérité 80 % du temps, soit 12 fois. Donc, bien qu'il n'y ait eu que 15 accidents impliquant un taxi bleu, il y a eu 29 témoignages contre un taxi bleu, dont la plupart (17 sur 29) sont erronés. C'est ce que l'on appelle les tests « faux positifs » dans le domaine médical.

Maintenant, étant donné que l'on nous a dit que c'était un taxi bleu, quelle est la probabilité pour que le taxi ait vraiment été bleu ? C'est juste 12/29 ou 41,4 %.

Rendements annuels

Chaque jour un négociateur gagne 50 % avec une probabilité 0,6 ou perd 50 % avec une probabilité de 0,4. Quelle est la probabilité pour que le négociateur soit gagnant après un an, soit 260 jours de négociation ? Après quel nombre de jours le négociateur a-t-il le maximum de probabilité de gagner de l'argent ?

(Merci à Aaron.)

Solution

C'est un bon exercice car il est extrêmement contre-intuitif. De prime abord il semble que vous allez gagner de l'argent sur le long terme, mais ce n'est pas le cas.

Soit n le nombre de jours où vous gagnez 50 %. Après 260 jours votre richesse initiale sera multipliée par :

$$1{,}5 \; 0{,}5^{260-n}.$$

Donc la question peut être reformulée : trouver le n pour lequel cette expression égale 1 :

$$n = \frac{260 \ln 0{,}5}{\ln 05. - \ln 1{,}5} = \frac{260 \ln 2}{\ln 3} = 164{,}04.$$

La réponse à la première question est alors « quelle est la probabilité d'obtenir 165 "gains" ou plus sur 260, quand la probabilité d'un "gain" est 0,6. » La réponse à cette question probabiliste standard est une probabilité légèrement supérieure à 14 %.

Le rendement moyen par jour est :

$$1 - \exp(0{,}6 \ln 1{,}5 + 0{,}4 \ln 0{,}5) = -3{,}34 \%.$$

La probabilité pour que le négociateur gagne de l'argent après un jour est 60 %. Après deux jours, il doit avoir gagné pendant les deux jours pour s'en sortir, et par conséquent la probabilité est de 36 %. Après trois jours, le négociateur doit avoir gagné au moins deux jours sur trois, avec une probabilité de 64,8 %. Après quatre jours, il doit avoir gagné au moins trois fois sur quatre, avec une probabilité de 47,52 %. Et ainsi de suite. Avec un horizon de N jours, il devrait gagner au moins $N \ln 2 / \ln 3$ (ou plutôt l'entier immédiatement supérieur) fois. La réponse à la seconde partie de la question est donc 3 jours.

Cette question est certes contre-intuitive, mais donne aussi un bon aperçu sur la gestion de trésorerie et est clairement liée au **critère de Kelly**. Si vous voyez une question dans ce genre, elle est faite pour vous piéger sur le fait que le profit espéré, ici $0{,}6 \times 0{,}5 + 0{,}4 \times (-0{,}5) = 0{,}1$, est positif, avec un rendement espéré, ici $-3{,}34 \%$, négatif.

Jeu de dés

Vous démarrez sans argent et jouez à un jeu dans lequel vous jetez un dé encore et encore. À chaque lancer, si le 1 apparaît vous gagnez 1 $, si le 2 apparaît vous gagnez

2 $, etc. mais si le 6 apparaît vous perdez tout votre argent et le jeu s'arrête. Quel est l'instant optimal pour arrêter de jouer, et quels sont vos gains espérés ?

(Merci à ckc226.)

Solution

Supposez que vous ayez gagné jusqu'ici un montant S et que vous devez décider de continuer ou pas. Si vous jetez encore le dé, vous avez un gain espéré au prochain lancer de :

$$\frac{1}{6} \times 1 + \frac{1}{6} \times 2 + \frac{1}{6} \times 3 + \frac{1}{6} \times 4 + \frac{1}{6} \times 5 - \frac{1}{6} \times S = \frac{15 - S}{6}.$$

Donc, tant que vous avez moins de 15 $, vous pouvez continuer.

Le gain espéré est plus compliqué.

Vous vous arrêterez à 15, 16, 17, 18, et 19. Vous ne pouvez pas obtenir 20 car cela signifierait jouer quand vous avez 15, et jeter un 5. Donc, on doit calculer la probabilité d'atteindre chacun de ces nombres sans jeter un 6. À ce moment, on se rapproche de notre bon ami Excel. Une simple simulation de la stratégie optimale donne un gain espéré pour ce jeu de 6,18 $.

100 kg de fruits des bois

Vous avez 100 kg de fruits des bois. 99 % du poids des fruits des bois est de l'eau. Le temps passe et une certaine quantité d'eau s'évapore, de sorte que vos fruits sont constitués maintenant de 98 % d'eau. Quel est le poids des fruits maintenant ?

Faites cela de tête.

(Merci à NoDoubts.)

Solution

La réponse inattendue, et pourtant correcte, est 50 kg. On dirait qu'une faible quantité d'eau s'est évaporée, donc comment le poids a-t-il pu autant varier ?

Il y a clairement 1 kg de matière sèche dans les fruits. Si cela représente maintenant 2 % (100 % moins 98 %) alors le poids total doit être de 50 kg.

Planning urbain

Il y a quatre villes situées aux quatre coins d'un carré. Les villes doivent être reliées par un système de routes qui minimise la longueur totale de route. Quelle est la forme de la route ?

(Merci à quantie.)

Solution

On est tenté de joindre les villes entre elles par un simple carrefour en forme de croix, mais ce n'est pas optimal. Pythagore et quelques calculs simples vous montreront que la forme représentée sur la figure est meilleure, où les tronçons placés

symétriquement par rapport au milieu du « H » ont une longueur de $1 - 1\sqrt{3}$.
Évidemment il existe deux solutions de ce type.

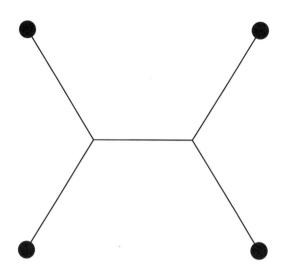

Plus près du centre ou du bord ?

Vous avez un carré et une variable aléatoire qui prend un point aléatoire dans le
carré en suivant une distribution uniforme. Quelle est la probabilité qu'un point
sélectionné au hasard soit plus près du centre que du bord ?

(Merci à OMD.)

Solution

De nombreuses personnes penseront que la probabilité recherchée est la même que
la probabilité d'atterrir dans le cercle dont le rayon est la moitié du côté du carré.
Mais ce n'est pas le cas. La ligne qui sépare les points les plus proches du centre des
points les plus proches du bord est une parabole. La réponse est :

$$\left(-1 + \sqrt{2}\right)^2 + \frac{2}{3}\left(3 - 2\sqrt{2}\right)^{3/2}.$$

Flocon de neige

Démarrez avec un triangle équilatéral. Maintenant collez au milieu de chaque côté
des triangles équilatéraux d'un côté égal au tiers du côté du triangle original. Cela
vous donne une étoile de David, avec six pointes. Maintenant ajoutez sur les côtés
des six triangles des triangles encore plus petits, dont les côtés font le tiers du côté du
triangle « parent » et ainsi de suite à l'infini. Quels sont le périmètre et l'aire du
flocon de neige final ?

(Merci à Gerasimos.)

Solution

D'abord comptez le nombre de côtés qu'il y a comme une fonction du nombre d'itérations. Initialement il y a trois côtés, et puis 3 x 4. À chaque itération, un côté se transforme en 4 côtés. Donc il y aura 3×4^n côtés après n itérations. La longueur de chaque côté vaut un tiers du côté d'origine. Par conséquent, après n itérations, le périmètre sera :

$$\left(\frac{4}{3}\right)^n$$

multiplié par le périmètre originel. Il est illimité quand n tend vers l'infini.

L'aire augmente d'un tiers après chaque itération. Après la seconde itération vous ajoutez une aire qui est égale au nombre de côtés multipliés par l'aire d'un seul petit triangle, qui vaut $1/9^e$ du triangle ajouté précédemment. Si l'on utilise A_n pour désigner l'aire après n itérations (après avoir été multipliée par l'aire du triangle initial) alors :

$$A_n = A_{n-1} + \frac{1}{3}\left(\frac{4}{9}\right)^{n-1}.$$

Donc :

$$A_n = 1 + \frac{1}{3}\sum_{i=0}^{\infty}\left(\frac{4}{9}\right)^i = \frac{8}{5}.$$

Le dernier calcul exploite le développement binomial.

C'est le fameux flocon de Koch, décrit pour la première fois en 1904, et qui est un exemple de fractal.

Les portes

Il y a une centaine de portes fermées dans un corridor. La première personne qui marche dans le corridor ouvre toutes les portes. La deuxième personne change l'état d'une porte sur deux en partant de la deuxième porte, en ouvrant les portes closes et en fermant les portes ouvertes. La troisième personne qui passe change l'état d'une porte sur trois en partant de la troisième porte. Cela continue jusqu'à la 100e personne. À la fin, combien de portes sont fermées et combien sont ouvertes ?

(Merci à zilch.)

Solution

C'est une question sur le nombre de diviseurs qu'a un nombre donné. Par exemple la 15e porte est divisible par un, trois, cinq et quinze. Donc elle sera ouverte, fermée, ouverte, fermée. Et finira fermée. Et la porte 37 ? Trente-sept est seulement divisible par un et par 37. Mais encore une fois elle finira fermée. Comme seuls les carrés ont un nombre impair de diviseurs, on doit compter le nombre de carrés qu'il y a de 1 jusqu'à 100. Bien sûr, il n'y en a que 10.

Deux tiers de la moyenne

Chaque personne d'un groupe paye 1 $ pour participer à la compétition suivante. Chacun doit écrire en secret sur une feuille un nombre de zéro à 100 inclus. Calculez la moyenne de tous ces nombres et puis prenez-en deux tiers. Le gagnant, qui obtient toutes les mises, est la personne qui a donné le nombre le plus proche de ce nombre final. Les joueurs connaissent la règle pour déterminer le gagnant, et ne sont pas autorisés à communiquer entre eux. Quel nombre devriez-vous écrire ?

(Merci à knowtorious et au *Financial Times*.)

Solution

Il s'agit d'une expérience fameuse en économie, qui examine entre autres la rationalité des gens.

Si chacun écrit le nombre 50 disons, alors le nombre gagnant sera deux tiers de 50, donc 33. Peut-être donc devrait-on écrire 33. Mais si tout le monde fait cela, le nombre gagnant sera 22. OK, écrivez ce nombre. Mais si tout le monde fait cela… Vous voyez où cela mène. Le point stable est clairement zéro parce que si tout le monde écrit zéro, deux tiers de zéro valent encore zéro, et donc zéro est le nombre gagnant. Les gains obtenus sont divisés entre tous les participants et il n'y a donc aucun intérêt à participer à cette compétition.

En discutant de ce problème, les gens ont tendance à suivre l'argument ci-dessus et soit de conclure rapidement que zéro est « correct », soit de stopper le process inductif après deux itérations et écrire un nombre proche de 20. Ce doit être que plus les gens doivent réfléchir, plus petit est le nombre qu'ils écrivent.

C'est un bon problème parce qu'il divise les gens entre les caractères purement rationnels, amateurs de théorie des jeux, qui sélectionnent zéro, et ne gagnent jamais, et les caractères plus détendus, qui sélectionnent juste un nombre après un minuscule effort de réflexion, et qui ont une chance de gagner.

Note personnelle de l'auteur. Le *Financial Times* a expérimenté cela au cours d'une compétition destinée à ses lecteurs, il y a un peu de temps. (Le prix était un vol en Concorde, donc ça date un peu. Et le coût de participation était juste un timbre sur une carte postale.)

J'ai organisé un groupe d'étudiants pour participer à cette compétition, qui ont tous écrit le nombre 99 comme réponse (les règles n'étaient pas claires sur le fait que 100 était inclus). Un nombre qui ne pouvait évidemment pas gagner. Le but de cela était double : a) d'obtenir une mention dans le journal quand la réponse serait révélée (nous avons réussi) et b) de faire bouger le marché (nous y sommes très bien parvenus également).

Il n'y a pas eu tant de participants que cela (environ 1 500 si je me rappelle bien) et donc nous avons été capables de faire bouger le marché à la hausse d'un point. Le *FT* a imprimé la distribution des réponses, une belle courbe exponentiellement décroissante avec un remarquable point singulier à la fin : le gagnant avait écrit le nombre 13.

Je ne l'ai pas dit à mes étudiants, mais je peux maintenant révéler que j'avais participé en secret, dans le but de gagner… ma réponse était 12. Aïe !

Des un et des zéros

Montrez que tout nombre naturel a un multiple dont la représentation décimale contient seulement les chiffres 0 et 1. Par exemple, si le nombre est 13, on obtient $13 \times 77 = 1\,001$.

(Merci à idgregorio.)

Solution

Considérez les $n + 1$ nombres 1, 11, 111, 1111, etc. Deux d'entre eux seront congruents modulo n. Soustrayez le plus petit du plus grand. Vous obtiendrez un nombre contenant seulement des 0 et des 1.

Vers de livre

Il y a un livre en deux volumes posé sur une étagère, les volumes étant côte à côte, le premier puis le second. Les pages de chaque volume sont épaisses de deux centimètres et chaque couverture est épaisse de deux millimètres. Un vers a grignoté l'ensemble, perpendiculairement aux pages, depuis la première page du premier volume à la dernière page du second. Quelle est la longueur du chemin qu'il a grignoté ?

(Merci à Vito.)

Solution

Juste quatre millimètres. Réfléchissez au fait que la première page du premier volume et la dernière page du second volume ne sont séparées que par les couvertures.

Rémunération

Un certain nombre de quants sont à un dîner, et commencent à discuter de rémunération. Ils veulent calculer la rémunération moyenne parmi eux, mais sont trop embarrassés pour dévoiler leur propre salaire. Comment peuvent-ils déterminer la rémunération moyenne de leur groupe ? Ils n'ont pas de crayons ni de papier ni aucun moyen d'écrire leur salaire.

(Merci à Arroway.)

Solution

Un des quants ajoute un nombre aléatoire à son salaire. Il chuchote ensuite ce total à son voisin de droite. Cette personne ajoute son propre salaire au nombre qu'on lui a donné, et le chuchote à son voisin de droite. Cela continue tout autour de la table jusqu'à parvenir à nouveau au premier quant, qui soustrait simplement son nombre aléatoire du total, et divise par le nombre de quants à table. C'est la rémunération moyenne du groupe.

Casse-tête d'Einstein

Il y a cinq maisons de cinq couleurs différentes. Dans chaque maison vit une personne de nationalité différente. Ces cinq personnes boivent des boissons différentes, fument des cigarettes de marques différentes et ont un animal domestique différent.

On sait que :

- L'Anglais vit dans une maison rouge.
- Le Suédois a un chien.
- Le Danois boit du thé.
- La maison verte est sur la gauche de la blanche.
- La personne qui vit dans la maison verte boit du café.
- La personne qui fume des Pall Mall élève des oiseaux.
- Le propriétaire de la maison jaune fume des Dunhill.
- L'homme qui vit dans la maison du milieu boit du lait.
- Le Norvégien vit dans la première maison.
- L'homme qui fume des Blends vit à côté de celui qui a des chats.
- L'homme qui élève des chevaux vit à côté de celui qui fume des Dunhill.
- L'homme qui fume des Bluemaster boit de la bière.
- L'Allemand fume des Prince.
- Le Norvégien vit à côté de la maison bleue.
- L'homme qui fume des Blends est le voisin de celui qui boit de l'eau.

Question : qui a un poisson ?

(Merci à NoDoubts.)

Solution

C'était une question posée par Einstein qui disait que 98 % des gens ne peuvent la résoudre. Plus vraisemblablement 98 % des gens refusent d'être importunés. Et en ces jours de Su Doku, le pourcentage de personnes qui peuvent la résoudre sera plus grand.

À propos, la réponse est l'Allemand.

Question de genre

Un pays se prépare à une guerre potentielle. La tradition de ce pays est d'envoyer seulement les hommes au combat et donc ils veulent augmenter la proportion d'hommes dans la population en régulant les naissances. Une loi passe et exige que chaque couple marié ait des enfants, et qu'il doit continuer jusqu'à ce qu'il ait un garçon.

D'après vous, quel effet cette loi va-t-elle avoir sur la composition de la population ?

(Merci à Wilbur.)

Solution

Cela n'est pas seulement une question astucieuse, c'est aussi l'occasion de moult discussions intéressantes.

La réponse la plus évidente est que cette loi n'a aucun effet sur le ratio hommes/femmes. Cependant, cela ne serait vrai que sous certaines hypothèses sur la distribution des sexes de la progéniture des couples. Considérez une population dans laquelle chaque couple ne peut avoir que des garçons ou que des filles. Ceux qui ont des garçons pourraient s'arrêter après un enfant, tandis que ceux qui ont des filles pourraient ne jamais cesser d'avoir des enfants, ce qui aboutirait à la fin à plus de filles que de garçons. (Bien sûr, cela pourrait ne pas être important puisque le but ici est d'avoir plus de garçons, il n'y a aucune exigence sur le nombre de filles.) Et s'il existe une autocorrélation entre les naissances, cela aura aussi un impact. Si l'auto-corrélation est de 1, de sorte qu'un enfant masculin est toujours suivi par un garçon, et une fille par une fille, le ratio hommes/femmes diminue, mais avec une corrélation négative le ratio augmente.

Blindage d'avion

À quel endroit devriez-vous renforcer le blindage d'un bombardier ? Vous ne pouvez pas le faire partout parce que cela rendrait l'avion trop lourd. Supposez que vous avez des données sur tous les impacts que portent les avions qui rentrent de mission, comment devriez-vous utiliser cette information pour décider de l'endroit où renforcer le blindage ?

(Merci à Aaron.)

Solution

Le piège ici est que l'on a seulement des données pour les avions qui ont survécu. Puisque les impacts sur les avions vont être probablement distribués uniformément sur tous les endroits accessibles par un tir de feu, on devrait placer les renforcements précisément aux endroits qui visiblement ne sont pas touchés sur les avions qui reviennent. Ce sont les endroits où les impacts seraient « fatals ». Il s'agit d'une histoire vraie de la Seconde Guerre mondiale à propos du statisticien Abraham Wald à qui on avait précisément posé cette question.

L'âge de trois enfants

Un recenseur se rend dans une maison, une femme lui ouvre la porte et dit qu'elle a trois enfants. Le recenseur demande leur âge et elle répond que si l'on multiplie leurs âges, on obtient 36. Il dit qu'il a besoin de plus d'informations, elle lui répond donc que le total de leurs âges correspond à l'adresse du bâtiment d'à côté. Il y va, regarde puis revient et dit qu'il a encore besoin d'informations. Elle lui dit qu'elle ne répondra plus à aucune question parce que son enfant le plus âgé dort à l'étage et elle ne veut pas le réveiller.

Quels sont les âges des enfants ?

(Merci à tristanreid.)

Solution

D'abord, factoriser correctement le nombre 36 : (1,1,36), (1,4,9), (1,2,18), (1,3,12), (1,6,6), (2,3,6), (2,2,9), (3,3,4).

Quand le recenseur est incapable de décider à partir de l'information contenue dans le numéro de la maison d'à côté, nous savons que cette porte voisine doit être le numéro 13, parce que (1,6,6) et (2,2,9) font tous deux 13 lorsqu'on les additionne. Toutes les autres combinaisons donnent d'autres sommes. Finalement la mère fait référence à son enfant le plus âgé, et cela élimine (1,6,6) où les deux enfants les plus âgés ont le même âge. En conclusion, les âges doivent être 2, 2 et 9.

Attention : (1,6,6) est techniquement encore possible parce que l'un des enfants de six ans peut avoir presque sept ans, tandis que l'autre vient juste d'avoir six ans.

Fourmis sur un cercle

Vous avez un cercle avec un certain nombre de fourmis éparpillées dessus à des points distincts. Chaque fourmi commence à marcher à la même vitesse mais potentiellement dans des directions différentes, dans le sens horaire ou dans le sens anti-horaire. Quand deux fourmis se rencontrent elles changent immédiatement de direction, et puis continuent à la même vitesse que précédemment. Les fourmis se retrouveront-elle simultanément dans les mêmes positions que lorsqu'elles ont commencé ?

(Merci à OMD.)

Solution

Quelles sont les chances que cela arrive ? Toutes ces pérégrinations dans le cercle vont sûrement toutes les mélanger. Bon, la réponse, que vous n'avez probablement pas devinée, est que, oui, elles vont toutes finir au point de départ. Et le moment auquel cela arrive (bien que cela puisse arriver avant bien sûr) correspond juste au temps nécessaire à l'une des fourmis pour parcourir le cercle entier sans obstacle. L'astuce est de commencer par ignorer les collisions, imaginez simplement que les fourmis se croisent en marchant. Clairement il y a un moment où les fourmis seront dans les positions de départ. Mais les fourmis seront-elles dans leurs *propres* positions de départ ? C'est nettement plus difficile à percevoir, mais vous pouvez facilement vous en convaincre, et de plus à ce moment elles bougeront aussi dans la même direction qu'au départ (ce n'est pas nécessairement vrai pour les instants précédents auxquels elles se retrouvent dans les positions de départ).

Quatre interrupteurs et une ampoule

À l'extérieur d'une pièce il y a quatre interrupteurs, et à l'intérieur il y a une ampoule. Un des interrupteurs contrôle la lumière. Votre tâche est de trouver lequel. Vous ne pouvez voir l'ampoule ni distinguer si c'est allumé ou éteint de l'extérieur de la pièce. Vous pouvez actionner chaque interrupteur autant de fois que vous voulez. Mais vous ne pourrez entrer dans la pièce qu'une seule fois.

(Merci à Tomfr.)

Solution

L'astuce consiste à réaliser qu'il y a plus à faire avec l'ampoule que de la lumière.

Première étape : allumez les interrupteurs 1 et 2, partez et prenez un café. Deuxième étape : éteignez l'interrupteur 1 et allumez le 3, puis entrez rapidement dans la pièce et touchez la lampe.

Elle est contrôlée par l'interrupteur 1 si elle est chaude et éteinte, 2 si elle est chaude et allumée, 3 si elle est froide et allumée, 4 si elle est froide et éteinte.

Retournement

Dans une pièce sombre il y a une table, et sur cette table il y a 52 cartes, 19 « face dévoilée », 33 « face cachée ». Votre tâche est de diviser les cartes en deux groupes, de sorte que dans chaque groupe il y ait le même nombre de cartes « face dévoilée ». Vous ne pouvez allumer de lumière, demander de l'aide à un ami, tout vous est refusé. Est-ce possible ?

(Merci à golftango et Bruno Dupire.)

Solution

Un élégant puzzle intellectuel, avec une solution simple.

Mettez n'importe quel paquet de 19 cartes de côté, puis retournez-les toutes. Réfléchissez-y !

L'utilisation d'un nombre impair, 19 dans ce cas, peut être vue soit comme un indice, soit comme un leurre suggérant que la tâche est impossible.

Visages boueux

Un groupe d'enfants joue dehors et certains ont de la boue sur le front. Un enfant ne peut pas dire s'il a de la boue sur son propre front, bien qu'il puisse voir la boue sur le front de chacun de ses camarades. Un adulte vient chercher les enfants et annonce qu'au moins l'un des enfants a de la boue sur le front, puis demande à ceux-ci de lever la main s'ils pensent qu'ils ont de la boue sur le front. Comment chaque enfant peut-il déterminer si son front est sale ou non, sans communiquer avec personne d'autre ?

(Merci à weaves.)

Solution

S'il y a seulement un enfant avec de la boue sur le front, celui-ci le saura immédiatement parce que tous les autres enfants sont propres. Il lèvera donc immédiatement la main.

S'il y a deux enfants avec des fronts boueux, ils ne lèveront pas immédiatement leur main parce qu'ils penseront chacun que l'adulte fait référence à l'autre enfant. Mais quand aucun des deux ne lèvera la main, ils réaliseront chacun que l'autre pense la même chose que lui, et donc ils lèveront la main tous les deux.

Maintenant s'il y a trois enfants avec le front boueux, ils suivront une réflexion similaire, mais cela prendra plus de temps pour qu'ils réalisent qu'ils sont boueux. Et ainsi de suite pour un nombre arbitraire d'enfants au front boueux.

Pour réaliser cette tâche on a vraiment besoin de quelque chose pour diviser le temps en intervalles, une cloche peut-être, parce qu'il ne fait pas de doute que tous les enfants ne réfléchiront pas à la même vitesse !

Puzzle pirate

Il y a 10 pirates dans un canot. Leur bateau vient de couler mais ils ont réussi à sauver 1 000 doublons d'or. Étant des brigands cupides ils veulent chacun tout le butin pour eux-mêmes, mais ils sont aussi démocrates et veulent rendre la répartition de l'or aussi équitable que possible. Mais comment ?

Chacun tire un nombre entre 1 et 10, d'un chapeau. Chaque personne à son tour, en partant de celui qui a le nombre 1, décide comment répartir le trésor entre les pirates du bateau. Puis ils votent. Si la majorité des pirates approuve l'allocation, le trésor est réparti selon celle-ci, sinon le pirate qui a décidé l'allocation est jeté par-dessus bord dans la mer infestée de requins. Dans ce dernier cas, le pirate qui a tiré le numéro suivant tente sa chance pour répartir le trésor. La même règle s'applique, et soit la répartition de ce satané magot obtient la majorité des votes, soit le pauvre malheureux se noie misérablement.

Question : comment le premier pirate devrait-il partager le butin pour à la fois garantir sa survie et obtenir une partie décente du trésor ?

Solution

C'est évidemment l'une de ces questions où vous devez travailler à reculons, par induction, vers la solution pour 10 pirates. Au fil de l'eau, on verra comment cela fonctionne pour un nombre arbitraire de pirates.

Commençons avec deux pirates, avec 1 000 doublons à partager. Le Pirate 2 obtient de répartir l'or. À moins qu'il ne donne tout au Pirate 1, le vote sera 50-50 et insuffisant pour le sauver. Splash ! On suppose ici qu'un partage égal des votes n'est pas tout à fait suffisant pour compter comme une majorité. Donc il donne au Pirate 1 le magot entier, et prie pour sa vie. (Bien sûr, le Pirate 1 pourrait dire « bonne chance » et jeter le Pirate 2 par-dessus bord, et garder l'argent par-dessus le marché.)

Maintenant considérons le cas de trois pirates. En faisant son partage le Pirate 3 doit considérer ce qui arrivera s'il perd le vote et qu'il reste juste deux pirates. En d'autres termes, il devrait faire son allocation de telle sorte qu'il s'assure d'obtenir un vote favorable par un nombre suffisant de pirates en préférant le scénario suivant.

Le Pirate 3 s'alloue 1 000 doublons et rien aux autres. Évidemment le Pirate 3 votera pour cela. Et le Pirate 2 aussi, car s'il vote contre dans l'espoir d'obtenir une partie du butin, il se trouvera lui-même dans la situation à deux pirates… auquel cas il pourrait facilement finir de l'autre côté.

Pirate 3	Pirate 2	Pirate 1
	0	1000
1000	0	0

Maintenant pour quatre pirates. Le Pirate 3 ne va pas voter pour ce que dit le Pirate 4 car il le veut dans l'océan. Donc il n'y a pas de raison de lui donner quoi que ce soit. Les Pirates 1 et 2 vont voter pour n'importe quel lot meilleur que le zéro qu'ils obtiendraient dans le scénario à trois pirates, donc le Pirate 4 leur donne un doublon à chacun et 998 à lui-même.

Pirate 4	Pirate 3	Pirate 2	Pirate 1
		1000	0
	1000	0	0
998	0	1	1

Avec cinq pirates la même logique s'applique. Le Pirate 4 obtient zéro. Puis le Pirate 5 a besoin d'obtenir deux votes parmi les trois pirates restants. Quelle est la manière la moins coûteuse de le faire ? Il donne un doublon au Pirate 3 et deux à l'un des Pirates 2 ou 1. Le Pirate 5 obtient les 997 restants.

Pirate 5	Pirate 4	Pirate 3	Pirate 2	Pirate 1
			1000	0
		1000	0	0
	998	0	1	1
997	0	1	2/0	0/2

Le Pirate 6 a besoin de quatre votes pour assurer sa survie, le sien plus trois autres. Il n'aura jamais celui du Pirate 5 donc il a besoin de trois votes parmi les Pirates 4, 3, 2 et 1. Le Pirate 4 est bon marché, il n'a besoin que d'un doublon. Mais comment obtenir deux votes des Pirates 3, 2 et 1 restants ?

Il y a clairement plusieurs options ici. Et nous allons devoir réfléchir avec attention aux actions des Pirates lorsqu'ils font face à l'incertitude.

Imaginez que vous êtes le Pirate 2 quand le Pirate 6 partage l'or. Supposez qu'il vous donne zéro, que faites-vous ? Vous voterez peut-être bien contre, parce qu'il y a une chance qu'au tour d'après vous ayez deux doublons. Si le Pirate 6 vous donne deux doublons vous devriez voter pour lui. Les choses ne peuvent pas s'améliorer au tour d'après, mais peuvent empirer. Si vous recevez un doublon maintenant, que ferez-vous ? Au tour d'après vous aurez soit zéro, soit deux. Un choix difficile. Et un possible choix personnel.

Mais c'est au Pirate 6 de s'assurer que vous n'êtes pas confronté à cette décision difficile qui pourrait aboutir à son expulsion du bateau.

La conclusion est que le Pirate 6 devrait donner deux doublons à deux des Pirates 3, 2 et 1. On se moque de savoir lesquels.

Pirate 6	Pirate 5	Pirate 4	Pirate 3	Pirate 2	Pirate 1
				1000	0
			1000	0	0
		998	0	1	1
	997	0	1	2/0	0/2
995	0	1	2/2/0	2/0/2	0/2/2

Au tour du Pirate 7, celui-ci donnera zéro au Pirate 6, un au Pirate 5 et deux doublons à deux des quatre derniers Pirates, n'importe lesquels à nouveau, ils voteront désormais tous deux en sa faveur.

Pirate 7	Pirate 6	Pirate 5	Pirate 4	Pirate 3	Pirate 2	Pirate 1
					1000	0
				1000	0	0
			998	0	1	1
		997	0	1	2/0	0/2
	995	0	1	2/2/0	2/0/2	0/2/2
995	0	1	Deux doublons pour chaque deux de leur quatre			

Maintenant on commence à prendre le rythme. Voici la table d'allocation entière :

Pirate 10	Pirate 9	Pirate 8	Pirate 7	Pirate 6	Pirate 5	Pirate 4	Pirate 3	Pirate 2	Pirate 1
								1000	0
							1000	0	0
						998	0	1	1
					997	0	1	2/0	0/2
				995	0	1	2/2/0	2/0/2	0/2/2
			995	0	1	Deux doublons pour chaque deux de leur quatre			
		993	0	1	Deux doublons pour chaque trois de leur cinq				
	993	0	1	Deux doublons pour chaque trois de leur six					
991	0	1	Deux doublons pour chaque quatre de leur sept						

Ce casse-tête est particulièrement pertinent en finance quantitative à cause de la nature «d'induction à reculons» de la solution. Ceci évoque beaucoup le modèle binomial dans lequel vous devez calculer le prix actuel de l'option en travaillant à reculons depuis l'expiration en considérant les prix de l'option à des instants différents.

Un autre de ce type d'induction à reculons est le fameux casse-tête, la pendaison inattendue. Dans ce problème on a un prisonnier qui a été condamné à être exécuté dans les dix jours à venir, et un bourreau inhabituellement attentionné. Le bourreau veut que le prisonnier souffre d'une angoisse mentale aussi faible que possible pendant ses derniers jours, et bien que le prisonnier sache qu'il va être exécuté dans les dix jours à venir, il ne sait pas quand. Si le bourreau peut surprendre le prisonnier, celui-ci sera capable de profiter de ses derniers jours, au moins de façon relative. Donc, la tâche du bourreau est de réveiller le prisonnier un matin et de l'exécuter, mais il doit choisir le jour de telle sorte que le prisonnier ne se doute pas de sa visite.

Voyons comment attaquer ce problème par induction à reculons depuis la fin des dix jours. Si le prisonnier n'a pas été exécuté l'un des neuf premiers jours, alors il se couche cette nuit-là dans la certitude que le lendemain il sera réveillé par le bourreau et pendu. Donc il ne peut pas être exécuté le dernier jour, parce que ce ne serait clairement pas une surprise. Maintenant, s'il se couche le soir du huitième jour, en supposant qu'il n'a pas été exécuté durant les huit premiers jours, alors il sait qu'il ne peut pas être exécuté le dernier jour pour les raisons précédentes, et donc il sait qu'il devrait être exécuté le lendemain, neuvième jour. Donc ce ne sera pas une surprise et donc l'exécution ne peut pas survenir le 9e jour. On a évincé les deux derniers jours, et en travaillant à reculons on peut évincer chacun des dix jours.

Le quatrième jour le prisonnier fut réveillé par le bourreau, et pendu. Eh bien, dites donc, il fut surpris !

Où notre argument d'induction à reculons a-t-il été incorrect ? D'accord, maintenant je peux vous dire que ce casse-tête est appelé le *paradoxe* de la pendaison inattendue. Il y a eu de nombreuses explications aux raisons de la faille dans la logique du prisonnier. Par exemple, parce que le prisonnier a conclu qu'il ne pouvait pas être pendu ; ensuite, le surprendre est assez simple.

Chapitre 11

Le Guide de Paul et Dominic pour décrocher un job de quant

S i vous avez aimé ce livre, et si vous cherchez un emploi en finance quantitative, vous pourrez être intéressé par *Le Guide de Paul et Dominic pour décrocher un job de quant*. Afin d'aiguiser votre appétit voici les sections d'ouverture de la version 1.0 de ce fameux guide. Pour obtenir des détails sur la manière de vous procurer le guide complet, contactez par e-mail paul@wilmott.com.

Introduction

Ce guide est destiné aux personnes qui cherchent leur premier ou second emploi en finance quantitative, la théorie étant qu'après quelques années vous devez savoir la plupart de tout cela.

Faire la différence. Si le processus de recrutement fonctionne bien, les personnes vues par la banque seront globalement de la même qualité et de formations comparables. Par conséquent, vous avez besoin de sortir du rang pour gagner. Nous parlons à de nombreux responsables du recrutement, et nous trouvons que la différence entre celui qui a décroché le poste et la personne qui venait en seconde position est souvent très faible pour l'employeur, mais évidemment bien plus importante pour vous.

Vous devez jongler entre sortir du rang, et ne pas paraître trop difficile à gérer à leurs yeux.

Comprendre le processus. Interviewer des gens est une véritable industrie à elle toute seule, multipliez le nombre de candidats par le nombre d'entretiens qu'ils passent, et vous vous demandez parfois comment le travail peut être réalisé correctement. Cette pensée survient certainement très régulièrement chez les recruteurs. Ils veulent que ça finisse, bientôt, et bien que ce soit important d'obtenir la bonne personne, presque personne n'aime ce processus, et cela est aggravé par le fait que plus de 80 % du travail est gâché par ceux que vous ne recruterez jamais. Par conséquent, un objectif primordial devrait être de simplifier autant que possible la vie du recruteur. Cela signifie arriver à l'heure, mais pas trop tôt, être souple sur les horaires d'entretien, et essayer d'être sympathique.

Ce que vous devez prouver :

- Vous êtes intelligent.
- Vous pouvez travailler en équipe.
- Vous savez obtenir que les choses soient faites.
- Vous savez vous gérer et gérer votre temps.
- Vous êtes engagé sur cette ligne de conduite.

Des baisers aux grenouilles. Comme lorsque l'on essaie de trouver un prince en faisant des baisers aux grenouilles, vous devez accepter qu'il est rare de réussir à la première tentative, donc vous devez vous préparer à un long parcours et à poursuivre de multiples options en même temps. Cela signifie postuler dans plusieurs banques, et ne pas se laisser abattre par un échec dans une entreprise particulière.

Écrire un CV

Un CV n'est pas un instrument passif qui dit simplement à un recruteur pourquoi il devrait vous faire passer un entretien ; il établit aussi dans une certaine mesure la liste et l'ordre des questions que vous aurez lorsqu'il vous rencontrera. Par conséquent, il est important de choisir ce que vous voulez divulguer, en respectant l'équilibre entre ce que vous pensez que les recruteurs veulent et les domaines sur lesquels vous vous sentez en confiance pour répondre.

Lire la description du poste. Vous devriez penser à la façon de présenter vos compétences et votre expérience de façon à coller au poste au maximum. À un certain niveau cela pourrait paraître évident, mais vous devriez savoir que dans de nombreuses banques votre CV ne sera pas lu du tout par le responsable qui vous recrute. Bien qu'à P. & D. nous ayons effectivement joué à être candidat, le cas revient souvent où les CV sont filtrés par des gens avec peu ou pas de compétences en finance. Souvent, ils se contentent de rechercher des mots clés. Ainsi, vous ne devriez pas compter sur eux pour deviner que si vous avez fait le sujet X, vous devez forcément avoir les compétences Y et Z. Si vous croyez que ces compétences sont critiques pour ce poste, alors assurez-vous qu'elles sont facilement repérables. Lisez la description avec attention, et si elle demande une compétence ou une expérience spécifique, alors incluez ce que vous pouvez pour illustrer vos points forts. Si vous croyez que des compétences particulières sont critiques, mentionnez-les dans votre lettre de motivation (ou si vous pensez que le chasseur de têtes n'est pas spécialement intelligent).

Assurez-vous que vous êtes joignable. Assurez-vous que vos coordonnées sont fiables et que vous surveillez régulièrement le(s) compte(s) e-mail et les numéros de téléphone. C'est triste lorsque le CV de quelqu'un est très prometteur, mais qu'il ne répond pas à temps pour passer un entretien. Si vous êtes à l'université, sachez que votre adresse e-mail peut arrêter de fonctionner peu de temps après la fin de vos études. GMail doit être préféré à Yahoo pour l'adresse e-mail personnelle.

Vérifiez. Faites relire votre CV et votre lettre de motivation par un anglophone de naissance. C'est important car les gens jugent réellement votre capacité linguistique en regardant comment vous vous exprimez. La finance quantitative est un sport international, avec des gens parlant toutes les langues, et la capacité à communiquer des idées difficiles est importante, et si vous ne pouvez pas donner correctement le nom de votre université, on peut douter que vous puissiez expliquer votre point de vue sur la diffusion avec sauts. Les CV utilisent aussi un style d'anglais particulier, qui est subtilement différent de celui que vous avez appris à l'école. Comme il y a beaucoup plus de candidats que de postes, les toutes premières étapes sont optimisées pour filtrer ceux qui n'ont aucune chance d'entrer. Par conséquent, vous devez faire extrêmement attention pour vous assurer que vous ne ratez pas une des premières étapes à cause d'erreurs triviales.

Lettre de motivation. Dans votre e-mail de motivation, mentionnez l'endroit où vous avez vu l'annonce et, très important, à quel poste vous postulez. Si vous ne dites pas à quel poste vous postulez, vous faites confiance à la personne qui reçoit la lettre pour le deviner. Cela n'arrive pas toujours, et plus l'entreprise est grande, plus la probabilité est faible, et de toute façon cela ne leur simplifie pas la vie, ce qui n'est pas la solution pour débuter la relation.

Le bon format pour une lettre de motivation doit répondre point par point à la description du poste. Faites part de votre capacité à appréhender chaque point, en même temps que vous expliquez pourquoi vous en êtes capable. Cela rend votre CV plus digeste, et montre que vous êtes sérieux dans votre candidature.

Les avis sont partagés sur le fait qu'il faille établir un « projet d'intention ». Si vous pensez à quelque chose d'utile à dire ici, mettez-le par tous les moyens, mais gardez à l'esprit que bon nombre de nouveaux entrants sur le marché « veulent poursuivre une carrière en finance dans une entreprise leader dans le domaine ».

Ci-dessus nous insistons sur la vérification de votre CV, et cela s'applique particulièrement à la lettre de motivation. Certains managers délaissent la lecture du CV si la lettre est bâclée.

Polices et mise en forme. Plusieurs choses sont importantes dans votre CV, et vous voulez peut-être attirer l'attention dessus. Ne faites pas cela de manière excessive. C'est vraiment irritant. La seule fois où le non-respect de cette règle a fonctionné était pour un programmeur qui avait appris le langage postscript que les PC utilisent pour parler directement aux imprimantes, et il avait développé un programme qui imprimait son CV en spirales de texte concentriques dans des tailles de police variées. Vu à l'écran cela tournait lentement. Oui, Dominic l'a recruté.

Si vous n'êtes pas préparé à passer au moins un mois à apprendre la notation polonaise inversée, utilisez un modèle standard. (Utilisez deux familles principales de police, une sans serif, comme Arial, pour les gros titres, et une police serif, comme Times, pour le corps de texte principal.)

PDF. Faire un pdf est possible. Ce genre de documents a un aspect plus professionnel que les documents Word, ils n'ont pas (encore) de problèmes de virus et ils gardent les polices et mises en forme originelles. Quel que soit le logiciel que vous utilisez, imprimez-le pour vous assurer que ce que vous voyez est réellement ce que vous obtenez. Peut-être pouvez-vous le visualiser et l'imprimer à partir d'un autre PC pour une double vérification.

Nom. Donnez un nom à votre document qui ait du sens pour le recruteur. Appelez-le VotreNomIci.pdf et pas CV.pdf, dans l'idée de faciliter le travail du recruteur. Ce n'est pas agréable d'avoir un grand nombre de fichiers avec le même nom, et c'est de fait assez simple de confondre votre CV avec celui de quelqu'un qui a aussi appelé le sien « CV ».

Dates. Assurez-vous que les dates soient connexes autant que faire se peut. Certaines personnes dans le processus de recrutement ont peur des trous chronologiques.

Soyez honnête. Si vous prétendez avoir des compétences dans un certain domaine, c'est un bon pari de penser qu'on vous posera des questions dessus. Le CV devrait être un état honnête et positif de ce que vous avez à offrir. Personne ne s'attend à ce que vous partagiez l'histoire de vos problèmes de peau, mais vous devez vous préparer à joindre l'action à la parole.

Montrez que vous savez faire des choses. À ce moment de votre vie, vous avez accumulé beaucoup d'informations et acquis des compétences, ce qui bien sûr est bien. Mais une grande question dans l'esprit de l'inquisiteur consiste à savoir si vous pouvez traduire cela en actions réelles qui soient terminées, complètes et correctes. On peut réussir la plupart des examens en donnant des réponses fausses, mais en montrant une bonne manière de travailler, et une compréhension des principes. Cependant, les banques ne sont pas si contentes en réalité si vous perdez beaucoup d'argent en donnant « presque » la bonne réponse, quand vous mettez un moins là où il y aurait dû y avoir un plus. Elles aiment voir des projets dans lesquels vous avez commencé, travaillé pour un but précis et réussi sans que l'on n'ait dû vous tenir la main. C'est une des raisons principales pour lesquelles elles apprécient les doctorats, puisque c'est un puissant argument en faveur de votre capacité à réussir. Toutefois, si vous vous dirigez vers un poste de niveau doctorat, vous devez encore battre les autres, qui ont atteint ce niveau.

Les projets aboutis sont une bonne chose, et vous devriez être préparé à répondre à des questions dessus. Les gens qui vous intervieweront auront souvent le même type de parcours académique que vous, donc ces questions pourront être pointues.

Vous pouvez avoir changé d'orientation au cours de votre carrière, et vous devriez vous préparer à argumenter les raisons de vos choix. Il est important de montrer que vous n'avez pas juste « abandonné » un domaine quand ça devenait difficile.

Intérêts et hobbies. Plusieurs personnes parmi celles que vous rencontrerez voudront comprendre la sorte de personnalité que vous avez, ou d'ailleurs si vous en avez vraiment une.

En finance, vous passez plus de vos heures éveillées avec vos collègues qu'avec la personne que vous avez épousée, donc il est bon de vous montrer aussi intéressant qu'intelligent. Ils veulent tous sentir que vous pouvez travailler avec d'autres, donc le cliché « lire, marcher et écouter de la musique » ne marche pas vraiment. Il est certain que vous ne devez pas masquer un intérêt pour quoi que ce soit, mais essayer de trouver quelque chose dont vous pouvez parler avec un minimum de passion. Un candidat avait acquis une qualification en escrime ; bien qu'il soit relativement rare que les quants aient besoin de se battre avec des épées, c'est le type de choses qui attire l'attention, et peut faire la différence de manière cruciale. Cela donne aussi aux personnes non spécialistes que vous rencontrerez un sujet dont ils ne pourront pas vous parler.

Le dernier poste en premier lieu. Dans votre CV, votre emploi actuel ou le plus récent devrait ressortir et être cohérent avec le poste auquel vous postulez. Une personne qui lit votre CV peut ne jamais aller au-delà de cette information. Assurez-vous que les dates sont correctes. C'est une des parties de l'écran de prérecrutement dans la plupart des banques, ils vérifient votre emploi précédent, et des gens ont vu des offres être retirées à cause d'erreurs sur ce point.

Paul & Dominic. En postulant à P. & D., nous aimons aussi voir une simple liste des compétences variées que vous avez acquises, jointe à une certaine estimation de votre niveau personnel. Si vous êtes nouveau en finance quantitative, cela ne sera pas évident de savoir quelles compétences sont les plus importantes, ça c'est notre travail, donc mettez-en autant que possible.

CV multiples. Finalement, il n'y a aucune raison pour que vous n'ayez qu'un seul CV. On présume que votre vie entière ne tient pas en deux pages, donc vous pouvez déployer une variété de CV qui chacun met l'accent sur des aspects différents de votre expérience et de votre parcours. Vous pouvez prendre cela comme un exercice pour trouver le nombre optimal de variantes, et vous allez vite trouver que ce n'est pas 1. Cela est accentué par le fait que les CV ratés obtiennent peu, en supposant qu'ils reçoivent un retour. Pensez à cela comme un exercice de tir dans le noir. Si vous n'entendez pas un cri quand vous tirez dans une direction, vous essayez quelque part ailleurs.

Trouver des banques. Dans ce document, on utilise le terme « banque » pour désigner l'entreprise pour laquelle vous voulez travailler. Cela désigne bien sûr les cas où les quants travaillent pour de nombreuses institutions, incluant les brokers, le gouvernement, les hedge funds, les assureurs, les caisses d'épargne, les cabinets de conseil, les sociétés de construction, et bien sûr dans le cas de P. & D., pour un cabinet de chasseur de têtes. Le site internet wilmott.com mentionne bon nombre d'entreprises, et avant d'en approcher une, il est bon de faire quelques recherches pour connaître la nature de la cible.

Si vous avez encore des liens avec votre université, elle a de nombreuses ressources pour vous aider. La plupart des universités ont un bureau de carrière avec des fichiers de banques, et auront quelques contacts avec les banques du pays. La bibliothèque aura des dossiers, et bien sûr il y a Google et Yahoo pour obtenir une liste de cibles. Toutes les grandes entreprises ont des programmes d'entrée, et vous pouvez relativement aisément en trouver un bon nombre auxquels postuler. À ce stade, le nombre de candidatures est important puisque le ratio de nouveaux entrants sur le marché par rapport au nombre de postes est très élevé.

Entretiens

Soyez préparé. Avant de vous rendre à l'entretien, trouvez le nom des personnes que vous voyez, et faites une recherche sur Google sur leur nom, tout comme pour la banque ou l'institution que vous visez. Essayez d'éviter l'erreur faite par une candidate qui n'arrivait pas à comprendre pourquoi son interlocuteur était si intéressé par une des parties de sa thèse. La candidate avait cité des articles écrits par son interlocuteur, mais avait échoué on ne sait comment à relier le nom de l'interlocuteur au papier.

Soyez confiant. Presque personne dans les banques n'aime vraiment faire passer des entretiens, certains y voient même une forme de punition. Cela signifie qu'ils vous interrogent seulement s'il y a une bonne chance qu'ils veuillent vous recruter. La plupart des gens qui sont considérés pour un poste donné n'obtiennent même jamais un premier entretien.

Soyez ponctuel. Cela devrait aller sans dire. Si vous ne pouvez pas être à l'heure à votre entretien, comment peuvent-ils s'attendre à ce que vous fassiez des journées de 12 heures ? Si vous allez être en retard (et en supposant que c'est inévitable) téléphonez avant avec une excuse précise. La meilleure stratégie est de prévoir de prendre un café avant l'entretien, un peu de caféine et de sucre peuvent aider, et c'est une soupape de sécurité utile. La pire conséquence du fait d'être en retard n'est probablement pas son effet sur l'interlocuteur, mais sur vous. L'idée est de vous présenter en étant frais, élégant et en ayant tout le contrôle de vous-même. Si vous avez été stressé par une affaire de transport, vous détruisez quelques points de votre performance.

Prévoyez les pièges. Bien que certaines questions soient préparées d'avance, la plupart des interviewers aiment creuser à partir de vos réponses. Par conséquent, vous devriez essayer de mentionner les points sur lesquels vous vous sentez en confiance en répondant aux questions difficiles. On y arrive mieux de manière subtile, par des phrases comme « cela ressemble assez à X, mais la réponse est Y », où X est un bastion de vos compétences ; ou en disant pensivement « ce n'est pas du tout comme X », si vous sentez que vous vous faites mener sur un point qui vous fera couler.

Montrez que vous savez faire des choses. Nous mentionnons cela dans la section CV, et voici une occasion de mettre en avant avec décontraction les choses que vous avez faites qui montrent que vous êtes capable d'approfondir et de finir le travail. C'est acceptable de mentionner les problèmes que vous avez surmontés, et les leçons que vous avez apprises des difficultés initiales. Les bons managers sont sceptiques sur les gens qui prétendent glisser sans effort dans la vie, et ils ne veulent pas être là quand de telles personnes se cassent la figure. La capacité pratique est donc quelque chose que vous aurez besoin de démontrer un peu plus que la théorie. Vous n'auriez pas atteint ce niveau si vous n'aviez pas une preuve respectable d'absorption de théorie, donc la prochaine étape est de voir si vous êtes capable d'appliquer ce que vous avez appris. Quand on vous demande votre motivation pour venir faire de la finance, cela vaut la peine de vous demander si c'est une raison en soi.

Questions pour le recruteur. C'est une bonne idée d'avoir réfléchi à une question en avance – cela donne l'impression que vous semblez intéressé par le poste. Vous avez deux objectifs quand ils vous demandent si vous avez des questions pour eux.

Transmettez le message. Une question peut être un bon moyen d'introduire des choses que vous voulez qu'ils sachent, ou de mettre l'accent sur un point dont vous voulez qu'ils se souviennent. Vous pouvez demander l'importance de votre expérience en Monte Carlo, C++ ou les équations aux dérivées partielles pour le poste que vous voudriez avoir. Cela transmet le message soit comme un rappel, soit pour attirer leur attention dessus.

Cherchez à en savoir plus sur le poste. Les bonnes questions portent sur les objectifs de l'équipe pour l'année prochaine, et comment votre travail les aiderait à atteindre leurs objectifs. Cela montre votre intérêt, et peut donner une meilleure appréhension de ce que vous ferez réellement. Bien qu'ils vous interrogent, on trouve aussi le cas où ils vous vendent le poste, puisqu'ils veulent que vous l'acceptiez s'ils vous l'offrent. Donc c'est à vous de faire ce travail pour savoir si c'est un bon poste ou pas.

Rappelez-vous, ne demandez pas des choses que vous devriez déjà savoir. Vous devriez discuter du poste et de la banque autant que possible avec votre chasseur de têtes en amont de l'entretien, et consulter des sites internet et des brochures de recrutement. Vous ne voulez pas donner au recruteur l'impression que vous n'êtes pas assez intéressé par sa banque pour vous renseigner sur elle avant l'entretien. Les recruteurs disent souvent que c'est la chose qui les irrite vraiment le plus en entretien. À la place, il est bon d'introduire une question avec une affirmation sur un fait dont la banque est fière (par exemple, un dialogue sur la longueur de leur site internet ou sur le recrutement), comme « Je sais que votre bureau a gagné le Prix International de la Presse Financière pour la Banque l'année dernière, mais pourriez-vous me dire… ».

Vêtements corrects. Il est tout à fait possible que dans votre processus de recrutement, aucune personne que vous rencontrez ne porte un costume, et que certaines ne se soient pas lavé les cheveux. Cela ne doit pas vous inciter à vous vêtir en « chic décontracté ». Votre manière de vous habiller importe peu pour les quants, vous êtes payé pour réfléchir. Cependant, certaines personnes peuvent se souvenir de vous pour cette mauvaise raison, et cela peut saper votre candidature quelque peu. Vous devriez vous sentir confortable, et si cela signifie un peu de parfum ou de beaux boutons de manchette alors c'est bien, mais lisez ci-dessous.

L'élégance, c'est bien. Il y a une chose plus importante que la couleur de vos habits ou le dessin de votre cravate, c'est l'impression générale que vous donnez de contrôler votre façon de vous habiller. Cela signifie bien les porter, et d'avoir une bonne apparence. Cela vaut la peine de vérifier cela avant de vous rendre à la banque.

Couleurs. Le noir est le nouveau noir. Le blanc est bien pour les chemises et pour les autres articles vestimentaires qui ne sont pas visibles. Les chaussures doivent être propres et il est préférable qu'elles soient noires pour les hommes, et dans des tons doux pour les femmes. Il y a un vrai sujet pour les femmes sur la mauvaise facture de la plupart de leurs chaussures. N'essayez pas de marcher de longues distances dans de nouvelles chaussures qui blessent vos pieds si méchamment qu'ils saignent (nous connaissons une personne qui avait maculé de sang la moquette). Assurez-vous que vos habits vous vont – des habits qui ne vous vont pas bien ne vous rendent pas présentable et si votre pantalon est trop étroit vous trouverez (et quelqu'un d'autre aussi) cela perturbant. Il existe des teints de peau qui sont généralement complétés par certaines couleurs, et apparemment dans certains cercles le marron est perçu comme une couleur pour vos vêtements. Ce n'est pas le cas ; cela dit simplement des choses sur vous qui ne vous sont jamais dites en face. Le bleu foncé est très bien.

Les cravates sont mieux ennuyeuses, la nouveauté est mauvaise.

Une autre raison en faveur des chemises blanches et qu'elles ne montrent pas la transpiration, d'autres couleurs le font terriblement et ce n'est pas l'image que vous voulez projeter. Une bonne chemise ne fait pas de mauvais plis lorsqu'elle est portée.

Bijoux. Cela ne vous aidera jamais à obtenir un poste, qu'ils soient chers ou à la mode. Par conséquent si vous avez un doute, ne les portez pas. Si vous êtes féminine et que vous avez une broche ou un bracelet, c'est bien, mais il n'y a pas de pendant du tout pour un homme. Bien entendu les boutons de manchettes sont bien, tant qu'ils ne sont pas des « innovations » – vous n'avez aucune idée du sens de l'humour que votre interviewer peut avoir ; il peut n'en avoir aucun. Certaines personnes du milieu bancaire dépensent des sommes assez épouvantables pour leur montre, donc n'essayez pas de rivaliser avec eux.

Parfum et après-rasage. Sentez-vous libre de sentir bon, mais assurez-vous que ce n'est pas trop fort.

Maquillage. Ce paragraphe est destiné aux femmes. Si vous êtes un lecteur masculin, vous ne devriez vraiment pas être en train de lire ce paragraphe et nous serions assez inquiets si c'était le cas. À moins que vous ne portiez réellement jamais de maquillage, à faible dose c'est une bonne idée. Encore une fois, cela donne l'impression que vous faites un effort qui compensera peut-être l'effet austère de tous les vêtements monochromes que vous portez. Il devrait être discret (c'est-à-dire pas de couleurs brillantes) et présentable, plutôt que réalisé dans l'intention de vous rendre plus jolie. Il y a des postes que vous pouvez obtenir en étant attirante, mais ils sont rarement drôles et jamais intellectuellement satisfaisants. Tout maquillage devrait toujours être bien appliqué – si vous ne pouvez mettre un eye-liner droit, ne le mettez pas, et ne portez jamais de vernis à ongles s'il y a une chance pour qu'il s'écaille avant l'entretien.

Ce que les gens font mal

La zéro-ième loi des trous. Quand vous vous trouvez au fond d'un trou, arrêtez de creuser. On vous posera des questions auxquelles vous ne pourrez apporter absolument aucune réponse. Certains interviewers rendent les questions de plus en plus difficiles jusqu'à atteindre ce point. L'astuce est de stopper vos pertes. Avec un peu de chance ils passeront simplement à autre chose, à moins que ce ne soit un sujet critique. Bien sûr si c'est critique, vous avez perdu de toute façon. Ce que vous devriez éviter, c'est de perdre du temps à errer comme « l'esprit perdu de l'ignorance » à travers le vaste espace informe de votre incompétence. La bonne réponse est de les regarder dans les yeux après une brève réflexion, puis de dire simplement « je ne sais pas, désolé ».

Cette règle souffre une exception, celle des questions « tout le thé de Chine » où l'on vous demande d'estimer une quantité comme le nombre de testicules de taureau consommés chaque année par les clients de McDonalds. Vous n'êtes pas censé donner la réponse, d'ailleurs la connaître semblerait plutôt étrange. Ils veulent voir comment vous pouvez estimer une quantité inconnue et comment vous réfléchissez.

Mais le plus gros trou est celui dans lequel tombent les gens qui deviennent très nerveux quand les choses vont mal. C'est presque le défaut de personnalité le plus négatif que vous pouvez avoir dans une banque. Quand vous réalisez que vous avez dit quelque chose de stupide, arrêtez, dites quelque chose comme « laissez-moi réfléchir pendant une seconde », et corrigez-vous. Faites travailler la pause pour vous. Réfléchissez à la réponse, puis montrez que vous êtes capable de vous reprendre. Rappelez-vous que personne ne peut parler de sujets à la limite de ses compétences pendant 4 ou 5 heures sans dire quelque chose d'idiot. Vous ne devez pas être sans défaut, mais votre connaissance de vous-même et votre capacité à reprendre le dessus vous assureront des points vitaux.

Dormez régulièrement, dormez souvent. Probablement l'erreur la plus commune que l'on ait vue est de ne pas dormir suffisamment la nuit précédente. Comme nous l'avons dit plus tôt, la différence entre vous et vos concurrents est mince, et perdre un faible pourcentage de votre capacité de réflexion à cause de votre fatigue a un effet exponentiel sur votre probabilité à obtenir un emploi. Les horaires dans une banque peuvent être assez difficiles, donc ce n'est pas vraiment une bonne idée de mentionner que vous vous sentez fatigué. Non seulement ils ne seront pas impressionnés, mais si vous vous laissez aller à une conversation sur la façon dont cela dégrade vos performances, cela ne se terminera pas très bien. Inversement, une tasse de café ne fait pas de mal, mais nous avons vu des gens qui en avaient clairement bu beaucoup trop, et cela n'a pas bien marché pour eux.

Établissez le contact visuel. Vous avez besoin de vous assurer que vous regardez vos interrogateurs, ils peuvent sentir la peur. Pas besoin de les fixer du regard, rappelez-vous simplement de les regarder quand vous parlez ou quand ils vous parlent.

Postulez au bon poste. Vous sentez peut-être que vous êtes un candidat unique, et que vous collez de manière évidente à ce poste. Tristement, cela se révèle ne pas être le cas. Si vous postulez pour un poste appelé « Homme de main de l'Assistant du Sous-fifre du quant – PD0701067 », essayez alors de l'inclure dans votre candidature de façon très visible. Si vous ne le faites pas, vous dépendez de manière critique de la personne qui ouvrira votre lettre de candidature.

N'envoyez pas un CV bleu. Tout simplement, ne le faites pas, d'accord ?

Barbares. Le mot barbare vient des Grecs de l'Antiquité qui considéraient ceux qui ne parlaient pas grec comme émettant des bruits « bar bub bar », comme un Homer Simpson soûl, et non Barbare comme dans les tonalités dominantes glacées du gouverneur Schwarzenegger. Bien que le docteur Simpson ait embrassé les carrières d'astronaute, de rock star et d'ingénieur nucléaire, peu d'entre nous l'embaucheraient comme quant. C'est important de trouver le juste milieu entre jeter des mots aux gens si rapidement qu'ils ont du mal à vous suivre, et être trop calme. Vous devriez essayer d'observer la réaction des gens qui vous parlent, et si l'interviewer essaie clairement d'avancer, vous devriez habituellement le laisser. Si vous pensez au style de conversation utilisé lorsque vous rencontrez pour la première fois quelqu'un que vous trouvez attirant, vous n'aurez pas tout faux. (Souvenez-vous juste que c'est un premier rendez-vous).

Il est exact que personne ne veut discriminer ceux qui ne sont pas anglophones. C'est bien, mais cela signifie que si vous n'êtes pas compris, ils peuvent juste passer outre ce que vous dites, plutôt que d'échanger des commentaires sur votre accent. C'est particulièrement vrai lors d'un entretien téléphonique où vous n'aurez pas de retour visuel, et la qualité sonore est dégradée.

Lisez votre CV. Assurez-vous que votre CV est correct. Un nombre très grand de CV, étonnamment, ont des dates clairement fausses, ou qui par mégarde donnent une mauvaise impression. Elles inquiètent beaucoup les recruteurs, et si vos dates ne correspondent pas, cela peut vous faire perdre une offre quand ils effectuent le contrôle basique des parcours de tous les employés. Lisez-le aussi pour soulever les questions que cela pourrait provoquer chez eux, « Pourquoi avez-vous pris X ? », « Je vois que vous avez fait beaucoup de Y, voici une question difficile à ce sujet ».

Entretien au téléphone portable. Nous sommes des personnes âgées (> 35), et donc parfois nous utilisons une technologie téléphonique bizarre qui comprend de longs câbles qui nous connectent physiquement à un immense et antique ordinateur Unix à des miles de là (oui, nous utilisons encore les miles). Un quant typique a fait suffi-samment de physique pour savoir que vous pouvez de fait parler par des fils de cuivre plutôt que par un téléphone portable épais d'1 mm qui a une capacité de calcul plus importante que celle de son propriétaire.

Tristement, la qualité de la voix par téléphone portable est hideusement dégradée, et sur de nombreux systèmes vous ne pouvez parler à deux en même temps. C'est occasionnellement gênant quand les deux interlocuteurs parlent la même langue d'origine, mais si pour les deux l'anglais est la seconde langue, aucun ne sort de la conversation impressionné par l'autre.

Ne tentez pas un entretien téléphonique avec un téléphone portable.

Focus. Forger un rapport humain avec l'interrogateur est une bonne chose, mais certains entretiens dérivent hors du sujet à mesure que les gens s'impliquent dans le dialogue. Cependant, il y a un budget de temps pour chaque interview, et la plupart des managers ont des objectifs spécifiques pour vérifier vos capacités. S'ils ne les couvrent pas cela peut endommager votre progression au stade suivant. Bien que cela relève de la responsabilité de l'interviewer, c'est votre problème s'il ne le fait pas. C'est là que la politesse que nous avons mentionnée ailleurs est importante. Quand vous sentez que ce moment commence à jouer contre vous, demandez-leur pour vous assurer que tout ce dont ils ont besoin de savoir est couvert.

Posez des questions. Il y a des questions effectivement stupides. Les mauvaises ques-tions sont celles qui embarrassent l'interviewer, ou le coincent dans un recoin, ça c'est leur travail. N'essayez pas de marquer des points par rapport à l'interviewer, soit vous échouez et avez l'air idiot, soit, pire encore, vous réussissez. C'est une mauvaise idée de mettre en avant tous les cafouillages dans lesquels la banque a été impliquée, ou l'endroit où le manager doit admettre qu'il n'a pas lu votre CV.

Mots à la mode. Votre interrogateur proviendra souvent du même parcours que vous, mais même à l'intérieur des maths et de la physique il y a de nombreuses spécialisations qui sont mutuellement incompréhensibles. Vous émergez tout juste d'une discipline où vous réfléchissez avec ces termes et équations et c'est facile d'émettre un flot de bruits que votre interlocuteur peut à peine comprendre. De fait, c'est pire s'il est issu d'un parcours similaire au vôtre, puisqu'il peut être embar-rassé de vous demander ce que vous voulez dire réellement. Vous perdez des points ici. Mais c'est généralement poli de vous enquérir du parcours de votre auditoire quand on vous demande d'expliquer une certaine partie de votre travail. Cela montre de la considération, et à la fois vous empêche de commettre cette erreur.

Montrez une certaine perspicacité à propos du marché. Cela ne signifie pas que vous devez connaître les symboles ticker de toutes les actions du SP500, mais cela signifie que vous devriez être capable de commenter le degré de confiance des modèles, quels sont leurs écueils communs et comment le quant et le négociateur pourraient communiquer sur ce point. Si vous pouvez quantifier un phénomène pratique qui est rarement discuté dans la littérature académique, vous impressionnerez. (Astuce :

parce que les banques se couvrent souvent en delta, tout se résume usuellement au gamma et/ou à la volatilité.)

Cela vaut aussi la peine de lire *The Economist* avant l'interview. Certains interviewers aiment voir si vous êtes au courant de l'actualité mondiale en général. *The Economist* peut perturber certaines personnes puisqu'il couvre d'autres pays et ne comporte pas de colonne astrologie ni ne couvre le golf.

Casse-tête. Il existe différents types de casse-tête que l'on pourrait vous demander, tous conçus pour tester la façon dont votre esprit travaille sous la pression, et essayer de juger votre intelligence, plus que la quantité de choses que vous avez apprises.

- Calcul direct. Exemple : combien de zéros y a-t-il dans le factoriel 100 ?
- Réflexion connexe. Exemple : plusieurs collègues aimeraient connaître leur salaire moyen. Comment peuvent-ils le calculer, sans divulguer leur propre salaire ?
- Ouvert à discussion. Exemple : quelle est la probabilité qu'une fonction quadratique ait deux racines réelles ?
- Excentrique. Exemple : combien de couvercles de bouches d'égout y a-t-il sur la N 10 ?

Travaillez avec le Forum des casse-tête (Brainteaser Forum) sur wilmott.com. Vous pouvez pratiquer des tests de QI, et plus vous en faites, meilleur est votre score. Ce n'est pas différent pour les casse-tête. Et vous seriez surpris de voir comme les mêmes questions reviennent fréquemment.

Cela vaut le coup d'avoir quelques nombres en tête pour les « couvercles de bouches d'égout ». Un manager nous a récemment parlé sur un ton assez désespéré du flot de candidats qui n'avaient même pas une idée approximative de la population du pays dans lequel ils sont nés et ont fait leurs études. Plusieurs chiffraient la population de la Grande-Bretagne entre 3 et 5 millions (c'est environ 60 millions). Une bonne astuce pour « estimer » est de prendre des nombres avec lesquels il est facile de faire du calcul mental. Bien sûr que vous pouvez multiplier par 57, mais pourquoi vous exposer à de bêtes erreurs arithmétiques.

Dans de nombreux types de questions, ils veulent entendre votre raisonnement, et n'accordent simplement aucun intérêt à la réponse effective. Par conséquent, vous avez besoin de partager vos réflexions sur la façon donc vous parvenez à chaque étape. Vous devriez aussi faire un contrôle de cohérence de vos réponses à chaque étape, et vous assurer qu'ils sont au courant que vous le faites. C'est une petite compétence qui est très importante dans les marchés financiers où les quantités d'argent que vous manipulez sont bien plus grandes que le compte de votre carte de crédit.

Au niveau des nouveaux arrivants, nous voyons aussi des gens à qui l'on demande ce que l'on appelle des « mathématiques d'adolescent ». Vous avez probablement été concentré sur un domaine des mathématiques depuis des années maintenant, et pour arriver si loin vous avez probablement été bon dans ce domaine. Cependant certaines banques vous demanderont des choses comme prouver le théorème de Pythagore, calculer π à quelques décimales près, ou prouver que la somme de N nombres est $N(N+1)/2$. Le dernier point étant étonnamment utile pour les casse-tête.

Soyez poli. Votre mère vous avait dit que ce serait important un jour, voici ce jour. « S'il vous plaît », « Merci », et faire effectivement comme si vous écoutiez, sont des bonnes choses. Bouger tout le temps, jouer avec votre cravate, faire comme si vous préféreriez être ailleurs n'est pas poli. Se tenir debout quand les gens entrent dans la pièce est bien. Occasionnellement vous trouverez approprié de ne pas être d'accord, c'est bien, mais prenez l'habitude d'utiliser des phrases comme : « Je ne sais pas si c'est le cas, peut-être que c'est… »

Vous pouvez juste vous réveiller un matin et être poli sur un coup de tête. (Indice : « Pretty Woman » est une fiction, nous tenons cela pour un fait.) Sans pratique, cela peut même ressembler à un sarcasme. Dans certaines langues « merci » et « s'il vous plaît » sont implicites dans le contexte de la phrase, et cette habitude peut déteindre sur l'anglais. Rompez cette habitude, rompez-la maintenant.

Pratiquez une vision positive des choses.

Parmi les choses que vous pouvez changer entre maintenant et votre entretien, celle-ci peut avoir le rendement le plus important. Si vous faites des calculs depuis dix ans, vous n'allez pas vous améliorer en une semaine. Cependant, vous deviendrez meilleur en vous présentant comme quelqu'un avec qui il est facile de travailler.

C'est tellement important parce que votre équipe passera plus d'heures éveillées ensemble que la plupart des couples mariés, et les seniors veulent savoir que vous « collerez ». Comme la plus grande part de l'ensemble de ce processus, c'est un jeu. Personne ne fait vraiment attention au fait que vous ayez un profond respect pour votre collègue, et même si vous pouvez bien faire semblant sous la pression, ça ne fait aucune différence.

Soyez vrai avec vous-même. Vous êtes en train de vous vendre, donc évidemment vous donnez une dynamique positive aux choses. Cependant, ça c'est la carrière, pas le poste. Si vous sentez que le poste peut réellement ne pas être ce que vous voulez, alors c'est important que vous y réfléchissiez. Si dans l'entretien vous entendez quelque chose qui sonne mal, posez une question dessus. Cela ne doit pas être une confrontation ; vous pouvez utiliser des phrases comme « Comment cela se réalise-t-il en pratique ? » et « Quelle sorte de souplesse y a-t-il dans le choix du travail ? » lorsque vous entendez que vous allez compter des boutons pendant les six prochains mois.

Ne faites pas comme si vous travailliez pour Accenture. Même si vous travaillez pour Accenture ou Arthur Andersen, vous ne voulez pas avoir l'air de ce que vous faites. Évitez cette sorte de discours managérial qui ressemble à la bande dessinée Dilbert. Un type commun de questions d'entretien est de la forme : « Vous trouvez que quelque chose est allé de mal en pis, que feriez-vous ? » Une réponse Accenture est « Je verrais cela comme un challenge qui me permettrait de travailler dans un esprit d'équipe, comme faisant partie de la synergie globale » ; ou peut-être que vous répondriez « Je vais saisir l'opportunité de faire preuve d'un excellent leadership avec intégrité », ce qui est un suicide de l'interview.

Cette partie peut sembler assez loufoque, mais il y a une tendance de fond de certaines universités à donner des enseignements formels sur les techniques d'interview. En théorie cela devrait être très utile. En théorie. La pratique est assez effrayante. Cela frustre beaucoup les interrogateurs d'être face à un candidat objectivement brillant qui répète des clichés qu'il a appris de certains consultants. Nous disions au début que vous avez besoin de sortir du lot, et comme vos concurrents peuvent inclure des personnes issues de votre institution, cela ne vous fait pas de bien.

Par tous les moyens écoutez ces gens, mais prenez-le avec du recul. Quand vous en savez peu sur le processus, c'est facile de donner trop de poids au faible nombre de choses que l'on vous a dites.

Chevauchement d'entretiens. Il est tentant de planifier beaucoup d'entretiens aussi rapprochés que possible, parce que le déplacement est de votre poche. Vous devriez être très prudent à propos du temps que vous attribuez à chaque entretien. Ce n'est pas facile de faire accélérer un manager sur son processus parce que vous voulez traverser la ville pour parler à l'un de ses concurrents. L'inquiétude à propos du temps, exactement comme le retard, peut réduire votre efficacité, donc assurez-vous que cela n'arrive pas.

À suivre…

Encore plus

Pour en savoir plus sur ce guide des postes de quant, envoyez s'il vous plaît un e-mail à l'un ou l'autre d'entre nous (Dominic Connor, dominic@pauldominic.com, ou Paul Wilmott, paul@wilmott.com) ou visitez www.quantguides.com.

Et si vous cherchez un poste de quant, visitez www.pauldominic.com et envoyez-nous votre CV.

Index

Composé par Exegraph
Achevé d'imprimer : EMD S.A.S.
N° d'éditeur : 3693
N° d'imprimeur : 19434
Dépôt légal : juin 2008
Imprimé en France

Cet ouvrage est imprimé - pour l'intérieur - sur papier Tauro 90 g des papeteries M.Réal,
dont les usines ont obtenu la certification environnementale ISO 14001 et opèrent conformément aux normes ECF et EMAS